걸프 사태

한미 협조 3

걸프 사태

한미 협조 3

한국학술정보

| 머리말

걸프 전쟁은 미국의 주도하에 34개국 연합군 병력이 수행한 전쟁으로, 1990년 8월 이라크의 쿠웨이트 침공 및 합병에 반대하며 발발했다. 미국은 초기부터 파병 외교에 나섰고, 1990년 9월 서울 등에 고위 관리를 파견하며 한국의 동참을 요청했다. 88올림픽 이후 동구권 국교 수립과 유엔 가입 추진 등 적극적인 외교 활동을 펼치는 당시 한국에 있어 이는 미국과 국제 사회의 지지를 얻기 위해서라도 피할 수 없는 일이었다. 결국 정부는 91년 1월부터 약 3개월에 걸쳐 국군의료지원단과 공군수송단을 사우디아라비아 및 아랍 에미리트 연합 등에 파병하였고, 군 · 민간 의료 활동, 병력 수송 임무를 수행했다. 동시에 당시 걸프 지역 8개국에 살던 5천여 명의 교민에게 방독면 등 물자를 제공하고, 특별기 파견 등으로 비상시 대피할 수 있도록 지원했다. 비록 전쟁 부담금과 유가 상승 등 어려움도 있었지만, 걸프전 파병과 군사 외교를 통해 한국은 유엔 가입에 박차를 가할 수 있었고 미국 등 선진 우방국, 아랍권 국가 등과 밀접한 외교 관계를 유지하며 여러 국익을 창출할 수 있었다.

본 총서는 외교부에서 작성하여 30여 년간 유지한 걸프 사태 관련 자료를 담고 있다. 미국을 비롯한 여러 국가와의 군사 외교 과정, 일일 보고 자료와 기타 정부의 대응 및 조치, 재외동포 철수와 보호, 의료지원단과 수송단 파견 및 지원 과정, 유엔을 포함해 세계 각국에서 수집한 관련 동향 자료, 주변국 지원과 전후복구사업 참여 등 총 48권으로 구성되었다. 전체 분량은 약 2만 4천여 쪽에 이른다.

2024년 3월

한국학술정보(주)

| 일러두기

· 본 총서에 실린 자료는 2022년 4월과 2023년 4월에 각각 공개한 외교문서 4,827권, 76만 여 쪽 가운데 일부를 발췌한 것이다.

· 각 권의 제목과 순서는 공개된 원본을 최대한 반영하였으나, 주제에 따라 일부는 적절히 변경하였다.

· 원본 자료는 A4 판형에 맞게 축소하거나 원본 비율을 유지한 채 A4 페이지 안에 삽입하였다. 또한 현재 시점에선 공개되지 않아 '공란'이란 표기만 있는 페이지 역시 그대로 실었다.

· 외교부가 공개한 문서 각 권의 첫 페이지에는 '정리 보존 문서 목록'이란 이름으로 기록물 종류, 일자, 명칭, 간단한 내용 등의 정보가 수록되어 있으며, 이를 기준으로 0001번부터 번호가 매겨져 있다. 이는 삭제하지 않고 총서에 그대로 수록하였다.

· 보고서 내용에 관한 더 자세한 정보가 필요하다면, 외교부가 온라인상에 제공하는 『대한민국 외교사료요약집』 1991년과 1992년 자료를 참조할 수 있다.

| 차례

정 리 보 존 문 서 목 록

기록물종류	일반공문서철	등록번호	2012090120	등록일자	2012-09-05
분류번호	721.1	국가코드	US	보존기간	영구
명 칭	걸프사태 : 한.미국 간의 협조, 1990-91. 전9권				
생 산 과	북미1과/중동1과	생산년도	1990~1991	담당그룹	
권 차 명	V.6 1991.3-4월				
내용목차	3.1 노태우 대통령, Bush 대통령 앞 걸프 종전 관련 친서 전달 3.29 대미국 현금지원(6천만불) 송금 완료 6.21 대미국 현금지원 잔금(4천만불) 송금 완료				

0001

관리번호	91-543

	분류번호	보존기간

발 신 전 보

번 호 : WUS-0786 910301 1313 DP 종별 : 긴급

수 신 : 주 미 대사, 총영사

발 신 : 장 관 (미북)

제 목 : 친서 전달

대 : USW-0984

연 : WUS-0763

연호 친전을 가능한 신속히 전달 조치 바람. 끝.

(미주국장 반기문)

예고 : 91.12.31.일반

일반문서로 재분류(1991.12.31.)

검 토 필 (1991.6.30.)

보안통제	

앙고재	91년 3월 1일	북미과	기안자 성명	과 장	심의관	국 장		차 관	장 관
			김유현			전결			

외신과통제

0002

閣 下,

本人은 美軍을 비롯한 聯合軍이 걸프戰에서 迅速하고 決定的인 勝利를 거둔데 대해 大韓民國 國民과 더불어 深甚한 祝賀의 말씀을 傳하는 바입니다. 또한 本人은 금번 聯合軍의 勝利로 오랫동안 世界 平和와 安定을 威脅해 온 걸프事態가 終結된데 대해 모든 平和 愛好 國民들과 더불어 多幸스럽게 생각합니다.

아울러 유엔 安全保障理事會의 諸般決議가 國際社會의 努力으로 履行되므로써 걸프地域에서의 平和와 安定이 回復된 것은 앞으로의 世界平和와 繁榮을 위하여 좋은 先例를 確立하였다고 보며, 많은 犧牲과 어려움에도 不拘하고 이러한 努力에 앞장서 온 美國과 美國 國民에 대하여 敬意를 表하는 바입니다.

지난 해 8月2日 걸프事態가 發生한 以來 事態의 解決을 위해 閣下께서 보여주신 위대한 指導力은 온 世界가 冷戰의 障壁을 허물고 和解와 協力의 21世紀로 나아가는 데 있어 중요한 指標가 될 것으로 確信합니다.

이 機會를 빌어 本人과 大韓民國 國民은 걸프地域에서의 平和와 安定 回復을 위해 高貴한 犧牲을 바친 美軍을 包含한 聯合軍과 그 家族에게 深深한 弔意를 表하는 바입니다.

閣下의 健安과 成功을 祈願합니다.

敬 具

0003

(Translation)

March 1, 1991

Dear Mr. President :

On behalf of the Government and people of the Republic of Korea, I wish to extend to you my heartfelt congratulations on the swift and decisive victory of the coalition forces led by the United States in the Gulf War. The people of the Republic of Korea, along with all the peace-loving peoples of the world, feel relieved at the victory which has put an end to the Gulf crisis, a longstanding source of threat to world peace and stability.

The restoration of peace and stability in the Gulf region through the implemention of relevant U.N. Security Council resolutions will serve as a valuable springboard for world peace and prosperity in the years ahead. It is with highest respect that I note how the Government and people of the United States of America have braved sacrifices and difficulties to lead the multinational efforts.

0004

I am confident that the dynamic leadership you have exhibited in dealing with the crisis since August 2 last year will become a sure guide for the world community in charting its course from the remnants of the Cold War toward a new century of reconciliation and cooperation.

We pray to God that the souls of the brave soldiers who sacrificed their precious lives for world peace and stability may rest in eternal peace, and our deepest sympathy goes to the bereaved families who lost their dear ones.

Please accept my best wishes for your continued good health and success.

Sincerely,

/s/ Roh Tae Woo

His Excellency
George Herbert Walker Bush
President
United States of America

0005

관리 번호	91-564

원 본

외 무 부

김

종 별 : 지 급

번 호 : USW-0997 일 시 : 91 0301 0941

수 신 : 장관(미북)

발 신 : 주 미 대사

제 목 : 친서

대:WUS-0786

1. 대호 친서는 금 3.1. 오전 미측에 전달 하였음.

2. SOLOMON 차관보는 동 친서 접수후, 이미 친서가 전달될 예정임을 BAKER 장관에게 보고하였다고 하고 한국측의 지원에 감사한다는 반응을 표시하였음.

(대사 박동진- 국장)

예고:91.12.31. 까지

일반문서로 재분류(1991.12.31.)

검 토 필 (1991.6.30.)

미주국 장관실, 차관실

PAGE 1

91.03.01 23:52

외신 2과 통제관 CE

0006

관리번호	91-607

원 본

외 무 부

종 별 : 지 급

번 호 : USW-1008 일 시 : 91 0304 1746

수 신 : 장관(미북,미안,정특반)

발 신 : 주 미 대사

제 목 : 김봉규 공사 신임 예방

1. 당관 김봉규 공사는 신임 인사차 NSC, 국무부등 주재국 정부 인사들과 면담, 한, 미 현안에 대한 의견을 교환한바, 주요 내용 하기 보고함.

가.CARL FORD 국방부 국제 안보 지원 담당 부차관보(2.25)

0 김 공사가 걸프전의 성공적 수행을 축하하고, 걸프전으로 한국내에서도 안보 위협에 대한 경각심이 새로와 졌음을 지적하자, FORD 부차관보는 걸프전으로 김일성을 비롯한 침략자들이 좋은 교훈을 얻었을것으로 본다는 견해를 표시함.

0 FORD 부차관보는 지난 몇년 사이에 반미 감정이 많이 완화된것으로 본다고 하면서 이에는 1)한국의 민주화와,2)용산 기지 이전등 한, 미 양국의 노력이 주효했던것으로 본다고 평가함.

0 FORD 부차관보는 또한 한국의 걸프만 지원 노력에 감사한다고 하면서, 1)C-130 기와 현금 지원은 매우 유용하였고, 2)현물 지원은 미국 국내 사정상(DOMESTIC LIMITATIONS)수용에 문제가 있었으나, 그 취지(THOUGHTS)에는 감사 한다는 평가를 덧붙였음.

나.KARL JACKSON 및 DOUG PAAL 아세아 담당 대통령 보좌관(2.27)

0 JACKSON 보좌관은 걸프전과 관련 C-130 기등 한국의 지원에 감사하나 한국이 좀더 지원을 해 주었으면 하는것이 솔직한 심정이었다고 하면서, 의회에서 걸프전에 대한 동맹국들의 지원에 대한 평가가 있을터인데, 일부 의원들은 동 문제르 아주 감정적인 차원에서 취급하고 있음에 유의해야 할것이라는 견해 표시함.

0 이에 대해 김 공사는 한국 정부와 국민은 미국을 가장 중요한 맹방으로 여기고 있으며, 아국의 지원이 현재의 정치, 경제 여건상 아국이 제공할수 있는 최대한의 지원 이었음을 설명하였음.

다.FAUVER 국무부 동아, 태국 부 차관보(2.27)

미주국	장관	차관	1차보	미주국	정특반	청와대	안기부

PAGE 1 91.03.05 16:15

외신 2과 통제관 BN

0007

0 FAUVER 부차관보는 한, 미 경제 관계가 발전함에 따라 많은 문제점이 발생되고 있으나, 큰 흐름으로 본다면 한, 미 경제 관계는 양.질 모두 건전하게 발전하고 있는것으로 본다고 함.

0 FAUVER 부차관보는 또한 정치.경제 파트너로서의 아시아의 비중이 점차 증대되고 있는 현 시점에서 APEC 같은 역내 협력 기구가 시의 적절하고 중요한것으로 본다고 평가함.

0 이에 대해 김공사는 FAUVER 부차관보가 한국에서 개최되는 APEC 고위 실무자 회의에 참석하는 기회를 활용, 한국 경제의 실정에 대해 충분히 관찰하여 한, 미 통상 관계에 불필요한 마찰이 발생하지 않도록 협조하여 줄것을 당부 하였음.

라.DERWINSKI 원호처 장관(2.28)

0 DERWINSKI 장관은 자신이 한국 정치, 경제를 오래 관찰해온 경험에서 한국이 최근 인상적인 정치 발전을 이룬것을 잘 알고 있고, 한, 미 관계가 성숙된 최고의 단계에 와 있다고 생각한다고 함.

0 이에 대해 김 공사는 지난 몇년간 양국 언론에 자주 보도된 반미 감정은 극히 소수에 제한된 현상이고 한, 미 관계의 건전한 유지가 한국 정부의 제일 큰관심사임을 설명하면서 DERWINSKI 장관의 계속적인 협조를 당부함.

2. 한편 김 공사는 내주중 BOLTON 국무부 국제 기구 담당 차관보(3.7) 및 외교단에 대해 신임 예방할 예정인바, 주요 협의 내용을 추보 예정임.

(대사 박동진-국장)

91.12.31 일반

검 토 필 (1991. 6. 30.)

예고문에의거일반문서로
재분류 1991. 12. 31 서명

PAGE 2

0008

원 본

외 무 부

종 별 :

번 호 : USW-1026　　　　일 시 : 91 0305 1443

수 신 : 장 관(미북,미안)

발 신 : 주 미 대사

제 목 : 걸프전 기여금 관계 의원 발언

1.최근 방한한바 있는 PATRICIA SCHROEDER 하원의원은 1.25. 걸프전 기여금 관련, 한국, 일본, 독일의 기여금 수준이 부족하다는 요지의 본회의 발언을하였음을 보고 함.

2.동 발언 내용은 팩스편 송부함

(대사 박동진- 국장)

미주국　　미주국

91.03.06 09:15 WG

외신 1과 통제관

0009

03/05/91 14:58 ☎202 797 [redacted] EMBASSY OF KOREA →→→ 001/001

주 미 대 사 관

보안 통제	

번호 : USV(F) - 0262

수신 : 장관(미북, 미안)

발신 : 주미대사

제목 : 걸프전 기여금 관계 의원 발언

배부처	장관실	차관실	1차보	2차보	기획실	의전장	아주국	미주국	구주국	중아국	국기국	경제국	통상국	정문국	영교국	총무과	감사관	공보관	외연원	청와대	총리실	안기부	문공부
	/	/	/	/				②	/				/							/	/	/	

1101 23

GERMANY, JAPAN, AND SOUTH KOREA MUST CONTRIBUTE MORE TO DESERT SHIELD

(Mrs. SCHROEDER asked and was given permission to address the House for 1 minute and to revise and extend her remarks.)

Mrs. SCHROEDER. Mr. Speaker, on this very ominous day, when we hope things continue to go so well, I want to say to our allies, especially three of them—Germany, Japan, and South Korea—that there are no three countries on this planet that owe their prosperity and well-being more to the United States than those three countries. Yet when we look at the cost of this war, those three countries are really doing the least compared to what they could do.

Mr. Speaker, this is terribly disappointing to me. Their attitude has been that after all of their people have health care, which our people do not have in the United States, that after all of their young people are educated in college or whatever they want, which our people do not get in the United States, and after many more programs that they fund, if there is anything left, they will throw some change in the tin cup.

You cannot be a superpower and a super debtor very long. I think we have to say to these allies, especially these three, our patience is running out, and we really expect a whole lot more than loose change. I think that is very, very important. Congress is going to be talking about this as we look at the cost of this war and start trying to pay the bill, which is going to be very difficult, in the next few months.

0010

관리번호	91-461

원 본

외 무 부

종 별 :

번 호 : USW-1046 일 시 : 91 0305 1823

수 신 : 장관(미북)

발 신 : 주 미 대사

제 목 : 한국의 걸프전 기여도 관련 SOLOMON 하원의원 발언

연 :USW-1026

1.SOLOMON 하원의원(R-NY)은 2.25 연호 SCHROEDER 의원의 독일, 일본, 한국의 걸프전 기여도 부족 비난 발언에 대한 반박 발언을 통하여, 독일과 일본의 비난에는 동조하나 한국의 경우 세계 자유와 민족 자결을 위한 투쟁에 전폭적으로 참여해왔으므로 한국을 비난 대상에서 제외할것을 촉구한바, 동 의원 발언문 전문을 별첨 FAX 송부함.

2. 본직은 SOLOMON 의원의 상기 발언에 대해 감사 서한 발송등 적의 사의를표명할 예정임.

(대사 박동진-국장)

91.12.31 까지

검토필 (1991. 6. 30.)

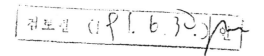

미주국	장관	차관	1차보	2차보	중아국	정문국	청와대	안기부

PAGE 1

91.03.06 09:00

외신 2과 통제관 BW

0011

주 미 대 사 관

보안 통제	凸

번호 : USW(F) - 766

수신 : 장 관 (미북, 미안)

발신 : 주미대사

제목 : Solomon 의원 한국관계 발언문

Gerald B.H. Solomon (共, NY) 규칙위 소속

H 1144 CO

SOUTH KOREA HAS CONTRIBUTED TO CAUSE OF WORLD STABILITY

(Mr. SOLOMON asked and was given permission to address the House for 1 minute.)

Mr. SOLOMON. Mr. Speaker, on this floor a few minutes ago the gentlewoman from Colorado [Mrs. SCHROEDER] criticized three countries, namely, Germany, Japan, and the Republic of Korea, for not participating fully in Operation Desert Storm. Let me concur with her on the first two countries, Germany and Japan, but let me suggest to her that she delete the name of South Korea, because South Korea has participated and continues to participate fully in the struggle for freedom and national self-determination around the world.

Let me point out to the gentlewoman that it was South Korea, standing shoulder to shoulder with the United States of America, that stopped communism dead in its tracks back in 1950. That was the turning point against that deadly, atheistic philosophy—communism—that is even worse than that of Saddam Hussein. The Republic of Korea has stood as a staunch ally of the United States in the fight against communism ever since.

Let me suggest that the genlewoman from Colorado ought to withdraw the name of South Korea and put in its place that of the Soviet Union, which has contributed not one dollar, which has contributed not one life, to this important cause for which we are all fighting for in Saudi Arabia.

Since joining with the United States to vote for the creation of the United Nations, the Soviet Union has more often than not been a stumbling block for the cause of freedom by means of the votes it cast in that international organization. At last—after more than 40 years—the Soviet Union did cast a truly constructive vote for freedom when it supported the international coalition against Saddam Hussein's occupation of Kuwait. Now, however, it has reverted to form, offering diplomatic escape hatches for Saddam Hussein that, while currying favor for the Soviet Union in the Middle East, work against the allies' efforts to bring long-term stability to the region.

Again, Mr. Speaker, let me suggest that the gentlewoman from Colorado delete her criticism for a good, staunch ally, the Republic of Korea; and aim that criticism where it is well deserved.

0012

03/06/91 23:33 ☎ [redacted] 0595 EMBASSY OF K[redacted] WOI ⌀001/002

USW(F)- 781

수신: 장관 (미북. 미안)

발신: 주미대사

제목: 하원 아태소위 청문회 (표지포함 2매)

연: USW(F)-780

연호 청문회 시 Solarz 의원의 한국관계 질의응답 요지를

하기 송부함.

배부처	장관실	차관실	一차보	二차보	기획실	의전장	아주국	미주국	구주국	중아국	국기국	경제국	통상국	정문국	영교국	총무과	감사관	공보관	외연원	청와대	총리실	안기부	[illegible]
	/	/	/	/				②						/						/	/	/	

(아 래)

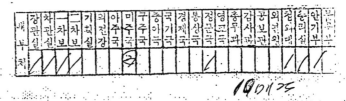

REP. SOLARZ: Thank you, very much, Mr. Foglietta. Mr. Solomon, in your testimony you indicated that Japan is picking up 73 percent of the nonsalaried costs of our military deployment in Japan. Could you tell us by comparison what percentage of our nonsalaried costs the South Koreans are picking up of our deployment in South Korea?

781-1

0013

HEARING OF THE ASIAN AND PACIFIC AFFAIRS SUBCOMMITTEE OF THE HOUSE FOREIGN AFFAIRS COMMITTEE/ SUBJECT: AID FOR EAST ASIA AND THE PACIFIC CHAIRED BY: REPRESENTATIVE STEPHEN SOLARZ (D-NY)
A-3-6 page# 5 WEDNESDAY, MARCH 6, 1991

MR. SOLOMAN: I'd have to look in the figures, or perhaps my colleague, Carl Ford, could come up with something. We can certainly make an estimate for you.

MR. FORD: Well, one of my problems is we don't really figure it that way. I mean, we have -- slightly different way to approach it than salaried and nonsalaried. And I think that the difference is that we look at our total costs for US forces in Japan and Korea, and then try to determine what portion of those the Japanese or the Koreans are paying. And, as you know, Mr. Chairman, we have just signed a new agreement with the Japanese that increased the amount of costs that they were providing, and it's by Japanese reckoning over 50 percent of the total cost, by our reckoning it actually is more than that -- somewhat more than that.

In Korea, we have a slighly different calculation. We do the same thing, but it's still down in the high teens, low twenty, if you look at the total cost. The -- the Koreans have also agreed to provide more money to raise that percentage up, and the other part of it is the Japanese defense budget factors in with their contribution, the Korean defense budget as a part of GNP has to be considered. So we would always expect Korea to pay less cash than the Japanese.

REP. SOLARZ: Okay. Could you, on the same accounting basis that you use to calculate the Japanese contribution let us know for the record what the South Korean contribution is.

MR. FORD: Right. We do -- we do use the same methodology.

REP. SOLARZ: Okay. And --

MR. FORD: It's the same for NATO, too.

REP. SOLARZ: -- could you also, in that response, let us know what it is for the European countries, so we can put both the Japanese and Korean contributions in perspective.

MR. FORD: Yes, sir.

REP. SOLARZ: You might also, as part of that, include the percent of their GNP they're spending on defense, because, as you point out, that's a factor worth taking into account.

Now, Mr. Solomon, as I understand it, the Japanese Diet today will have finalized action on the $9 billion additional commitment that they've made --

781-2 0014

관리 번호 91-626

원 본

외 무 부

종 별 : 지 급

번 호 : USW-1069 일 시 : 91 0306 1706

수 신 : 장관(미북)

발 신 : 주 미 대사

제 목 : 걸프전 기여금

주재국과의 각종 협의시 활용하고자하니 아국이 중동에 파견한 의료단 및 수송단과 관련된 제반 경비(인원및 장비 운송료, 급여, 시설 운영경비, 식비, 행정비 등 모든 경비 포함)를 실제 비용으로 환산한 금액이 어느정도되는지 알려주기 바람.

(대사 박동진-국장)

예고:91.12.31 일반

검토필 (1991. 6. 30.)

일반문서로 재분류(1991.12.31.)

미주국 차관 2차보 중아국

PAGE 1

91.03.07 07:50

외신 2과 통제관 BW

0015

관리번호	91-665

외 무 부

종 별 : 지 급

번 호 : USW-1080 일 시 : 91 0306 1831

수 신 : 장관(미북,중동일,경이,미안,기정)

발 신 : 주 미 대사

제 목 : 쿠웨이트 복구 사업 참여 협조 요청

1. 당지 방문중인 이정빈 차관보는 금 3.6 NSC DOUGLAS PAAL 아시아 담당 선임 보좌관 내정자 및 SANDRA CHARLES 중동 담당 보좌관을 면담, 중동 각국에서건설 프로젝트 참여를 통해 많은 경험을 쌓은 아국 건설 업체들이 쿠웨이트 복구 사업에도 참여 함으로서 아국 나름의 협조를 제공할 준비가 되어 잇음을 설명하고, 동건 관련 미측의 적극적인 협조를 요청함(당관 유명환 참사관 배석)

2. 이에 대해 PAAL 보좌관은 한국도 전후 복구 사업에 적극 참여하기를 희망한다고 말하고, 자신이 알기로는 쿠웨이트 정부가 다국적군 참여국등 걸프전쟁관련 지원국의 은혜를 잊지 않겠다는 입장을 표명하면서 이에 따라 복구 사업 참여 가능국과 불가국을 구분하는 일종의 리스트를 작성하였는바, 한국은 당연히복구 참여 가능국에 포함된것으로 알고 있다고 언급함.

3. 한편, 동 보좌관은 아직도 유엔의 각종 대이락 경제 제재 조치등이 유효한 만큼 이락내 복구 사업 참여 문제는 추후 적적할 시점에 신중히 검토 하여야할것이라고 첨언함.

(대사 박동진-장관)

91.12.31 일반

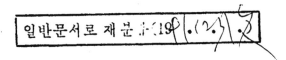

일반문서로 재분류(1991.12.31.)

검 토 필 (1991.6.30.)

미주국 장관 차관 1차보 2차보 미주국 중아국 경제국 청와대
안기부

PAGE 1

91.03.07 09:15
외신 2과 통제관 BW

0016

관리 번호	91-651

원 본

외 무 부

종 별 : 지 급

번 호 : USW-1086 일 시 : 91 03062200

수 신 : 장관(미북,중근동,미안,기정)

발 신 : 주 미 대사

제 목 : 제 1차관보 방미 결과

당지를 방문중인 이정빈 제 1 차관보는 금 3.6(수) DAVID MACK 국무부 근동부차관보를 면담하고 걸프 사태 전후 처리 문제에 관하여 의견을 교환하였는바, 주요 내용 다음 보고함(JOHN KELLY 차관보는 명일부터 시작되는 BAKER 장관은중동 순방 대책 회의등으로 인해 면담이 이뤄지지 못함)

1. 제 1 차관보는 우선 미측이 커다른 인명 피해 없이 걸프전을 승리로 종결짓고 동 지역에서 평화와 안정을 회복하기 위한 발판을 마련한데 대해 축하를 하고 걸프전 이후 중동 지역의 안정과 평화 유지를 위해 미국의 구상을 문의하였음.

2. 이에 대해 MACK 부차관보는 미국이 비록 대부분의 군을 파견하고 주도적인 역할을 했지만 어디까지나 연합군(COALITION FORCES)의 일원이었으며 여타 연합국들의 협조 없이는 금번 사태를 이처럼 성공적으로 마무리 지을수는 없었을것이라고 하고 한국이 재정및 수송 지원을 해준데 대해 감사를 표하였음.(동부차관보는 특히 한국의 수송 지원은 걸프 사태 해결에 있어 결정적인 순간에 커다란 도움이 되었으며, 한국등 우방국인 이집트, 요르단, 터어키등에 대해 재정 지원을 함으로서 다국적군의 연합 전선에 균열이 가지 않도록 하는데 기여한것으로 평가한다고 언급)

3. 이어 동 부차관보는 전후 중동 지역의 안보및 경제 복구등을 위한 지역 안보 체제 수립, 이스라엘-아랍문제 특히 팔레스타인 문제, 레바논 문제, 경제 부흥 문제, 군비 통제등과 관련한 미측의 입장및 구상을 다음과같이 밝히면서 이러한 문제는 앞으로 역시 국제적인 협력하에서 추진해야할것이라고 말함.

가. 지역 안보 체제 수립

-미국이 현재 지역 안보 문제에 관한 확실한 청사진등을 갖고 있지는 않으나 중동의 현실이 유럽과는 다르므로 NATO 또는 CSCE 같은 유럽의 경험이 중동에그대로 적용될수 없으며 동 지역 국가들이 스스로 지역 안보에 대한 계획을 창안해내야

미주국 장관 차관 1차보 2차보 미주국 중아국 정문국 청와대
종리실 안기부

PAGE 1

91.03.07 13:13
외신 2과 통제관 BW

0017

한다는것이 미국의 기본 입장임.

이문제와 관련 GCC 국가 외무장관들이 3.3 리야드에서 회동한바 좋은 구상이 나올것을 미국은 기대하고 있음(금일 리야드에서재차 회동)

한편 미국은 부쉬 대통령이 누차 천명한바와같이 지상군을 주둔시키지는 않을것이며 동 지역에 오래전부터 배치된 미국의 해군력 및 공군력이 있기 때문에 온건 아랍국가가 구사적으로 지원하고 GCC 국가가 중심이된 지역 안보 체제와 긴밀한 협조를 하게되면 장래에 대비 하는데 충분하다고 봄.

-베이커 장관은 금번 중동 순방중에 리야등에서 GCC 국가대표들과 면담하고타이푸에서 쿠웨이트 정부 인사들과도 만날 예정이며 또한 시리아, 이집트, 이스라엘, 터어키도 방문, 지역 안보 문제에 대한 아랍국가들의 의향을 타진 하고 미국이 할수있는 역할에 대한 모색을 하게될것임.

나. 이스라엘-아랍 문제(팔레스타인 문제)

-미국으로서도 어떤 구체적 해결책을 갖고 있지는 않으나 아랍국가들이 금번 걸프 사태를 계기로 보다 현실적인 인식을 하게되었으므로 단계적으로 이문제를 풀어 나갈수 있을것으로 기대함.

다. 군비 통제

-미국으로서는 최근 무바락 이집트 대통령이 제안한바 있는 중동 지역에서의 장거리 미사일등 비재래식 무기 금지 제안등을 환영하며 중동 지역 정세 불안요인 제거 차원에서 군비 통제를 적극 추진 예정임.

라. 경제 복구 문제

-현재 GCC 국가와 이집트등이 중심이 되어 세계 은행(IBRD)과 유사한 아랍 개발 은행(ARAB DEVELOPMENT BANK)설립을 추진하고 있는바, 일본, 독일, 한국및 서구 국가들의 역할이 기대되고 있음.

-한국의 경우 과거 중동 지역 건설 시장 진출등의 경험이 축적되어 있는 만큼 걸프 지역 복구에 중요한 역할을 할수 있을것으로 봄.

4. 제 1 차관보는 상기 설명에 대해 사의를 표하고 우리나라가 걸프 지역의안정 회복과 경제 복구에 지원을 할 용의가 잇음을 표명하고 전후 쿠웨이트 복구 사업에 아국의 참여 문제에 관해 미측의 협조를 요청하였음.

이에 대해 동 부차관보는 쿠웨이트 정부가 전후 쿠웨이트 복구 사업을 위해임시로 워싱턴 D.C. 에 설치하여 운영해오고 있는 쿠웨이트 경제 복구 위원회(COUNCIL ON

PAGE 2

0018

ECONOMIC RECONSTRUCTION OF KUWAIT)는 지금까지 담당하던 업무를 쿠웨이트 정부내 기관을 업무를 이관하고 있는 중이며, 쿠웨이트 복구와 관련, 전기, 상. 하수도 및 쓰레기 처리 시설등 긴급히 복구가 요청되는 분야에 있어서는 단기적으로 미국정부가 커다란 역할을 하게될것이나 도로, 항만, 정부 건물, 주택등 사회 간접 자본 복구는 전적으로 쿠웨이트 정부가 계획을 수립 시행하게될것이라고 언급함.

5. 한편 중동 질서 개편에 관한 소련의 역할에 관한 질문에 대해 동 부차관보는 걸프 사태 발생이래 미국은 소련과 긴밀한 협의를 통해 유엔을 중심으로 국제적 평화 회복 노력을 전개해 왔는바, 미국으로서는 앞으로도 중동 지역 문제 해결에 있어 소련의 건설적 참여(CONSTRUCTIVE PARTICIPATION)를 기대하고 있다고 언급함.

6. 관찰및 평가

-중동 지역 안보 문제와 관련 미국으로서는 아랍세계 및 소련등의 반발을 의식하여 지상군을 주둔시키지는 않되, 친미 온건 아랍국가들을 주축으로한 지역 안보 체제 수립을 유도하는 한편, 동 지역에 있어 미국의 해.공군력을 강화하여 동 지역 안보 체제에 대한 후견인 역할을 통해 중동 지역의 정세 안정을 도모하는 구상을 추진중인것으로 보임.

-쿠웨이트 복구 사업과 관련 단기적 긴급 복구 계획에 관해서는 미국정부가주도및 지원하고 있는것으로 보이며 그외 중.장기적인 복구 사업은 쿠웨이트 정부가 자체 판단에 따라 계약을 체결하여 시행하게될 전망임.

-중동 지역 질서 개편및 복구 관련 미국은 소련이 냉전적 사고에 입각, 중동 지역 정세에 개입하는것을 수용하지 않으나 중동 국가들과 상호 경제적 이익을 공유(MUTUALLY SHARED ECONOMIC INTERESTS)하는 건설적인 관계를 발전 시켜 나가기를 바라고 있는것으로 관찰됨.

(대사 박동진-장관)

91.12.31 일반

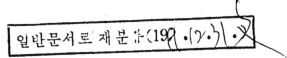

일반문서로 재분류(1991.12.31.)

검 토 필 (1991.6.30.)

PAGE 3

0019

관리 번호	P1 -892

외 무 부

종 별 :

번 호 : USW-1093 일 시 : 91 0307 1825

수 신 : 장관(미북,중근동,미안,기정)

발 신 : 주 미 대사

제 목 : 제 1차관보 방미

당지를 방문중인 이정빈 제 1 차관보는 금 3.7(목) WILLIAM QUANDT 브리킹스 연구소 선임 연구관을 면담하고 걸프 사태 이후 중동지역 정치, 경제 문제에 대하여 의견을 교환한바, 주요 내용 하기 보고함.

1. 제 1 차관보는 걸프전의 성공적 종료에 대해 축하하면서, 미 행정부가 BUSH 대통령의 3.6. 대의회 연설등을 통해 걸프전 이후의 대중동 청사진을 밝히고 있으나, CAMP DAVID 회담에 직접 참여하기도 하는등 중동 문제를 오랫동안 연구해온 QUANDT 연구관의 걸프전후 중동 정세에 대한 의견을 문의함.

2. 이에 대해 QUANDT 연구관은 걸프전의 성공적 종료로 중동의 정치, 군사적 환경이 많이 개선된것으로 본다고 전제하면서 주요 문제에 대한 본인의 견해를 아래와 같이 밝힘.

가. 지역 안보체제 수립

0 당분간은 아랍, UN, 미국의 3 자가 모두 참여하는 평화 유지군의 구성이 필요할것으로 봄.. 이경우 아랍군은 주로 이집트 및 시리아군으로 구성될 것이고,UN 평화유지군은 상징적인 역할을 하게 될것이며, 미국은 어제 BUSH 대통령이 밝힌바와 같이 주로 해.공군력에 의한 지원을 하게될것으로 봄.

0 중동에서 가장 분쟁 발생 가능성이 높은곳이 걸프지역인바, 금번 걸프전을 통해 이락의 군사력이 제거되었고, 이란은 금번 사태를 통해서도 상당한 자제력을 보여주어 전반적으로 중동의 안보 환경이 많이 개선된것으로 봄.

0 그러나 이란이 이락내의 시아파를 사주하여 이락내의 분규를 조성하여 역내의 영향력 행사를 기도할 가능성등 분쟁의 요인은 상존함.

나. 군비 통제

0 중동 평화 유지를 위해 군비 통제가 이루어져야 한다는 의견의 자주 제시되고

미주국	장관	차관	1차보	2차보	미주국	중아국	청와대	총리실
안기부								

PAGE 1 91.03.08 13:57

외신 2과 통제관 CH

0020

있으나, 걸프전을 통해 최신예 무기(PRECISION BOMB, ANTI- MISSILE MISSILE등) 의 효능이 증명되었으므로 역내 국가들이 최신예 무기를 구입하는등 오히려 군비경쟁이 재연될 가능성도 크다고 봄.

다. 이스라엘. 아랍 문제

0 이스라엘의 안보 위협은 이집트, 시리아, 이락 3 국으로 부터의 위협이 가장 심각한 것이었는바, 이집트는 CAMPD DAVID 를 통하여 이스라엘과 화평하였고, 이락은 걸프전을 통해 그 군사력이 제거 되었으므로, 이제 현실적인 군사 위협은 사실상 시리아 1 국에서만 가능한것으로 보임.

0 시리아는 종래 서방과의 대결적 입장에서 탈피하여 서방과의 관계를 증진시키려는 의지를 보이고 있으므로 , 이스라엘이 골란고원 문제, WEST BANK 문제등을 양보하면 시리아와의 관계 개선도 가능하다고 봄.

0 문제는 이스라엘의 현 집권층이 매우 비 타협적 성격이라 이스라엘 로 부터 안보리 결의안 242 에 기초한 타협을 기대하기가 어렵다는 것임.

0 미국이 이스라엘로 하여금 타협을 하도록 영향력을 행사하여야 하는데, 문제는 미국내의 친이스라엘 로비가 아직도 매우 강하다는데 있음.

(QUANDT 연구관은 그 예로 최근 대이스라엘 원조를 둘러싼 미 행정부.이스라엘간의 알력을 듬) 한가지 다행한것은 BUSH 대통령의 높은 인기도를 기반으로 이스라엘 문제에 대해서도 강력한 리더쉽을 발휘할수 있다는 점임.

0 본인의 예상으로는 수주안에 중동평화 및 팔레스타인 문제토의를 위한 다자간 회의 소집이 가능하다고 보나, 이스라엘이 계속 팔레스타인 문제에 비타협적 자세를 고집하게 되면 모처럼만의 기회가 무산될것임.

라. 경제 복구 문제

0 쿠웨이트 재건에 관심이 쏠리는 것이 당연하나, 이란도 서방과의 경협을 강화해 나갈것으로 전망됨.

0 이락은 걸프전 이전에도 이미 1 천억불의 대외부채를 짊어지고 있었고, 대이란, 쿠웨이트 배상금이 1 천억불 이상으로 이야기되고 있는데, 이는 이락의 제일 큰 수입원인 원유 판매대금 약 10 년분에 해당 되므로 이락의 배상금 지불은 사실상 매우 어려운 문제로 보이며, 경제 복구도 자금 부족으로 어려움을 겪을 것임.

0 아랍 개발 은행 설립이 자주 논의되고 있는바, 자금 규모가 수입억불만 되어도 충분히 소기의 효과를 기대할수 있을것으로 생각됨. 걸프전에 약 5 백억이 소요된것과

비교하면 아랍 개발은행 설립은 크게 어려운일이 아니라고 봄.

3. 제 1 차관보는 상기 설명에 대해 사의를 표하면서 소련이 중동지역문제에 깊이 관여하여 왔음에 비추어 향후 중동정치, 안보, 경제 구조 정착에 있어 소련이 어떤 역할을 해나가리라고 보는지 문의한바, QUANDT 연구관은 언론에서는미국이 소련의 대걸프전 역할에 대해 불만일것으로 보도하기도 하나 미 행정부는 소련의 역할에 대해 대체적으로 만족하고 있는것으로 본다고 하면서, 소련은 개혁 정책을 추진함에 있어 서방과의 협조가 긴요한 상황이므로 중동문제에 있어서도 서방과 협조해 나갈것으로 본다는 낙관적 견해를 표시함.

(대사 박동진- 장관)

예고:91.12.31. 일반

검 토 필(1991. 6. 30.) 73

PAGE 3

0022

관리번호	91-168P

외 무 부

종 별 : 지 급

번 호 : USW-1105 일 시 : 91 0307 1949

수 신 : 장관(미북,중동일, 미안,국연, 아일,아이)

발 신 : 주 미 대사

제 목 : 제1차관보 방미 활동 보고(ANDERSON 부차관보 면담)

당지 방문중인 이정빈 차관보는 금 3.7. 국무부 ANDERSON 동아태 부차관보를 면담하였는바, 동 면담 요지 하기 보고함(미측 RICHARDSON 한국과장, 아측 유명환 참사관 및 김규현, 임성남 서기관 배석)

1. 걸프전 관련 지원 문제

가. 이차관보는 우선 걸프전의 성공적 종료에 대한 축하를 전달하고, 전후 복구과정등에 있어서 한미간의 긴밀한 협조관계가 계속 유지되기를 희망한다고 언급한바, ANDERSON 부차관보는 한국이 그 간 보여준 강력한 정치적 지원과 대미,대전선국 지원에 크게 감사한다고 답변함.

나. 이어서, ANDERSON 부차관보는 의회 및 언론등에서 금번 전쟁관련 각국의 지원 내용 및 약속이행 실적으로 본격적으로 평가할 예정인 점등을 감안, 한국측이 기천명한 지원 내용은 가능한한 조속히 실행하는것이 바람직할것으로 보인다고 강조함

2. 부쉬 대통령의 아주 순방 문제

가. 이 차관보가 부쉬 대통령의 아주순방 추진동향을 문의한데 대해, ANDERSON 부차관보는 금년가을에 동 순방을 추진할예정이기는 하나 더 이상의 구체적사항은 현재 정해지지 않았다고 (NOT PINNED ANY MORE) 답변함.

나. 또한 ANDERSON 부차관보는 동 순방 관련 한국측의 입장을 잘알고 있다고 하고, 구체적인 진전동향이 있는대로 아측에 이를 통보하겠다고 언급함.

[redacted]

미주국 장관 차관 2차보 아주국 아주국 미주국 중아국 국기국

PAGE 1

91.03.08 14:58

외신 2과 통제관 BA

0023

[redacted]

4. 한-베트남 관계 개선

가. 이차관보는 베트남측이 4 월초 아국개최 예정인 ESCAP 총회 참석등을 계기로 대한국 관계 개선을 강력히 희망하고 있다는 점을 언급하고, 한-베트남 관계 개선 문제에 대한 미측 입장을 타진함.

나. 이에 대해 , ANDERSON 부차관보는 캄푸치아 문제 하결을 위한 대 베트남 교섭이 현재 가장 중요한 시점(CRUNCH POINT) 에 도달했다는 점을 언급하고, 현재와 같이 각 관련국이 협조해 나가는가운데 대 베트남 압력이 계속 가중되어 나간다면 2-3 개월내로 동 교섭이 타결될수 있을것으로 본다고 설명함.

다. 이어서 아측이 단계적 방식의 대 베트남 관계 개선을 추진함으로써 일종의 DUAL-TRACK 정책을 채택하는 방안도 가능하지 않겠느냐고 언급한데 대해, ADNERSON 부차관보는 미 의회 일각에서도 여사한 구상이 제기되고 있고, 베트남측도 구라파 및 호주, 일본과의 교역 및 투자관계 확대에 큰 관심을 갖고 있다고하면서 , 여사한

PAGE 2

0024

대베트남 경제관계 확대는 현 상황 하에서 캄푸치아 문제 관련 교섭 타결의 가능성을 감소 시키는 결과를 초래할 가능성이 큰 만큼, 한국측도 대 베트남 관계 개선을 자제(HOLD OFF)해 줄것을 분명한 어조로 요청함.

(대사 박동진- 장관)

예고:91.12.31. 일반

검 토 필(1991. 6. 30.) (인)

관리번호	91-662

외 무 부

종 별 : 지 급

번 호 : USW-1108　　　　　　　　　　일 시 : 91 0307 2004

수 신 : 장관(친전)사본:경제기획원장관, 국방부 장관, 대통령 외교안보 보좌관

발 신 : 주 미 대사

제 목 : 제1차관보 방미(걸프 사태관련 지원 문제)

당지를 방문중인 이정빈 제 1 차관보는 금 3.7(목)오후 CARL FORD 미국방부국제안보 부차관보를 면담하고 걸프사태와 관련하여 우리의 지원 집행문제에 관하여 협의 하였는바, 주요 내용 하기 보고함(유명환 참사관, 박세헌 주미해군 무관, 김규현 사무관 배석)

1. 한국의 지원에 대한 평가

-제 1 차관보는 먼저 미국이 부쉬 대통령의 영도하에 걸프전쟁을 승리로 마무리 지은데 대해 축하를 표하였음.

-이에 대해 FORD 부차관보는 미국이 우방국의 도움을 절실히 필요로했던 걸프사태에서 한국이 제때에 지원을 아끼지 않았던데 사의를 표하고 미국은 이를 오래 기억할것이라고 언급 하였음.

2. 추가 지원중 1 억 1 천만불의 구성문제

-FORD 부차관보는 한국측이 제안한 현금 6 천만불, 수송 지원 5 천만불의 지원에 이견이 없다고 하였음(다만 상부로 부터 다른 의견이 있으면 알려주겠다고 부언)

[redacted]

장관

PAGE 1　　　　　　　　　　　　　　　　　　91.03.08　15:25

외신 2과　통제관 BA

0026

[redacted]

4. 영국 전비 지원문제

-제 1 차관보는 영국의 전비 요청내용을 자세히 설명하고 우리정부로서는 걸프전에서의 영국의 기여도등을 감안하여 가능한한 영국에 대해 서도 지원할 방침이라고 전제하고, 그러나 이미 약속한 5 억불 이상의 추가 재원 마련이 현실적으로 거의 불가능한 만큼 대미군사지원 군수물자 1.7 억불중에서 2,000 만불 내지 3,000 만불을 영국에 대한 전비 지원으로 전환하는 방안에 대한 미측의 의견을 구하였음.

-이에 대해 FORD 부차관보는 동 문제는 전적으로 한국정부가 결정할 문제라고 하면서 다만 1.7 억불중 일부를 영국에 대한 지원으로 전환할 경우 미국에 대한 지원은 그만큼 감소되는것이며 따라서 공평하지 않다는 감을 줄수도 있다는점을 유의해 달라고 하였음.

5. 의료 지원단 및 군수송단 활동문제

-제 1 차관보는 걸프지역에서 전쟁이 종결되었으므로 우리의 의료지원단 및공군수송단의 활동 지속문제에 대한 미측의 의견을 문의하였음.

-이에 대해 FORD 부차관보는 동 문제는 한국정부의 결정사항이나 미국으로서는

전투행위는 정지되었으나 전후 처리 문제를 고려할때 당분간 활동을 계속하는것이 바람직할것으로 본다고 언급하였음.

(동인은 의료지원단의 경우 쿠웨이트내 병원들이 수용능력 부족으로 어려움을 겪고 있는바 한국군 의료단이 쿠웨이트내에서 진료활동을 하는것도 바람직할것이라고 부연함)

-이어 동부차관보는 사실 군 의료단과 수송단의 활동을 당분간 더 계속함이좋겠다는 이유는 차후 미 의회나 여론에서 한국의 지원이 미흡하다는 비판이 대두될 경우 한국 의료단이나 수송단이 현지에서 활동을 계속하고 있는점을 부각시켜 이러한 비판을 어느정도 무마시킬수 있는 효과를 거둘수 있을것으로 기대되기 때문이라고 하였음.

또한 수송단은 현지에 도착한지 불과 얼마되지 않은점도 고려해야 될것이라고 말함.

6. 관찰 및 평가

- 미국은 걸프전이 종결됨에 따라 금번 걸프 전쟁에서 사용한 미군의 장비 및 물자를 가능한한 사우디, 쿠웨이트등 국가에 판매하고자 하는 구상을 갖고 있으며 더욱이 전투행위가 종결된 현시점에서는 미국에 대한 현금이나 수송지원 이외의 현물(IN-KIND) 지원은 불필요하다는 최종 입장을 확정한것으로 감지됨.

[redacted]

- 대영국 지원을 위한 전용 문제는 기본적으로 아국 정부가 결정할 문제이지 미국 정부가 이를 수락 또는 거부할 성질이 아니라는관점에서 미측도 명확한 답변을 계속 유보할것으로 보이는바 본부에서 최종 입장 결정후 미측에 통보하는형식을 취하는것이 좋을것으로 사료됨.

(대사 박동진- 장관) 예고: 91.12.31. 일반

검 토 필 (1991. 6. 30.) 재

PAGE 3

0028

면 담 요 록

1. 일　　시 : 91.3.8(금) 10:30-11:20

2. 장　　소 : 미주국장실

3. 면 담 자 :

아　　측	미　　측
반기문 미주국장	E. Mason Hendrickson, Jr. 주한 미 대사관 참사관
홍석규 북미과 서기관	

4. 면담내용 :

(Christopher 전 국무부 부장관 방한)

미 주 국 장 : 지난 77-81간 국무부 부장관을 역임했던 Warren Christopher 씨가 91.3.10-13간 자신이 현재 속해있는 O'Melveny & Myers 법률회사 관련 업무 협의차 방한, 3.11(월) 대통령 각하, 통일원 장관, 3.12(화) 외무부 장관, 상공장관등을 면담할 예정임. 동인은 노 대통령께서 체육부 장관시 면담한 바 있고 89년 노 대통령 방미시 라성 World Affairs Council 연설시 노 대통령을 소개한 바 있어 방한 기회를 이용 면담을 희망해와 외무부에서 상기 면담을 주선하였는 바, 참고 바람.

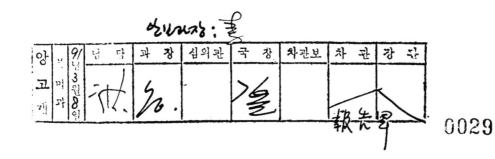

앙 고 계	북미과	91년 3월 8일	담 당	과 장	심의관	국 장	차관보	차 관	장 관

0029

Hendrickson : 상세사항 알려줘 감사하며 Gregg 대사에게 보고하겠음.
참사관

[redacted]

0030

[redacted]

(T/S 훈련 참관 초청)

미 주 국 장 : T/S 훈련에의 중립국 감시위 소속 국가 참관 초청과 관련, 폴랜드 정부는 대령 1명, 중령 1명을 파견 예정이며 스위스는 본국에서 장교 1명을 파견키로 통보하여 왔으며, 국방부측과 협의 동 참관 초청 수락 사실을 3월 11일 발표할 예정임. 폴랜드 및 스위스 정부도 우리의 대외 발표 계획에 반대 의사가 없다는 반응을 보였음.

Hendrickson 참사관 : 쏘련측 반응은 ?

0031

미 주 국 장 : 본인은 지난 2.27. 주한 쏘련 대사관 예레멘코(Eremenko) 공사를 초치 초청의사를 전달한 바 있음.

쏘련측 반응은 상당히 부정적(negative rathe than reluctant) 이었음.

체코측도 비슷한 반응이었으며 스웨덴도 불개입 입장을 견지하여 작년과 같이 2개국만이 참관할 것임.

(대영국 걸프전비 지원)

미 주 국 장 : 걸프전 관련, 영국의 전비지원 요청에 대해 한국 정부는 원칙적으로 일정액을 지원함이 좋을 것으로 판단하고 있음. 다만 한정된 예산 사정으로 인하여 2차에 걸친 한국의 걸프전 지원액중 대다국적군 지원 경비에서 일부를 영국에 대한 전비 지원액으로 할당하고자 함.

John Weston 부차관 방한시 Weston 부차관은 대영 전비 지원을 위한 별도의 국회심의등 복잡한 절차를 거치는 것보다는 한국이 미측과 협의하여 다국적군 지원액중 일정액을 할당 받기를 희망한 바 있음.

지난 1.30. 정부 발표시 동 지원 대상은 미국을 위주로한 다국적군을 위한 지원이라고 발표한 바 있으므로 한국 정부로서는 1.7억불중 3,000만불 정도를 대영 지원으로 전용코자하며 이에 대한 미국측이 적극적인 협조와 이해를 기대하는 바임.

또한 현재 워싱턴을 방문중인 이정빈 1차관보도 3.7. Solomon 차관보 면담시 동 문제를 제기할 것임.

Hendrickson 참사관 : 이미 면담이 이루어졌는지 ? 그리고 영국에 대한 지원은 전액 현금 지원인지 ?

미 주 국 장 : 3.7.중 면담 예정이므로 상기 면담은 벌써 이루어졌을 것으로 생각되나, 상금 결과 보고는 받지 못했음. 다시한번 이야기하거니와 동건 미측의 긍정적인 이해를 요청함.

0032

대영 전비 지원의 구체적 방법은 아직 결정되지 않았음. 영국 측이 현금을 희망할 경우 경기원등과 협의 재원확보 방안을 강구 해야 함. 1.7억불의 비축물자 지원의 경우도 예산상의 뒷받침이 있어야하는 바, 국방부에서 미측 물자를 사용하고나면 정부로서는 금년 또는 내년까지라도 재원을 확보, 지원 부분을 보전해야하는 것임. 따라서 한국 정부로서 1.7억불을 사용하는 것은 어느 경우에나 재정적 부담을 지는 것임.

Hendrickson 참사관 : 유사한 문제로 금일 국무성으로 부터 전달된 훈령을 말씀드리겠음. 걸프전 관련 실제 사용 경비가 우방국 지원액을 상회하고 있으므로, 우방국이 제공키로 약속한 91년도 지원액의 조기 집행을 요청하고 관계 부처에 집행현황을 파악토록 지시 받았음.

미 주 국 장 : 우리의 지원 약속액중 91년도분은 이미 수송지원으로 상당액이 집행되었음을 국무성에 보고 바람.
대미 현금 및 수송지원 1.1억불의 재원 확보도 가까운 시일내에 이뤄질 것으로 예상됨.

Hendrickson 참사관 : 금일 아침 Gregg 대사가 최각규 신임 부총리와 면담 예정인 바, Gregg 대사도 최 부총리께 한국측 지원 약속액의 조기 집행을 요청할 것으로 예상됨.

미 주 국 장 : 한국 지원 약속액중 현금 6,000만불의 재원 확보 절차는 기획원에서 예비비 사용을 국무회의 심의와 대통령 재가를 거친후 재무부에 외무부 예산으로 배정을 신청, 외무부 예산으로 영달이 되어야 실제 집행이 가능한 것임. 어쨌든 동 절차를 가속화할 수 있도록 노력 하겠음.

Hendrickson 참사관 : 한국의 지원 약속액의 집행상황은 현재까지 별문제가 없는 것으로 보임.
주변국 경제지원 집행 가속화를 위한 이기주 차관보가 인솔한 제2차 정부 조사단 방문 결과는 ?

0033

미 주 국 장 : 금주초 이기주 차관보는 모친상을 당해 급거 귀국하였으나 일정
중 요르단 방문만 남아 현지 대사가 대표단을 인솔하였음.
동 조사단 방문결과 진전 사항으로서는 이집트 군사 사절단이
가까운 시일내 방한, 지원 품목을 협의키로 한 사실임.

[redacted]

0034

(Hendrickson 참사관 휴가)

Hendrickson 참사관 : 본인은 3.10-17간 휴가차 말레이시아 페낭 방문 예정이며, 동 기간중 Christenson 1등 서기관이 본인 업무를 대행할 예정임.

미 주 국 장 : 휴가 즐겁게 보내길 바라며 귀임후 재회를 고대함. 끝.

0035

Desert Storm Responsibility Sharing

--The USG appreciates financial and other support to the Operation Desert Shield/Desert Storm.

--As the total cost of the military effort will exceed the financial commitments of the coalition partners, we will need all the funds committed by the partners.

--In order for the United States to meet the expenses of the war as well as large redeployment and transportation expenses that are now expected, rapid disbursement of 1991 commitments is necessary.

March 8, 1991

0036

관리 번호	91-671

	분류번호	보존기간

발 신 전 보

번 호 : WUS-0896 910308 1958 CT 종별 :

수 신 : 주 미 대사. 총영사

발 신 : 장 관 (미북)

제 목 : 걸프전 기여금

대 : USW-1069

1. 대호 관련, 군 의료지원단(154명) 및 군 수송단(150명) 파견과 관련된 제반 경비는 1년 파견시 각각 114억원 및 173억원임.

2. 동 금액은 파견에 필요한 모든 경비를 1년 기준으로 계산한 것이며 경비의 성격상 개월 단위로 계산하는것은 실제 정산후에나 정확히 파악할수 있는바, 우선 1항 금액을 기초로 활용바람. 끝.

(미주국장 반기문)

예고 : 91.12.31.일반

검토필 (1991. 6. 30.)

일반문서로 재분류 91.12.31.

보안 통제	

앙 고 재	91년 3월 8일	북미과	기안자 성명		과 장	심의관	국 장		차 관	장 관
							전결			

외신과통제

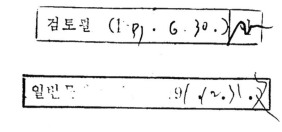

0037

Embassy of the[redacted]ited States of America

Seoul, Korea

March 14, 1991

Dear Mr. Minister:

I have the honor to transmit the text of a letter to President Roh from President Bush which the Embassy received telegraphically. A signed original will follow as soon as possible.

I would be grateful for your assistance in transmitting the message to the President.

Sincerely,

Donald P. Gregg
Ambassador

Enclosure:
Text of letter to President Roh Tae Woo
from President George Bush

His Excellency
Sang-Ock Lee,
Minister of Foreign Affairs
of the Republic of Korea,
Seoul

0038

Dear Mr. President:

Thank you for your message of congratulations on the coalition victory in Kuwait. Our success in Kuwait will benefit all of the coalition partners, for together we have expressed our determination to have a secure and peaceful world. The Republic of Korea played a helpful role in this joint effort, and I look forward to your continued cooperation as we turn to the task of rebuilding the Middle East.

Our task will not be completed until the Security Council's goal of peace and security is achieved. As we embark on the path to peace, we shall need to build on the unity of purpose that proved so successful in war. I am confident that if we work together we can bring peace to the Middle East. In any event, it is our high duty to strive for that objective. Then we truly will have honored the courage and sacrifice of the men and women of Desert Storm.

Sincerely,

/s/
George Bush

His Excellency
Roh Tae Woo
President of the Republic of Korea
Seoul

0039

관리 번호	91-386

	분류번호	보존기간

발 신 전 보

번 호 : WUS-1024 910318 1504 FH 종별 : 지 급

WKU -0019

WBH-147

수 신 : 주 미, 쿠웨이트 대사. ~~총영사~~

발 신 : 장 관 (통일)

제 목 : 대쿠웨이트 지역 경제제재 해제

1. 정부는 쿠웨이트 지역에 대한 경제제재조치를 다음과 같이 91.3.18부로 해제한 바 ~~할 계획인 바~~, 이를 귀주재국에 통보바람.

가. 해제사유

o 쿠웨이트 지역에 대한 경제제재조치 계속 사유 소멸

o 유엔안보리 결의 제686호 제6항은 쿠웨이트 복구협조를 위해 모든 적절한 조치를 유엔회원국이 취할 것을 요청

나. 해제 조치내용

o 쿠웨이트 지역으로 부터의 원유수입금지 해제

o 쿠웨이트와의 상품교역금지 해제

o 쿠웨이트 지역에 대한 건설수주 중지 해제

2. 이라크 지역에 대해서는 유엔의 경제제재 해제 결의가 없음에 비추어 상황 진전을 보아 추후 경제제재 해제를 검토 예정인 바, 참고바람. 끝.

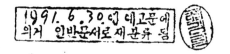

(통상국장 김 삼훈)

1991. 6. 30. 에 예고문에 의거 일반문서로 재분류 됨

보안 통제	

앙 고 재	91 년 3 월 18 일	통상 1 과	기안자 성 명		과 장	심의관	국 장		차 관	장 관
			7h		한	최	전결			

외신과통제

0040

관리 번호	91-394

원 본

외 무 부

종 별 : 지 급

번 호 : USW-1279 일 시 : 91 0319 1850

수 신 : 장관(통일,미북,중동일)

발 신 : 주 미 대사

제 목 : 대 쿠웨이트 지역 경제 제재 해제

대 WUS-1024

3.19 당관 김중근 서기관은 국무부 한국과 BRUCE CARTER 담당관과 면담, 대호 대 쿠웨이트 지역 경제제재 해제 조치 내용을 설명하고 별첨 구상서를 전달함.동 담당관은 관계 부서에 동 구상서를 전달하고 특이 반응 있으면 당관에 통보하겠다 함.

첨부 USW(F)-0931

(대사 현홍주-국장)

91.6.30 까지

1991.6.30. 에 예고문에 의거 일반문서로 재분류 됨

통상국 미주국 중아국

PAGE 1

91.03.20 11:12

외신 2과 통제관 BN

0041

번호: UWU(F)-0P31
수신: 장관 (통일, 미북)
발신: 주미대사
제목: 첨부. (FAX 2매)

EMBASSY OF THE REPUBLIC OF KOREA
WASHINGTON, D. C.

KAM 91/042

The Embassy of the Republic of Korea presents its compliments to the Department of State of the United States and has the honor to inform the latter that the Government of the Republic of Korea has removed all economic sanctions against Kuwait, effective March 18, 1991.

The Government of the Republic of Korea sees no rationale for the sanctions to continue due to the positive outcome of the war. In addition, it is the desire of the Government of the Republic of Korea to comply with United Nations Security Council Resolution Number 686, Paragrah 6, which requests that all United Nations member states take all appropriate action to cooperate with the Government and people of Kuwait in the reconstruction of Kuwait.

The removal of the economic sanctions includes:

o lifting the embargo on oil imports from Kuwait;
o lifting the embargo on commodity trade with Kuwait;
o lifting the embargo on contracts with Kuwait.

MAR.19 '91 19:24 KOREAN EMBASSY WASHINGTON DC P.001

0042

The Embassy of the Republic of Korea avails itself of this opportunity to renew to the Department of State the assurances of its highest consideration.

Washington, D.C.
March 19, 1991

MAR.19 '91 19:24 KOREAN EMBASSY WASHINGTON DC P.002

0043

長官 報告畢

관리번호	91-1921

원 본

외 무 부

종 별 : 지 급

번 호 : USW-1265 일 시 : 91 0319 1547

수 신 : 장관(미북,중동일)

발 신 : 주 미 대사

제 목 : 의료단 및 수송단 철수 보도

연 USW-1108

1. 작일 국내 언론 보도에 의하면 걸프지역에 파견된 아국의 의료단 및 수송단이 공히 4.10 경 철수될것이라고 하는바, 주재국 고위 관리와의 접촉 활동에필요하니 본건 관련 정부의 입장을 알려주기 바람.

2. 금후 미 의회에서는 걸프전 지원에 대한 청문회등을 통해 우방국의 협조내용이 논의될것으로 보이는바, 그 경우 연호로 기 보고한바와같이 아국의 의료단 및 수송단이 현지에 계속 주둔하여 연합군(미군)의 철수를 지원하고 있다는것으로 과시하는것이 당초 동 부대의 파견 취지에도 적합할것으로 생각되는바, 이에 대한 본부의 검토 결과를 회시 바람.

(대사 현홍주-국장)

91.12.31 일반

검 토 필 (1991.6.30.)

일반문서로 재분류(1991.12.31.)

미주국 차관 1차보 2차보 중아국 청와대 안기부

PAGE 1

91.03.20 08:45

외신 2과 통제관 FE

0044

관리 번호	91-1686

	분류번호	보존기간

발 신 전 보

번 호 : WUS-1086 910320 2026 DQ 종별 : 지급

수 신 : 주 미 대사. 총영사

발 신 : 장 관 (중동일,미북)

제 목 : 군의료단 및 수송단 철수

대 : USW-1108, 1265

1. 정부는 당초 의료단의 쿠웨이트 이동을 긍정적으로 검토키로 하고 쿠웨이트 정부에 통보도 하였으나 그후 국방부는 원래 의료진이 부상병 치료를 주 목적으로 편성 되었기 때문에 쿠웨이트로 이동하더라도 소기의 성과를 기대 하기는 어려울 것이므로 사우디에서의 임무가 끝나는대로 철수시킬것을 희망 하였으며 공군 수송단의 경우는 현재 배치된 UAE의 알아인 미군 수송기지가 4.11. 폐쇄되고 그후 미군 주력은 본국으로 철수할 예정임에 비추어 우리도 그전에 철수해야 할 현실적 필요성이 있다 하므로 정부는 수송기 5대와 병력 65명은 4.6에, 나머지 병력 약 100명과 의료지원단 154명은 4.9. KAL 특별기편 철수키로 하였음. 이러한 결정 과정에서 의료단 및 수송단의 계속 주둔으로 아국이 미군의 철수를 계속 지원하고 있다는것을 과시하는것이 좋겠다는 대호 의견도 충분히 고려가 되었음.

2. 필요하다면 이상을 미측에 적절히 설명 바람. 끝.

(중동아국장 이 해 순)

예 고 : 91.12.31. 일반

검 토 필 (1991. 6. 30.)

미주국장

보안 통제	

앙 고 재	91년 3월 20일	중동과	기안자 성명		과 장	심의관	국 장		차 관	장 관
							전결			

사본→장차관실

외신과통제

0045

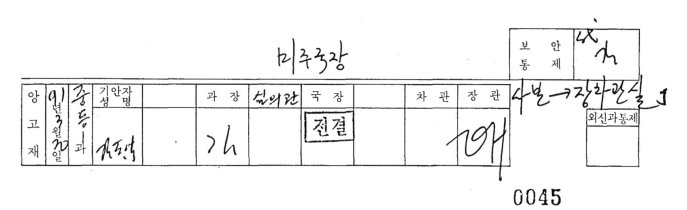

걸프戰費 분담안하면 무기판매 금지하기로

美상원 무기禁輸법안 의결

獨야당선 "분담過重" 주장

【워싱턴 AFP·UPI=聯合】美상원은 19일 걸프전쟁비용분담 약속을 완전히 이행치 않은 동맹국들에 대한 무기판매를 금지하기로 의결했다。

美상원은 이날 찬성98, 반대1, 기권1이라는 압도적 표차로 이같은 무기판매 동결법안을 통과시키는한편 걸프전쟁에 투입된 戰費4백26억달러를 추인, 이가운데 1백50억달러를 美國이 자체부담하기로 결의했다。

걸프전비분담을 약속했으나 아직 지불을 완전히 이행하지 않은동맹국들에 대한 美製무기의 판매나 이전을 금지한다는 이 법안은 상·하양원협의회의 의결을 거쳐 부시대통령의 최종승인을 받아야 한는데 상원의 이 강경법안은 동맹국들의 전비분담약속이 제대로 지켜지지 않을 경우 적절한 제재조치를 고려한다는 美하원의 지난7일자 온건법안및 中東에 대한 유입속도를 둔화하기로 한 美행정부의 방침과 맞물려 상당한 마찰을 빚을것으로 보인다。

다국적軍참가국 戰費분담

(단위 10억달러)

	약속	지원	비율	미불금
사우디	16,839	6,102	36%	10,737
쿠웨이트	16,006	5,510	34%	10,496
UAE	4,000	2,010	50%	1,990
獨逸	6,572	4,623	70%	1,949
日本	10,740	7,323	68%	3,417
韓國	0.385	0.071	18%	0.314
기타	0.003	0.003	—	—
合計	54,545	25,642	47%	28,903

쿠웨이트 復舊논의 사드 압둘라 알사바 쿠웨이트 왕세자가 19일 쿠웨이트를 방문중인 27명의 美의회 대표단과 쿠웨이트 복구를 논의하고 있다. 【쿠웨이트시티 AP=聯合】

이 무기 禁輸법안에 대한 논란은 66억달러의 전비를 분담하기로 약속한 독일이 분담금지불을 이행치 않으려 한다는 소문이 나돌고 있는 가운데 나온것으로 독일의 한 야당은 美國이 걸프전비전액을 동맹국들에 부담시키고 심지어 이과정에서 이득을 챙기려 하고 있다고 주장한 것으로 알려졌다。

이에 대해 말린 피츠워터 백악관 대변인은 지난 18일 『우리는 걸프전쟁으로 이익을 보려하지 않고 있다』면서 『그같은 일은 있을수없는것』이라고 주장했다。

독일 社民黨의 한 관리는 이날 42일간의 걸프전쟁에서 美國이 사용한 전비는 4백20억달러에 불과한데 비해 다국적군에 참가한 동맹국등이 지원키로 약속한 분담금 총액은 약6백억달러에 달한다면서 美國이 이번 전쟁을 통해 이익을 챙기려하고 있다고 비난했다。

독일은 약속한 분담금 66억달러 가운데 지금까지 38억달러를 지불했다。

이와관련, 피츠워터 대변인은 19일 기자회견을 통해 『동맹국들이 지원금으로 모든 전비를 충당하는 일은 있을수 없으며 만일 그렇게 해야 한다면 美國은 동맹국들의 지원금을 돌려주겠다』고 밝혔다。

中央日報

0046

美-재정지원국사이 戰費시비의 배경

"戰費 덜 썼으니 분담금 줄이자"

美선 "人命 희생했는데 友邦들 인색" 푸념

걸프전이 예상했던 것보다 조기에 매듭돼 각출키로했던 戰費가 채 사용되지 않게됨에 따라 분담문제를 둘러싸고 美國과 재정지원국 사이에 알력이 노출되고 있다.

당초 걸프전이 최소한 3월말까지는 계속되리란는 판단에서 사우디아라비아·쿠웨이트를 포함해 日本·獨逸·韓國등 재정지원국들은 모두 5백45억달러를 지원키로 美國에 약속했다.

그러나 전쟁이 예상했던 것보다 1개월이상 일찍 끝나자 자연히 전쟁비용이 절약되게 되었으며 전쟁을 실제 벌이던 때와 분위기도 많이 달라져 美國과 재정지원국 사이에 이해가 엇갈리게 되었다.

우선 지원국들이 약속한 돈을 내놓기를 계속 늦추고 있다. 2차 분담금 마감일인 3월말을 10여일 남겨 놓은 20일 현재 2백56억달러만 걷혀 지원금 지불이 45%수준에 머무르고 있다.

美의회가 집계한 각국별 현황을 보면▲사우디 1백68억달러 약속에 61억달러를 지불▲쿠웨이트 1백60억달러에 55억달러▲아랍에미리트연합 40억달러에 20억달러▲獨逸 66억달러에 46억달러▲日本 1백7억달러에 73억달러▲韓國 3억8천5백만달러 약속에 7천1백만달러를 낸것으로 알려져있다.

이런 상황에 獨逸같은 경우는 야당인 社民黨에서 전쟁이 일찍 끝나 비용이 예상보다 적게들었으니 이제 더이상 돈을 내서는 안된다고 주장해 정부가 분담금 재조정을 위한 사절단을 워싱턴으로 곧 보낼 예정이다.

獨逸 사민당은 미국이 우방국으로 부터 약6백억달러를 걷기로 되어 있는데 실제 전쟁비용은 4백20억달러 밖에 안들어 미국이 전쟁으로 막대한 이득을 취하고 있다고 비난하고 나섰다.

따라서 獨逸정부는 더이상의 지불을 중지하고 나머지 돈은 국민의 세금을 덜 걷는데 사용해야 한다고 주장하고 있다.

이러한 견해가 獨逸정부의 공식견해는 아니어서 美행정부가 아직 나서지는 않고 있으나 美의회가 발끈했다.

美상원 본회의는 19일 걸프戰費로 4백26억달러를 승인했다.

그러나 이중 美납세자부담 부분은 1백50억달러고 나머지는 외국기여금의 충당을 예상하고 있다.

美의회는 이 세출법안속에 재정지원국이 약속한 부담금을 모두 내지 않을 경우 이 나라에는 美國製 무기를 팔지 못하도록 하는 내용을 포함시켰다.

즉 사우디를 포함한 아랍국가들에 경비지불을 촉구하기 위해서다.

로버트 버드상원세출위원장은미국이 많은 젊은이를 희생시켜 가며 안보를 지켜 주었는데 이제와서 재정부담까지 떠맡으라니 참을수 없다』며 법안제출이유를 설명했다.

獨逸이 재정부담에 이의를 제기한데 대해서도 이날 열린 하원 외무위 청문회에서 의원들은 『각나라가 약속했던 금액을 모두 받아 낼수 있느냐』는 다그침과 함께 美國은 인명을 희생하기까지 했는데 우방들이 너무 인색하다는 주장을 폈다.

이날 백악관·국무부·국방부의 정례브리핑에도 전비분담금이 화제가 됐다.

美國은 아직 이 문제를 정부차원에서 거론할 시기가 아니라는 판단인지 의회차원의 압력효과를 기다리는듯 보인다.

말린피츠워터백악관대변인은『약속을한 국가중에 이를 지키지 못하겠다고 나선 나라는 없다』면서 거둔 돈이 남는다는 주장에 대해『우리는 결코 전쟁으로 이익을 볼 생각이 없다』고 반박하고 있다.

피트윌리엄스 국방부 대변인은 전비가 남아돈다는 주장에 대해『비록 포화는 멈췄다 하더라도 비용이 들어갈곳은 계속 늘어나고 있으며 이 시점에서 아무도 정확한 비용을 계산해 낼수 없다』며 美國 스스로도 계산을 못해 추가예산 신청을 해놓고 있다는 점을 강조했다.

따라서 美國이 합리적인 경비설명을 하지 못하는한 이 문제는 앞으로 계속 불씨로 남을 전망이며, 이를 잘못 다루었다가는 전쟁에는 이기고 오히려 美國이 치사한 나라로 인심을 잃을 소지도 있다.

【워싱턴=文昌克특파원】

0047

걸프사태관련 수송지원 내역

1991.3.20.현재

1. 항공수송지원(대한항공) : $21,604,343

   가. 90년도(1차-24차) : $10,776,604 (기지불)

   나. 91년도(26-50차) : $10,827,739 (미지불)

2. 해운수송지원 : $12,006,397

   가. 삼선해운 : $5,952,491 (전액 기지불)

      o 1차 : $1,817,459

      o 2차 : $2,102,000 + $33,288 (추가경비)

      o 3차 : $1,999,744

   나. 한진해운 : $6,053,906

      o 1차 : $2,380,000 (기지불)

      o 2차 : $1,149,426 (기지불)

      o 3차 : $2,524,480 (미지불)

   ※ 합 계 : $33,610,740

0048

관리 번호	91-707

	분류번호	보존기간

발 신 전 보

번 호 : WUS-1076 910320 1758 FD 종별 : 지 급

수 신 : 주 미 대사, ~~총영사~~

발 신 : 장 관 (미북)

제 목 : 걸프사태 관련 대미 수송지원 현황

1. 91.3.20(수) 현재 걸프사태와 관련한 대미 수송지원 현황은 다음과 같은바 이를 미국무부, 국방부 및 의회등과의 업무협의에 활용 바람.

가. 지원총액 : 33,610,740 미불

나. 내 역

o 항공수송지원(대한항공) : 21,604,343 미불

- 90년도(1차-24차) : 10,776,604 미불

- 91년도(26차-50차) : 10,827,739 미불

o 해운 수송지원 : 12,006,397 미불

- 삼선해운 : 5,952,491 미불

· 1 차 : 1,817,459 미불

· 2 차 : 2,135,288 미불

· 3 차 : 1,999,744 미불

- 한진해운 : 6,053,906 미불

· 1 차 : 2,380,000 미불

· 2 차 : 1,149,426 미불

· 3 차 : 2,524,480 미불

/계 속/

보안 통제	송

앙 고 재	91년 3월 20일	북미과	기안자 성명		과 장	심의관	국 장		차 관	장 관
			김[illegible]		송		전결			[illegible]

외신과통제

0049

2. 한편, 상기에 추가하여 항공 및 해운 수송지원은 주한 미군 당국과의 협의하에 계속중임을 참고 바람. 끝.

예 고 : 91.12.31.일반

일반문서로 재분류(1991.12.31.)

검 토 필 (1991.6.30.)

0050

발 신 전 보

분류번호	보존기간

번 호 : WUS-1079 910320 1908 FD 종별 : 지 급

수 신 : 주 미 대사. 총영사

발 신 : 장 관 (미북)

제 목 : 걸프전 2차지원 집행계획

1. 정부는 금 3.20. 관계부처 장관회의를 개최하여 표제계획을 다음과 같이 확정, 관계국과 협의키로 결정하고 이를 발표하였음.

가. 2차 지원 발표액중 1억1천만불은 현금 6천만불, 수송지원 5천만불로 지원하고 3월말이전 우선 현금 6천만불을 미국 정부에 송금함.

나. 당초 군수물자로 지원키로 했던 1억7천만불을 하기와 같이 배분.지원토록함.

(다만, 구체적 집행시기는 4.10-5.10.간 개회 예정인 임시국회중 필요 예산조치를 필한후 집행하며, 늦어도 상반기중 지원 약속액 전액을 집행 예정임.)

- 대미 현금 지원 : 4천만불(대미 현금지원 총액 1억5천만불)
- 대미 수송 지원 : 5천만불(대미 수송지원 총액 1억5천5백만불)
- 군수 물자 지원 : 5천만불(걸프전 사용 주한미군 물자 보전)
- 대영 전비 현금지원 : 3천만불

2. 상기 내용은 주한미대사관 및 영국 정부에도 통보하였음을 참고바람. 끝.

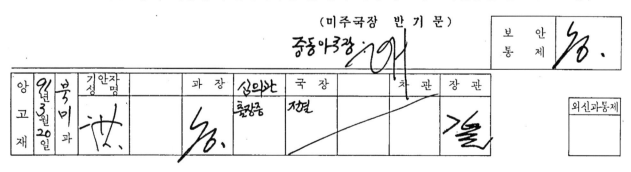

(미주국장 반 기 문)

중동아국장

보안통제	

앙고재	91년 3월 20일	북미과	기안자 성명		과 장	심의관	국 장		차 관	장 관
						출장중	전결			

외신과통제

0051

관리 번호	

3월말 이전에
5,300만불
(6,000) 송금조치
확인

외 무 부

종 별 : 지 급

번 호 : USW-1325　　　　일 시 : 91 0321 1853

수 신 : 장관(미북,중동일)

발 신 : 주 미 대사

제 목 : 걸프전 지원

대 : WUS-1079

1. 당지 의회에서는 걸프전 전비 지불을 위한 추가 지출방안 토의 과정에서동맹국들의 지원 약속 금액 집행 여부가 집중적으로 토의되고 있으며 동 내용이 언론에 상세히 보도되고 있음. 아국에 대해서는 총 5 억불중 전선국 지원을 위한 1 억 1 천 5 백만불을 제외한 3 억 8 처재 5 백만불 현재까지 7 천 1 백만불이 집행되어 총 18 프로를 집행한것으로 보도되고 있는바, 이는 독일의 70 프로, 일본 68 프로, 아랍에미레이트 50 프로, 사우디 36 프로등과 비교해 볼때 현저히 낮아 최하위를 기록하고 있음.

2. 일본의 경우 현재 나까야마 외상이 방미중인바, 국무부에 따르면 일본은명일중 57 억불을 전비 구좌에 입금하고, 나머지 금액은 4.5 이전에 지불 완료할계획이라고함.

3. 당관 유명환 참사관은 대호 아국의 2 차 지원 내역을 국무부 KIMMITT 차관 보좌관인 KARTMAN 에게 전달한바, KARTMAN 보좌관은 아국이 현물 지원을 상당부분 현금및 수송지원으로 전환키로한것을 환영한다고 하면서, 그러나 수송 지원은 집행 당시마다 집행액으로 계상되지 못하는 어려움이 있는것은 잘 악로 있으나 미 의회의 통계에 아국의 분담금 지원율이 제일 낮은것으로 계속 보도될경우 본의 아니게 아국이 분담금 지불을 지연시키고 있다는 인상을 줄 우려가 있다는 의견을 피력함.

4. 대호 아국의 2 차 지원 내역중 현금 지원액은 3 월말 이전 6 천만불, 상반기중 4 천만불, 도합 1 억불로 되어 있는바, 상기와같은 제반 상황을 감안, 가능한 조속히 1 억불 현금 지원을 완료하고, 수송지원 현황을 수시로 미측에 통보하여 아국의 집행실적을 제고 시키는것이 필요할것으로 판단되어 이를 건의함.

(대사 현홍주-장관)

미주국	장관	차관	1차보	2차보	중아국	청와대	안기부

PAGE 1　　　　91.03.22 13:32

외신 2과 통제관 BW

0052

91.12.31 일반

검토필 (1991.6.30.)

PAGE 2

0053

원 본

관리번호	91-737

외 무 부

종 별 : 지 급

번 호 : USW-1325 일 시 : 91 0321 1853

수 신 : 장관(미북,중동일)

발 신 : 주 미 대사

제 목 : 걸프전 지원

대 : WUS-1079

1. 당지 의회에서는 걸프전 전비 지불을 위한 추가 지출방안 토의 과정에서동맹국들의 지원 약속 금액 집행 여부가 집중적으로 토의되고 있으며 동 내용이 언론에 상세히 보도되고 있음. 아국에 대해서는 총 5 억불중 전선국 지원을 위한 1 억 1 천 5 백만불을 제외한 3 억 8 처재 5 백만불 현재까지 7 천 1 백만불이 집행되어 총 18 프로를 집행한것으로 보도되고 있는바, 이는 독일의 70 프로, 일본 68 프로, 아랍에미레이트 50 프로, 사우디 36 프로등과 비교해 볼때 현저히 낮아 최하위를 기록하고 있음.

2. 일본의 경우 현재 나까야마 외상이 방미중인바, 국무부에 따르면 일본은명일중 57 억불을 전비 구좌에 입금하고, 나머지 금액은 4.5 이전에 지불 완료할계획이라고함.

3. 당관 유명환 참사관은 대호 아국의 2 차 지원 내역을 국무부 KIMMITT 차관 보좌관인 KARTMAN 에게 전달한바, KARTMAN 보좌관은 아국이 현물 지원을 상당부분 현금및 수송지원으로 전환키로한것을 환영한다고 하면서, 그러나 수송 지원은 집행 당시마다 집행액으로 계상되지 못하는 어려움이 있는것은 잘 알고 있으나 미 의회의 통계에 아국의 분담금 지원율이 제일 낮은것으로 계속 보도될경우 본의 아니게 아국이 분담금 지불을 지연시키고 있다는 인상을 줄 우려가 있다는 의견을 피력함.

4. 대호 아국의 2 차 지원 내역중 현금 지원액은 3 월말 이전 6 천만불, 상반기중 4 천만불, 도합 1 억불로 되어 있는바, 상기와같은 제반 상황을 감안, 가능한 조속히 1 억불 현금 지원을 완료하고, 수송지원 현황을 수시로 미측에 통보하여 아국의 집행실적을 제고 시키는것이 필요할것으로 판단되어 이를 건의함.

(대사 현홍주-장관)

미주국 장관 차관 1차보 2차보 중아국 청와대 안기부

PAGE 1

91.03.22 13:32

외신 2과 통제관 BW

0054

91.12.31 일반

검 토 필 (1991.6.30.)

예고문에 의거 일반문서로 재분류 1991.12.31 서명

PAGE 2

0055

○ 제2차 대미 현금지원분 6천만불은 ~~4.15 이전에 지원하기 위하여~~ ~~일단~~ 예비비에서 지출함 (4.15 이전)

- 집행지연으로 인한 미행정부, 의회, 여론의 불만을 예방할 필요

○ 나머지 2억2천만불(~~수송, 장비,~~ 장비, 수송, 물자)은 추경예산으로 재원을 확보함.

- 재원 확보 절차 개시 ~~미측~~ ~~시~~ 집행계획은 미측에 사전 설명, (아측 의도에 대한 미측의 불확실성을 불식) .

0056

관리 번호	91-138

분류번호	보존기간

발 신 전 보

번 호 : WUS-1136 910323 1124 DN 종별 : 지 급

수 신 : 주 미 대사, ~~총영사~~

발 신 : 장 관 (미북)

제 목 : 걸프전 지원

대 : USW - 1325

연 : WUS - 1079

1. 정부는 걸프전 전비 지원 집행계획을 조속히 확정, 미국등에 대해 우리의 조기 집행 의지를 분명히 전달하기 위하여 연호와 같이 최종 결정하였으며, 이는 현실적으로 우리정부가 취할 수 있는 가장 빠른 최선의 지원 방안임.

2. 한편, 군수물자 지원분에서 현금지원으로 전환키로 한 4,000만불은 현 시점에서 다른 방법으로 재원을 마련할 수 없으며, 4-5월중 개최 예정인 임시 국회에서 추가 경정예산을 통해 재원이 확보되어야만 지원이 가능한 상황임.

3. 정부는 미국에 대한 걸프전 지원금 지불을 연호와 같이 차질없이 시행할 것인 바, 귀관은 이러한 우리정부의 입장을 미 행정부, 의회 및 언론에 대해 상세히 설명하여 아국의 분담금 지불 계획에 대한 오해가 발생하지 않도록 하기 바람. 끝.

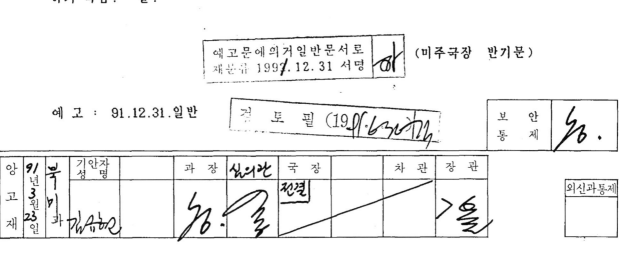

예고문에의거일반문서로 재분류 1991.12.31 서명

(미주국장 반기문)

예 고 : 91.12.31.일반

검 토 필 (1991.6.30.)

보안 통제	

앙 고 재	91년 3월 23일	북미과	기안자 성명		과 장	심의관	국 장		차 관	장 관
							전결			

외신과통제

0057

一般豫算檢討意見書

1991. 3. 25. 북미 課

事業名	걸프전관련 대미 2차 현금지원		
支辨科目	細項	目	金額
	1211	341	$60,000,000-
檢討意見			
主務者	정무활동, 해외경상이전에서 집행.		
擔當官	"		
調整官	"		

0058

기 안 용 지

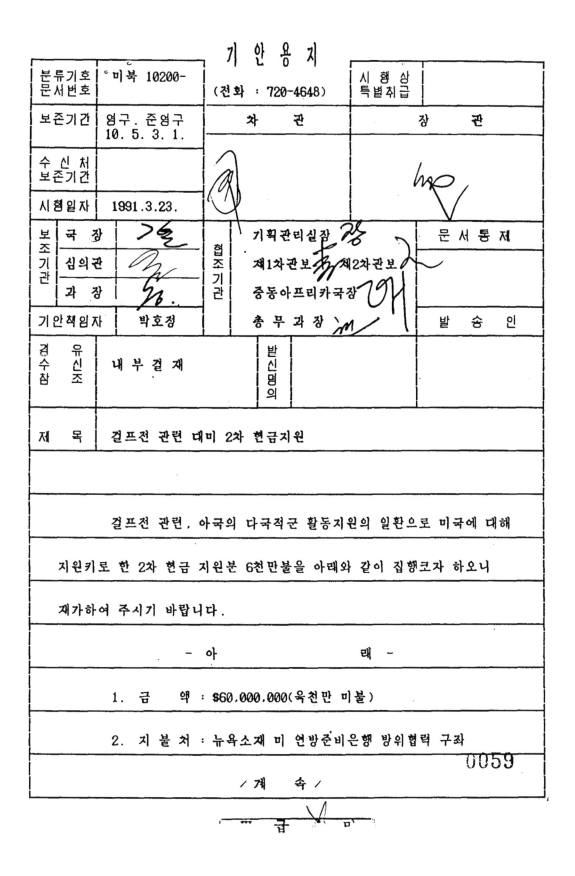

분류기호 문서번호	미북 10200-	(전화 : 720-4648)	시 행 상 특별취급	
보존기간	영구. 준영구 10. 5. 3. 1.	차 관	장 관	
수 신 처 보존기간				
시행일자	1991.3.23.			
보조기관 국 장		협조기관 기획관리실장	문 서 통 제	
보조기관 심의관		제1차관보 제2차관보		
보조기관 과 장		중동아프리카국장		
기안책임자	박호정	총 무 과 장	발 송 인	
경유 수신 참조	내 부 결 재	발신명의		
제 목	걸프전 관련 대미 2차 현금지원			

걸프전 관련, 아국의 다국적군 활동지원의 일환으로 미국에 대해 지원키로 한 2차 현금 지원분 6천만불을 아래와 같이 집행코자 하오니 재가하여 주시기 바랍니다.

- 아 래 -

1. 금 액 : $60,000,000(육천만 미불)

2. 지 불 처 : 뉴욕소재 미 연방준비은행 방위협력 구좌

0059

/계 속/

(Defense Cooperation Account at the Federal

Reserve Bank of New York)

3. 지변항목 : 정무활동, 해외경상이전 90년 이월액 및 91년 배정액

(걸프사태 분담금중 대미 현금지원) 끝.

예 고 : 91.12.31.일반

0060

관리번호	91-806

	분류번호	보존기간

발 신 전 보

번 호 : WUS-1161 910325 1647 FL 종별 :

수 신 : 주 미 대사 ~~총영사~~

발 신 : 장 관 (미북)

제 목 : 걸프전 관련 대미 현금지원 송금절차

연 : WUS - 1079

정부는 연호 발표대로 금주중 대미 현금지원 6천만불을 송금 예정인 바, 1차 지원시와 같이 Defense Cooperation Account 로 입금시켜도 가한지 ~~미 국방부~~ 미측에 확인하고 결과 보고바람. 끝.

(미주국장 반 기 문)

예고문에 의거 일반문서로 재분류 1991 4. . 서명

보안 통제	

앙 고 재	91년 3월 25일	북미과	기안자 성명		과 장	심의관	국 장		차 관	장 관
							전결			

외신과통제

0061

관리번호	91-803

원 본

외 무 부

종 별 : 지 급

번 호 : USW-1373 일 시 : 91 0325 1847

수 신 : 장관(미북,중근동)

발 신 : 주 미 대사

제 목 : 걸프전 관련 대미 송금 절차

대 WUS-1161

표제 관련, 금 3.25 국무부 한국과 MCMILLION 부과장으로부터 확인한바,1 차 지원시 이용한 대호 구좌로 송금하면 가하다 함.

(대사 현홍주-국장)

91.12.31 까지

검 토 필 (1991.6.30.)

예고문에 의거 일반문서로 재분류 1991.12.31. 서명

미주국 차관 2차보 중아국

PAGE 1

91.03.26 09:17

외신 2과 통제관 BW

0062

관리번호	91-775

협조문용지

분류기호 문서번호	미북 10200-775	(전화 : 720-4648)	결재	담당	과장	심의관
시행일자	1991.3.27.			박로정	(서명)	(서명)
수신	총무과장(외)	발신	미주국장 (서명)			
제목	경비 송금 의뢰					

벌첨 재가를 득한 경비를 아래와 같이 송금하여 주시기 바랍니다.

- 아 래 -

1. 금 액 : $60,000,000(육천만 미불)

2. 송 금 처 : 뉴욕소재 미 연방준비은행 방위협력구좌

(Defense Cooperation Account at The Federal

Reserve Bank of New York)

3. 지변항목 : 정무활동, 해외경상이전

검 토 필 (1991.6.30.) (서명)

첨 부 : 1. 상기 재가문 사본 1부.

2. 송금 절차 안내서 1부. 끝.

예 고 : 91.12.31.일반(접수처 조치후 파기)

0063

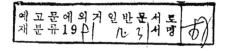

예고문에 의거 일반문서로 재분류 1991. 12. 31. 서명 (서명)

March 29, 1991

Total Disbursement ; US$ 166,853,000

- Cash Contribution to the U.S : US$ 110,000,000
- Transportation support to the U.S. ; US$ 35,553,000
- Disbursement of contribution to Front-Line States and Int'l Organization ; US$21,300,000

0064

INSTRUCTIONS FOR PAYMENT FOR CONTRIBUTION TO THE COST OF BRITISH MILITARY PRESENCE IN THE GULF WAR

Payment can be made in Sterling or another major currency (Dollars, Deutschmarks or Yen).

A payment in Sterling should be paid to the Paymaster-General's ~~cash account at the Bank of England, marked~~ "Ministry of Defence".

For a non-Sterling payment, the Korean Central Bank or other authority making the payment, should liaise with the Bank of England (Mr Trott, Chief Foreign Exchange Dealer, Telephone Number 071 601 3691). Mr Trott will advise the Bank of England account to be used.

For any payment, we should be grateful if three working days' notice could be given to the Bank of England, and to Mr Lee Watts, HM Treasury.

구주국장: 제2차관보:

91	[illegible]	과 장	[illegible]	[illegible]	차 관	장 관
3 28						

0065

Korea's Contributions

(As of May 23, 1991)

1. Financial Contributions(Unit : $million) : $500 million in total

a) to the U.S.

	pledged	already disbursed	still to be disbursed
Cash	150	110	40
Transportation	155	53	102
"in - kind" (i.g. military equipment)	50	0	50
total	355	163	192

- o $40 million in cash will be disbursed in early June, 1991.
- o $102 million in transportation support is being disbursed at the request of the U.S. in the form of air and naval transportation support.
- o $50 million in "in-kind" contributions to be decided between Korea and the U.S.

b) to Great Britain

- o $30 million in cash will be disbursed in early June

0066

c) to the front-line states(such as Egypt, Turkey, Jordan and Syria)

o The total amount of contributions is $115 million.

o Until now, $20 million out of $115 million has been disbursed to the front-line states in the form of equipment, daily necessities, vehicles etc.

o R.O.K. maintains close consulation with the relevant countries to expedite the disbursement of the balance of the contributions.

2. Operational Contributions

Nature	Composed of	Country Stationed
Military Medical Team	154 military personnel including 26 M.D.'s	Saudi Arabia
Military Transportation Group	5 C-130's and 165 military personnel	UAE

0067

OMB 91 - 20P

The Ministry of Foreign Affairs presents its compliments to the Embassy of the United States of America and has the honour to inform the latter that the Ministry remitted on March 29, 1991 the amount of U.S. Dollars Sixty Million (US$ 60,000,000), being a part of cash contribution from the Government of the Republic of Korea for Desert Storm, to the U.S. Treasury for credit in the Defense Cooperation Account (Acct. No. 97X5187).

The Ministry would like to add that the above mentioned contribution was made via electronic funds transfer from Kwanghwamun Branch of the Korea Exchange Bank to the Federal Reserve Bank in New York.

The Ministry of Foreign Affairs avails itself of this opportunity to renew to the Embassy of the United States of America the assurances of its highest consideration.

Seoul, March 29, 1991

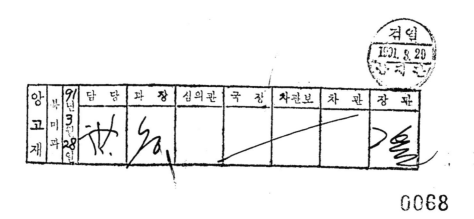

검열 1991. 8. 20

앙고재	북미과	91년 3월 28일	담 당	과 장	심의관	국 장	차관보	차 관	장 관

0068

MINISTRY OF FOREIGN AFFAIRS
REPUBLIC OF KOREA

OMB 91-209

The Ministry of Foreign Affairs presents its compliments to the Embassy of the United States of America and has the honour to inform the latter that the Ministry remitted on March 29, 1991 the amount of U.S. Dollars Sixty Million(US$60,000,000), being a part of cash contribution from the Government of the Republic of Korea for Desert Storm, to the U.S. Treasury for credit in the Defense Cooperation Account(Acct. No. 97X5187).

The Ministry would like to add that the above mentioned contribution was made via electronic funds transfer from Kwanghwamun Branch of the Korea Exchange Bank to the Federal Reserve Bank in New York.

The Ministry of Foreign Affairs avails itself of this opportunity to renew to the Embassy of the United States of America the assurances of its highest consideration.

Seoul, March 29, 1991

0069

면 담 요 록

1. 일 시 : 1991.3.29(금) 15:30-15:50

2. 장 소 : 미주국장실

3. 면 담 자 :

아 측	미 측
반기문 미주국장	E. Mason Hendrickson Jr. 주한 미 대사관 참사관
홍석규 북미과 서기관(기록)	

4. 면담내용

미 주 국 장 : 금일 대미 현금지원 6천만불을 송금 완료했음을 통보하게 되어 기쁘게 생각함.(주한 미 대사관앞 공한 수교)

제3차 대미 현금지원이 될 4천만불을 포함한 아국의 2차 지원 약속액 2억8천만불은 4월 중순 개원 예정인 임시국회에서 필요 예산 조치를 취한후 집행 예정임.

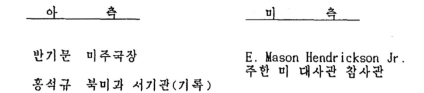

앙고재	북미과	91년 3월 29일	담 당	과 장	심의관	국 장	차관보	차 관	장 관
			(서명)	(서명)		(서명)			

0070

Hendrickson 참사관 : 대미 현금지원 6천만불의 송금 사실은 즉시 워싱턴에 보고하겠음.

금명간 걸프전시 사용된 주한미군 물자 보전 5천만불 지원에 대한 워싱턴의 승인을 요청할 예정임.

또한 금일 오전 Beale 장군과 수송지원 문제를 협의한 바 현재까지 4천만불 정도를 이미 집행한 것으로 나타나고 있음.

한국의 대미 수송지원 총액 1억5천5백만불을 소진키 위해서는 대한 항공기를 통한 항공 수송지원이 연말까지 계속돼야 할 것으로 예상됨.

미 주 국 장 : 앞서 말한바와 같이 4월 입시국회중 예산조치도 이루어질 것이므로, 대미 항공 수송지원이 연말까지 계속되어도 아측으로서는 별 문제가 없을 것임.

Hendrickson 참사관 : 현금과 수송지원 배분에 있어 수송지원 부분이 큰 것을 귀측이 더 선호하는 것이 아닌지 ?

미 주 국 장 : 국회를 포함 국민여론을 설득하기 위해서 수송지원 부분이 크다는 점은 많은 도움이 되고 있음.

Hendrickson 참사관 : 걸프지역에 상당한 규모의 미군이 아직 주둔중이고 이들에 대한 재보급 소요도 계속되고 있으므로 양측이 합의한 배분 방식대로 워싱턴의 승인을 득하도록 노력하겠음.

[redacted]

0071

[redacted]

미 주 국 장 : 최근 보도에 따르면 독일 정부가 여사한 주장을 하고 있는 것으로 알고 있음.

이와달리 한국측으로서는 대미 기여약속액 및 주변국 경제지원의 조기 집행완료를 위해 노력중임. 현재까지 정부가 집행한 상세 자료이니 참고하기 바람.

(걸프전 관련 아국 지원 약속액 집행 현황 자료 수고)

Hendrickson 참사관 : 상세 자료를 제공해 주어 감사함. 끝.

0072

관리번호	91-815

	분류번호	보존기간

발 신 전 보

번 호 : WUS-1243 910329 1708 FO 종별 :

수 신 : 주 미 대사. 총영사

발 신 : 장 관 (미북)

제 목 : 걸프전 관련 대미 현금지원 송금

연 : WUS - 1161

대 : USW - 1373

1. 연호, 대미 현금지원 6천만불을 금 3.29(금) 외환은행 광화문 지점을 통해 뉴욕소재 미 연방준비은행 Defense Cooperation Account 에 송금 필함.

2. 상기 사실은 주한 미 대사관에도 당부 공한으로 정식 통보하였음을 참고바람. 끝.

(미주국장 반기문)

예 고 : 91.6.30.일반

예고문에 의거 일반문서로 재분류19 91 6.30 서명

제1차관보:
제2차관보:
중동아국장

보안 통제	

앙 고 재	91년 3월 28일	북미과	기안자 성명		과 장	심의관	국 장		차 관	장 관
							전결			

외신과통제

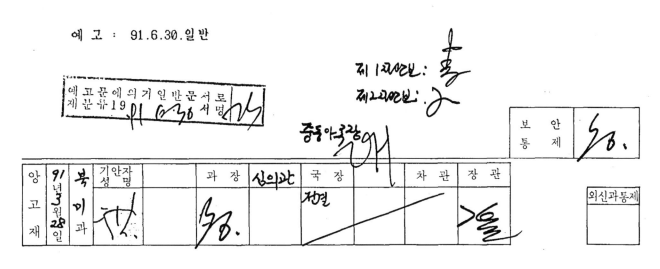

0073

관리 번호	91-828

원 본

외 무 부

종 별 : 지 급

번 호 : USW-1491 일 시 : 91 0329 1814

수 신 : 장관(미북,중근도,미안)

발 신 : 주 미 대사

제 목 : 걸프전 관련 지원 현황 홍보

대 : WUS-1243

1. 당관은 대호 6 천만불 현금 지원을 포함, 아국의 총지원 예정 규모 및 집행 실적을 별첨과같이 3.31 현재의 홍보 자료로 작성, 미 행정부, 학계, 언론계 주요 인사에 대해서는 정무 참사관 명의로, 각 주요 의원 보좌관에 대해서는 의회 참사관 명의로 기 배포중임.

2. 향후에도 아국 집행 실적을 정기적으로 당관에 통보 바람.

첨부홍보자료 (USW(F)-1088)

(대사 현홍주-국장)

91.6.30 일반

예고문에 의거 일반문서로 재분류19 91. 6. 30 서명

미주국	장관	차관	1차보	2차보	미주국	중아국	청와대

PAGE 1

91.03.30 10:39

외신 2과 통제관 BW

0074

번호 : USW(F) - 1088

수신 : 장 관 (미북, 중근동, 미안) 발신 : 주미대사

제목 : 첨부

보안 통제	(서명)

(/ 매)

HIGHLIGHTS OF KOREA'S CONTRIBUTIONS

(As of March 31, 1991)

1. Financial Contribution (Unit: $ million)

Purpose	Total Amount	
	Pledged	Disbursed
Military	385	*144
Economic	115	20
Total	500	164

(* This is 37% of the amount pledged.)

2. Operational Contribution

Nature	Composed of	Country Stationed
Military Medical Team	154 military personnel including 36 M.D.'s	Saudi Arabia
Military Transportation Group	5 C-130's and 165 military personnel	UAE

0075

관리번호	91-864

원 본

외 무 부

종 별 : 지 급

번 호 : USW-1514 일 시 : 91 0401 1825

수 신 : 장관(미북,통일)

발 신 : 주 미 대사

제 목 : 의원보좌관 접촉

연:USW-1491

대:WUSM-0017

1. 당관 임성준 참사관은 금 4.1. FOLEY 하원의장실 NICK ASHMORE 보좌관(통상문제 담당)과 MICHAEL O'NEIL 보좌관(외교문제 담당)오찬 접촉시 연호 아국의 걸프전 관련 지원현황을 설명하고(자료 수교), 잔여분도 추경예산이 통과되는대로 조속한 시일내에 제공케 될것임을 참고로 알려두었음.

2. 동 접촉시 ASHMORE 보좌관은 한. 미 통상문제와 관련, 지난해에는 한국이 보호주의 정책으로 회귀하는것이 아닌가 하는 의구심이 의회내에 팽배에 있었으나, 금년들어 정보 고위층이 시장개방 정책의 지속적 추진의사를 거듭 표명하고 , 양국간 통상현안 해결을 위해서도 상당한 노력을 하고 있는것으로 비추어지고 있어 비판적인 분위기가 많이 누그러졌다고 언급함.

3. 이에 대해 임참사관은 한. 미 통상문제에 대한 국내 여론의 민감성과 특히 대 언론관계에서 겪는 어려움을 설명하고, 최근 우리정부가 통상문제와 관련한 언론의 오도 내지는 과민반응에서 비롯된 여론 악화를 미연에 방지하기 위해 대 언론 홍보에 각별한 노력을 기울이고 있음을 언급함.

또한, 정부의 확고한 시장개방 정책에 대한 하급 공무원들의 인식 부족으로정책 집행과정에서 불필요한 마찰이 생기는 경우가 없지 않아, 이를 시정하기 위한 노력으로 대호 대외 통상업무 지침을 하달한바 있음을 설명한바, 동 보좌관은 동 조치에 대한 미 의회의 반응이 좋은것으로 알고 있다고 답변함.

(대사 현홍주- 국장)

91.12.31. 까지

검토필 (1991. 6. 30.)

미주국 차관 1차보 2차보 통상국 정문국 청와대 안기부

PAGE 1

91.04.02 09:58

외신 2과 통제관 BW

0076

공 란

공 란

공 란

공 란

공 란

관리 번호	91/483

외 무 부

종 별 : 지 급

번 호 : USW-1651 일 시 : 91 0408 1807

수 신 : 장관(미북,미안,중동일,기정,국방부)

발 신 : 주 미 대사

제 목 : 걸프전비 지원금 관련 하원 군사위 보고서

대:WUS-1076

연:USW(F)-1142

1. 하원 군사위는 금 4.8. 우방국들의 걸프전비 지원현황에 관한 ASPIN 위원장 (D-WIS) 명의 평가보고서(SHARING THE BURDEN OF THE PERSIAN GULF: ARE THE ALLIES PAYING THEIR FAIR SHARE)를 작성, 배포하였는바, 아국에 관하여는 1.30. 2 억 8 천만불의 추가지원 약속 사실을 언급하고, 4.1. 현재 1 억 3 천 8 백만불(3.28. 현금 지원액 6 천말 포함)을 제공, 기약속분 3 억 8 천 5 백만불의 35 퍼센트를 이행하였다고 밝힘. 동 수치는 연호 미국방부 보고서를 기초로 작성된 것으로 보이는바, 아측 수치와 6 백만불의 차이가 생긴것은 대호 대미수송 지원액(3 천 4 백만불) 에 대한 양측의 산출 기준 차이에서 오는 오차인것으로 판단됨.

2. 동 보고서는 우방국의 전비 지원이 미국의 지속적인 압력의 결과로 이루어진 것이라고 언급하고, 특히 일본의 소극적 자세(RELUCTANT CONTRIBUTOR DESPITE ITS WEAALTH)와 UAE 의 지원액 규모에 대해 비판적 논평을 한반면, 아국에 대하여는 지원규모와 이행현황에 대한 사실 보고 위지로 기술하고 있으며, 사우디에 대하여는 지원액 규모 및 이락의 쿠웨이트 침공직후 다국적군 지원을 위한 신속한 정치적 결정을 내린 사실등을 호의적으로 평가하고 있음.

일본에 대하여는 91 년 지원 약속액 90 억불중 90 퍼센트만이 미국이 제공된다는 사실과 달러화가 아닌 엔화로 지불됨으로써 실질적 지원액이 76 억불에 불과할것이라는 점(엔화의 대달러화 강세가 그 이유) 에 대해 특별한 불만을 표시함,.

3. 한편, 동 보고서는 미국이 현재까지 우방국으로 부터 지원받은 액수는 기약속분의 60 퍼센트에 해당한다고 밝히고, 미국의 걸프전기 지출액중 75 퍼센트 정도를 우방국이 부담한다면, 공평한 전비 분담이 될것이나, 문제는 지원액수보다는

미주국	장관	차관	1차보	2차보	미주국	중아국	청와대	안기부
국방부								

PAGE 1

91.04.09 07:51

외신 2과 통제관 BW

0082

기약속분 이행을 여하히 확보하느냐에 있다고 결론을 맺고, 이행 촉구를 위한 지속적 압력이 필요(KEEP UP THE HEAT)하다고 언급함.

4. 상기 보고서 전문 별전 팩스 송부함(USW(F)-1235)

(대사 현홍주- 국장)

91.12.31. 일반

검토필(1991. 6. 30.)

PAGE 2

0083

번호 : USW(F) - 1335
수신 : 장관 (미북, 미안, 중동일, 기정, 국방부)
발신 : 주미대사
제목 : 걸프전비 지원금 관련 하원 군사위 보고서 (12매) (첨부물)

REPORT ON ALLIED CONTRIBUTIONS TO PERSIAN GULF WAR EFFORT RELEASED BY HOUSE ARMED SERVICES COMMITTEE CHAIRMAN LES ASPIN (D-W
APRIL 8, 1991
(TEXT)

Sharing the Burden of the Persian Gulf:
Are the Allies Paying Their Fair Share?

A Report by
Rep. Les Aspin, Chairman
House Armed Services Committee

April 8, 1991

Introduction

Last November, I issued a report on burdensharing that graded our allies on their contributions -- both financial and military -- to the common cause in the Gulf crisis.[1] I warned then that the richer states should expect an American backlash if they were seen clutching their wallets while American men and women were fighting and losing their lives in the war with Iraq. In fact, it was only a matter of days after hostilities began that the pledges to support the U.S. military operation jumped from about $10 billion to about $53 billion (see Table A).

Concerns remained, however. Both houses of Congress passed legislation urging foreign governments to deliver on their commitments promptly, calling for appropriate action if they failed to do so, and requiring the Administration to report to Congress on the details of the contributions.

Obviously, financial contributions to offset the U.S. war costs are only part of the burdensharing picture, but because the Congress is now engaged in making difficult decisions on paying such U.S. costs, this second report on burdensharing will concentrate on the allied financial contributions to the United States. We will examine the cost of the war to the United States, whether the allied contributions represent a fair share of that cost, and whether the allies are making good on their pledges.

In this paper, I will present a concise overview of the issue and then offer a more detailed, country-by-country account of allied burdensharing.

What Are the Costs of the war?

The full cost of the war is not yet known. The fighting is over, but large numbers of our military forces remain in the Kuwait Theater of Operations. The attempt to deal with the costs of the war has begun in earnest, however.

In its FY 1991 supplemental defense authorization request, the Administration asked Congress for $15 billion to meet the costs of the war. This is in addition to

1335 — 1

0084

the $2 billion Congress provided in the Desert Shield supplemental appropriation at the end of last year. In his testimony before the House Armed Services Committee last month, the Defense Department Comptroller, Sean O'Keefe, said:

> This $15 billion in new budget authority, plus the $53.5 billion pledged by our allies, could prove sufficient to cover all our Desert Shield/Storm incremental costs. But it will be a while before we know that. More new budget authority might be needed. On the other hand, we may not need the full $15 billion.

Defense Department estimates so far are controversial. Some argue that the Defense Department is underestimating U.S. costs by not taking fully into account such matters as additional veterans benefits in the years ahead, replacement of weapons and equipment expended or worn down in the war, and additional expenses of non-defense agencies of the government.

Others, like the U.S. Comptroller General, express concern that the Defense Department might be overstating the costs of the war by including higher fuel costs paid for operations outside the Middle East and the purchase of large amounts of spare parts not consumed in the war.

There are those who have attempted their own calculations. Based on Defense Department materials submitted with the FY 1991 supplemental request, the Defense Budget Project, a private organization, estimates total U.S. incremental war costs are likely to be about $47.5 billion. The Congressional Budget Office has estimated such costs at about $45 billion, including the costs of bringing U.S. troops and equipment home. There is some concern, therefore, that allied contributions will be in excess of incremental U.S. war costs.

Is the Aggregate Allied Contribution to the War Fair?

The fairness of the total allied contribution to the U.S. will, of course, be determined by its relationship to the final Desert Shield/Storm cost. According to current Defense Department figures, the allied pledges to the war effort will cover about 75 percent of estimated U.S. costs for the operation. This calculation assumes that the total war cost will not exceed the sum of the $15 billion requested in this year's defense supplemental, the $2 billion appropriated last year, and the allied pledges.

There is a minor difficulty with the Defense Department's figures concerning Japan. Mr. O'Keefe's sum of $53.5 billion for allied contributions includes the full 1991 Japanese pledge of $9 billion. But, Tokyo does not intend the full amount for the United States. The Japanese told U.S. Secretary of State James Baker III when they made the pledge in late January that most but not all of the money would be slated for the United States, with the remainder going to other military participants in the coalition. Japanese Government officials said that about 90 percent of the pledge (roughly $8.1 billion) was pledged to the U.S. Treasury. Fortunately, however, the United Arab Emirates recently increased its pledge by $1 billion, bringing allied pledges to a total of more than $53.6 billion and maintaining Mr. O'Keefe's calculation of the allied offset at about 75 percent of U.S. incremental costs.

These calculations so far beg the question of what is a fair percentage for the aggregate allied contribution to the incremental costs of the war with Iraq.

The United States had its own vital interests in the Persian Gulf and the only military capable of executing Desert Storm. The U.S. contribution was appropriate in comprising three-fourths of the troops of Desert Storm as well as incurring some costs. By the same token, our allies should also participate and pay for the cost of the war in a way commensurate with their ability and their stake in its outcome. So

1235-2

0085

the figure we should aim for in allied financial contribution should not be 100 percent of U.S. costs, but nevertheless something very significant.

There is no precise formula by which this right number can be fixed. The current working figure of about 75 percent from U.S. allies seems an appropriate level for aggregate allied contributions.

A country-by-country analysis of financial contributions and judgments on whether they individually constitute fair shares of the burden are found in the annex.

Are the Checks in the Mail?

Apparently many of them are; and several big ones from the donors causing the most concern. The U.S. Treasury received $5.78 billion from Japan on March 27, bringing receipts from Tokyo to roughly 75 percent of the Japanese pledge. Japanese officials say the remainder of their pledge has actually been disbursed to the Gulf Cooperation Council's Gulf Peace Cooperation Fund and will be transferred to the U.S. Treasury very shortly.

In the second half of March, the German Government deposited another $3.28 billion in the U.S. Treasury. That brought German contributions to more than 97 percent of the amount Bonn has pledged to the U.S. war effort.

With its March contributions, the United Arab Emirates also hit the 75 percent mark, having delivered just over $3 billion of its $4 billion pledge. Kuwaiti deposits are nearing the halfway point and large Kuwaiti deposits are arriving on a regular basis. Saudi Arabia is credited with just over 40 percent of its total pledge, and updated accounting for continuing in-kind contributions will soon bring that country considerably closer to fulfilling its commitment. Korea is credited with about 35 percent of the $385 million it has pledged.

In sum, as of April 1, the United States has received almost 60 percent of the total allied pledges of cash and in-kind contributions to offset U.S. war costs (see Table A). Administration officials have stated before the House Armed Services Committee that the remainder of the pledges will be delivered soon, and additional contributions are arriving regularly.

Conclusion

If the full pledges are received, and I believe the bulk of them will be, and if they are adequate to offset 75 percent of the U.S. costs for the war as is now estimated, do they represent a fair share of the burden? The answer to that is yes. If the contributions of our allies offset at least 75 percent of our costs, that will be an adequate contribution.

The problem would be not so much with the aggregate amount pledged, however, but rather with the amount of browbeating required to obtain it., Gathering pledges was like pulling teeth. The United States had to publicly deploy cabinet officials on fund-raising tours to embarrass major powers into contributing to an operation that was clearly in their own vital interests. We should make no mistake about this: It was pressure from the United States that prompted many of the pledges and it will take pressure from the United States to make sure we collect. We have to keep up the heat.

In addition, for reasons made clear in the country-by-country analysis below, two of our allies deserve special criticism.

1235-3

0086

Japan was a reluctant contributor despite its wealth, and when we read the fine print, we discovered there was less to the pledge of $9 billion than met the eye.

First, Japan intends only about 90 percent of its $9 billion 1991 pledge for the United States. The widespread initial impression was that the entire amount was intended to defray U.S. war costs.

Second, Japan is fudging on even that pledge with its currency dealings. While other allies are making good their pledges in dollars, Japan is delivering its pledge in yen. That benefits Japan because the dollar has strengthened against the yen since the pledge was made. And the Japanese aren't increasing the number of yen in their contribution to compensate. At the time the pledge was made, it was worth about $8.42 billion to the United States. Now, the same number of yen is worth $7.6 billion, and that's all the Japanese say they're contributing.

The United Arab Emirates also deserve American criticism. The UAE has a higher GNP than Kuwait and higher per capita income than either Kuwait or Saudi Arabia, it is unscathed from the war, and it did not make a huge, costly military commitment to the conflict. Yet, it pledged only $1 billion for 1990 and only $2 billion for 1991 before being shamed into adding an additional $1 billion. The UAE should agree to pick up a share of the Saudi and Kuwaiti pledges.

If it delivers on all its pledges, and I believe it will, Saudi Arabia will get a pat on the back from most Americans. It not only committed to almost $17 billion in assistance to U.S. military operations, it made the prompt political decision after the Iraqi invasion of Kuwait to request help from multinational forces and provide them the facilities and support needed to reverse that aggression.

There was a controversy over what was happening to the windfall profits Saudi Arabia received as a result of increases in oil prices. Some said they were being pocketed, but the Saudi Embassy in Washington denied it, saying the profits were being spent. Our independent investigation showed two things. First, the Saudis did not appear to be spending as much as the embassy said. But second, and most important, it appears that the Saudis will spend their windfall profits and more on the war.

TABLE A
PLEDGES TO THE U.S. IN SUPPORT OF DESERT SHIELD/STORM
(as of April 1, 1991, dollars in millions)

	Value of Commitment to US					
	First Pledge	Second Pledge	Total	Cash Received	Value of In-Kind Received a/	Total Received
Saudi Arabia	3,339	13,500 b/	16,839	4,536	2,388	6,924
Kuwait	2,506	13,500	16,006	7,000	16	7,016
United Arab Emirates	1,000	3,000	4,000	2,870	179	3,049
Japan	1,740 c/	8,100 d/	9,840	6,646 e/	633	7,279
Germany	1,072	5,500	6,572	5,772	629	6,401
Korea	80 f/	305	385	110	28	138
Other g/	3	n/a	3	0	3	3
TOTAL	9,740	43,905	53,645	26,534	3,876	30,510

1235-4

0087

NOTE: Does not include pledges or contributions to other countries in support of the multinational Gulf effort.

---

a/ As of March 19, 1991. Understated as figure does not include in-kind material currently in the pipeline.

b/ The Saudis have made an open-ended commitment to provide host nation support (HNS). The Saudi HNS pledge includes no-cost food, fuel, water, facilities, and local transportation for all U.S. forces in Saudi Arabia and surrounding waters. For calendar 1990, the Saudi pledge has been estimated at $3.339 billion. The Saudi pledge of $13.5 billion is for the first three months of calendar 1991.

c/ The original Japanese pledge to the multinational forces included $1,740 billion to the United States and $260 million to other coalition forces.

d/ This figure reflects the estimate by Japanese Government officials that 90 percent or more of the $9 billion pledged by the Japanese Government in January 1991 to the coalition military effort is intended for the United States, with the remainder going to other coalition forces.

e/ Includes the $5.78 billion received on March 27, 1991.

f/ Originally reported as a pledge of $95 million for calendar 1990 and $25 million for calendar 1991. The State Department has suggested that only 84 percent, or $80 million, of the calendar 1990 pledge was for the United States.

g/ Represents the contributions of Denmark ($1.0 million), Bahrain ($1.2 million), Oman ($600 thousand), and Qatar ($200 thousand).

ANNEX

COUNTRY-BY-COUNTRY ANALYSIS

Japan

Total Pledge to the United States

Japan's January pledge of about $8.1 billion is in addition to the $1.74 billion it pledged to the United States last year, bringing the total Japanese commitment to the United States to about $9.84 billion. As of April 1, Japan was credited with delivery to the United States of $7.279 billion, following the deposit on March 27 of the yen equivalent of $5.78 billion. Japanese officials tell me the remainder of the pledge has been deposited in the Gulf Peace Cooperation Fund and is to be transferred to the U.S. Treasury in the very near future.

The Japanese are quick to point out that their Gulf-related burdensharing contributions are supplemented by their commitments to offset major portions of U.S. expenses involved in maintaining U.S. troops in Japan. The Government of Japan recently signed a new Host Nation Support Agreement with the United States in which Tokyo agreed to increase substantially its share of those U.S. costs. Over the five years covered by the agreement, Japan will increase its share from its current 40 percent to more than 50 percent. Excluding the pay and allowances for U.S. military personnel in Japan, the Japanese payments will come to roughly 73 percent of total U.S. costs. The White House announcement on the new agreement called it "by far the most generous host nation support program that we have anywhere in the world."

1235-5

0088

The New Pledge and Deliveries

However, even if Japanese pledges for the Iraq war come in on schedule, there will be a couple of problems with the new receipts.

The first problem is that the January Japanese pledge was not intended solely for the United States, despite the popular perception to the contrary. When Tokyo made the commitment to Secretary Baker, Japanese officials told him that most, but not all, of the assistance would go to the United States. They indicated to me that about 90 percent or more would end up in our treasury. So, from the beginning, the United States was slated for roughly $8.1 billion of the new $9 billion Japanese pledge to the coalition military effort.

The second problem will cause more concern. In late January, when Tokyo made the commitment to provide $9 billion worth of assistance to offset coalition military costs, the currency exchange rate stood at 130 yen per dollar. The Japanese Government asked its Parliament to approve an expenditure in yen equivalent to $9 billion at that rate (1 trillion, 170 billion yen). That request was approved, and funds in that amount are being disbursed. In the two months since the commitment was made, however, the dollar has strengthened against the yen and at the current exchange rate of about 139 yen; per dollar, the Japanese pledge of $9 billion is valued at about $8.42 billion, and the 90 percent U.S. cut of that would be about $7.6 billion.

Japan is the only contributor that has tied its contribution clearly to the original exchange rate and is disbursing its pledge in native currency. The other countries are delivering their pledges in dollars and appear to be intent on providing the full dollar amount pledged. The Japanese will receive another round of American criticism if the popular perception of a $9 billion pledge crashes up against a $7.6 billion delivery.

Political-Economic Context and the Strings Attached

The Japanese Government has called for one-year increases in taxes on oil, business and cigarettes to fund the pledge of $9 billion for the multinational military effort in the Gulf. The tax hike is drawing domestic criticism but will be manageable within Japan's robust economy. That economy is the second largest in the world -- larger than those of Britain, France and Italy combined. The core of the Japanese economy is a manufacturing sector that imports about 90 percent of the oil it burns -- about 70 percent from the Gulf.

The Japanese constitution, imposed by the United States following World War II, bars the threat or use of force as a means of settling international disputes. Consequently, despite its economic capacity, its stakes in the Gulf, and its competent, well-equipped and sizable armed force (250,000 active personnel -- only about 55,000 fewer than Britain), Japan committed no military forces to the crisis, and has attached strings to its financial contributions.

Domestic concerns stemming from this constitutional constraint have resulted in Japan's insistence that the money it contributes be limited to non-military uses. The U.S. State Department has given Tokyo assurances that this issue will not lead to a "practical problem," saying that anticipated U.S. logistic needs exceed the amount of the Japanese pledges.

Overall Assessment

The problem is not so much with the size of the Japanese pledges -- more than $9.8 billion. The problems have involved the amount of arm twisting required to extract the pledges, slow delivery on the pledges, payments in yen valued at dollar levels lower than those originally pledged, and the strings attached.

1235 - 6

0089

Germany

The New Pledge

On January 31, Bonn announced a new commitment of $5.5 billion to "be made available to the Government of the United States of America as Germany's contribution toward the costs of American operations in the Gulf region for the first three months of 1991." According to the German Government's spokesman, the entire amount is to be in the form of cash transfers.

Total Pledge to the United States

Combined with the 1990 pledge to the United States of about $1.1 billion, the 1991 pledge brings Bonn's total to roughly $6.6 billion. Most of the 1990 pledge was in the form of in-kind assistance. It was to include 60 special reconnaissance vehicles designed to detect the presence of radiation, or chemical or biological weapons on the battlefield valued at $130 million. Much of the other equipment pledged to the United States was reportedly surplus from the now-dissolved East German Army. This is in effect a no-cost item for Germany, which does not want the equipment. The only East German equipment that was to be transferred to the U.S. military was equipment the U.S. military identified as useful.

The Political Context

The German constitution, written at the conclusion of World War II with a lot of international attention, contains constraints that many Germans argue prohibit deployment of German forces outside the NATO region -- a limitation the Federal Republic has honored throughout the post-war period. But this constitutional bar is not as explicit as Japan's; some have even questioned if it might be simply a convenient crutch when Germans don't really want to do more. Unlike the case with the Japanese, however, these German political constraints did not result in any strings being attached to the funds being transferred to the United States.

The Economic Context

The German economy is one of the world's strongest and has continued to grow at a healthy rate. Germany is the world's leading exporter.

The German financial agenda, however, is admittedly crowded. The economic burdens of last fall's reunification are substantial. The cost of the reconstruction of what was East Germany will be imposing; just converting East German to West German currency was a considerable drain. Bonn has also pledged more than $8 billion to the Soviet Union in ways intended to facilitate the prompt departure of Soviet troops from Germany.

Overall Assessment

Germany has been a staunch NATO ally and instrumental in the recent historic achievements in Europe. It continues to contribute to stability and reconstruction in Central Europe in ways that seriously strain its treasury. It is experiencing some constraints, stemming from its unique history, on fuller participation in the international community.

Still, Germany is an economic superpower and has one of the world's finest armed forces. It has the capacity to do more and to fulfil its pledges promptly. As of April 1 in fact, Germany was credited with delivery of about $6.4 billion -- more than 97 percent of its pledge to the United States.

Bonn should also proceed with some urgency to resolve its constitutional difficulties regarding deployment of military forces. On balance, Chancellor Kohl was

1235-7

0090

결 번

넘버링 오류

correct when he summarized his country's performance, "...we are not fully assuming our responsibility" in the Gulf crisis.

Saudi Arabia

The New Pledge

On January 26, Secretary of State Baker announced that Saudi Arabia had just pledged an additional $13.5 billion for the first three months of 1991 to help defray the cost of U.S. operations in the Gulf. It is unclear at this time how much of this amount will come in cash transfers and how much will be in what is called in-kind support such as facilities, trucks, petroleum and the like, but it is intended solely for the United States.

Total Pledge to the United States

Last year, the Saudi Government pledged to provide coalition forces deployed in that country with basic supplies. In November, it signed an agreement with the United States, for example, to provide fuel, lubricants, fresh food, local transportation, water and other goods and services required by U.S. forces in country. The value of such assistance pledged by the Saudis in 1990 is estimated at about $3.3 billion which, combined with the 1991 pledge of $13.5 billion, sets the total Saudi pledge at about $16.8 billion. As of April 1, the Saudis are credited with delivery of almost $7 billion, but that figure will climb quickly as U.S. accounting catches up with additional in-kind assistance provided and more checks arrive from Riyadh, as they have been doing regularly.

The "Windfall Profits" Issue

The relevant question regarding Saudi contributions is simple: Is the Saudi regime devoting all of its "windfall" oil profits to this crisis? Saudi Ambassador Prince Bandar recently wrote stating that the Saudi government had not only spent all its 1990 windfall profits but dipped into its reserves to finance this operation.

After reviewing the embassy's numbers and other data available from public and private sources, it can be concluded that Saudi Arabia has not spent quite as much as the embassy reports, but will nonetheless probably spend all of its windfall profit and more on this operation before it is over. A conclusive, bottom-line number cannot be given at this time because it is not known a) when this operation will end and hence what it will cost, or b) how much the Saudi windfall profit will be since oil prices are fluctuating so wildly.

The embassy calculations cover the August-December 1990 period. For those months, the Saudis report they obtained windfall profits of about $13 billion and spent $25 billion on the confrontation. My estimate is that the Saudis obtained windfall profits in 1990 of $13 billion to $15 billion and actually spent about $10 billion. The Saudis, however, committed themselves to spend additional sums this year -- and oil prices so far this year have been much lower than last fall. As a result, it is reasonable to conclude that Saudi Arabia will spend all of its windfall profits -- and more -- before this crisis is over.

Table B lists the chief components of Saudi Arabia's expenditures as of April 1st on behalf of this confrontation. The following numbered paragraphs conform to the numbered lines in Table B.

1235-8

0092

Table B
ESTIMATED SAUDI OUTLAYS
(In Millions of Dollars)

		CY90 Embassy	Aspin	1st Qtr 91
	Military Support to Allies			
1	United States	3000	1714	1500
2	Others	--	400	400
3	Economic Aid to Frontline States	3650	3000	1400
	Increased Saudi Military Spending			
4	Purchases form U.S.	7600	815	576
5	Purchases from Others	5000	536	380
6	Domestic	1700	1700	1020
7	Expenses to Raise Oil Output	4000	500	300
8	Aid for Refugees	--	500	--
	TOTAL	24950	9165	5576

1 **Military support for the United States** The embassy letter lists the volume of support for U.S. Operation Desert Shield at $3 billion during calendar year 1990. In November, the United States and Saudi Arabia signed an agreement under which Riyadh agreed to supply the United States fuel, lubricants, fresh food, local transportation, water and other goods and services required by the U.S. forces within Saudi Arabia. The Ambassador has said these items will be supplied under a receipted system so that a full accounting can be made. In addition, the Saudi government agreed to reimburse the United States for its expenses in these categories before the signing of the agreement. For example, immediately after arriving in Saudi Arabia in August, the U.S. military signed contracts for water supply and also leased trucks and buses. The Saudis have now reimbursed the United States for that. The Pentagon reported in mid-January that it had been reimbursed $760 million in cash and supplied goods in-kind valued at $854 million through December 31. That makes a total of $1,614 million. Another $100 million has been added here on the assumption that receipts will continue to trickle in for awhile. The embassy letter stated that "recently" oil provided free to coalition military forces in the kingdom was "running over two million barrels a day." Defense Department fuel officials, however, have informed the committee that free fuel supplied by Saudi Arabia to American military forces in Saudi Arabia and surrounding waters averaged 150,000 barrels a day during Desert Shield, a significant difference of several orders of magnitude. After Desert Storm began, the Saudi in-kind contribution rose to around 450,000 barrels a day, they report.

2 **Military support for the other coalition partners** The embassy included nothing for Saudi aid to the Egyptian, Syrian and other coalition forces located in Saudi Arabia. At the very least, the Saudi government is supplying considerable transport and logistics support for the allies. It is reported from some sources that the Saudis are picking up an even bigger share of the costs of supporting some of the smaller allied presences. No firm dollar figures are available. These costs are estimated in this paper at $400 million. Because these costs were almost entirely confined to the last quarter of 1990, the assumption is that the same costs apply for the first quarter of 1991.

1235-9

0093

3 **Aid to frontline states:** Saudi Arabia is making payments to a number of states hard hit by the economic disruption of the confrontation. Some of the payments might even be crudely called the purchase of mercenary forces. Be that as it may, the costs of this aid are legitimately attributable to the confrontation. These are economic aid payments that are separate and distinct from the direct support to military forces present in Saudi Arabia, addressed in Line #2. The embassy prices the 1990 costs at $3.65 billion. Evidence has been located of 1990 payments to a half dozen countries totaling $3 billion with commitments as of now for another $1.4 billion in the coming months. As this is being written, there are unconfirmed reports of yet another payment to one of these countries totaling $1 billion over an unknown time frame.

4 **Increased Saudi military purchases from the United States:** The embassy cites $7.6 billion. This is a classic example of mixing commitments with actual payments. After the invasion of Kuwait, Saudi Arabia made two emergency weapons procurements from the United States, one for $2.2 billion and the second for $7.6 billion. The embassy cites $7.6 billion as the Saudi expenditure for emergency weapons. It is not clear why the first emergency procurement is excluded. Defense Department records, however, show that during 1990 Saudi Arabia actually paid $815 million for those emergency purchases. The rest was committed and will largely be paid out over 1991. But only $815 million was paid in 1990 and should be counted as an offset to windfall profits made in 1990.

5 **Increased military purchases from other countries:** It is not clear what these purchases are. The embassy says the total comes to $5 billion. With no detail available, it is assumed that this figure also applies to contracts rather than actual outlays. That being the case, the same rate of payout as to the United States in Line #4 is assumed, resulting in $536 million as 1990 expenditures for arms from other countries.

6 **Increased domestic military expenditures:** This is the cost of forming new units, more intensive training and a greater tempo of operations. Again, we cannot know the precise figure. The figure cited by the embassy of $1.7 billion is reasonable, so it is adopted. For future outlays, the same rate as in 1990 has been assumed -- $340 million per month.

7 **Expenses to boost oil output:** Another element is the sum the Saudis had to spend to raise their oil output from about 5.5 million barrels a day to 8.5 million. The increased output was a key contributor to the lowering of oil prices after the initial post-invasion surge. By November, increased production in Saudi Arabia and other countries had completely erased the deficit caused by the shut-in of Iraqi and Kuwaiti production. The embassy cited a figure of $4 billion for the costs to boost Saudi output. A Saudi Finance Ministry official in December put the investment at $5 billion. Both the Finance and Foreign Ministries have a political interest in using large numbers. Oil industry sources, however, told "Petroleum Industry Weekly" in December that the additional production had cost $2.5 billion. It is significant, however, that Saudi Arabia had already decided before the confrontation to boost its production capacity and had announced a multi-year investment plan for doing so. To that end, Fluor Corp. won a contract valued within the industry at from $2 billion to $5 billion. That contract was announced the last week of June, five weeks before the Iraqi invasion of Kuwait. I therefore consider it an investment made during Operation Desert Shield that would have been made anyhow and should not be charged against Desert Shield. The expansion was speeded up, and some costs planned for 1991 or 1992 may have been expended in 1990. But that is still not a legitimate Desert Shield cost. The only legitimate costs attributable to the confrontation would be additional costs for overtime or insurance or special pays to attract workers to a crisis location or premiums paid to get orders fulfilled expeditiously and the like. For example, a 15 percent crisis raise was awarded all Saudi Aramco employees in October for the duration. Based on Aramco advertising, it would appear that much of what the firm has done to expand production has been

0094

1235—10

to hire more maintenance people to demothball existing facilities and to enable Saudi Arabia to get more out of its existing equipment. For example, a Saudi Aramco spokesman told "Oil Daily" (Nov 5) that if all shut-in facilities were brought on-line, total production could reach 9.6 million barrels a day. Industry sources do not report seeing a lot of new contracts being issued. It is difficult to put a dollar figure against Desert Shield for this, but, somewhat arbitrarily, the figure is set at $500 million, which a very liberal sum. It is only fair to note that Saudi efforts to rapidly and significantly boost oil output contributed mightily to the rapid fall in the price of oil last autumn. In other words, the Saudi windfall profit is much less than it would have been had not the Saudi government taken action to pump more oil onto international markets.

8 Aid for refugee care: The embassy's letter does not claim any Saudi costs for the care of refugees that flooded out of Kuwait after the Iraqi invasion. The Saudis launched a major effort to care for them, and this is certainly a cost of the confrontation. Based on a variety of reports, $500 million seems reasonable for refugee expenditures during 1990.

Income: The embassy's letter places revenues over and above those anticipated for 1990 at $13 billion. The term "windfall profits" is most often used. Defining that term is difficult, however. Is it the sum over and above what Saudi Arabia anticipated at the start of the year, as cited by the embassy? Is it the amount Saudi Arabia received over and above $18 a barrel, the OPEC price target for the first half of 1990? Is it the amount received over $21 a barrel, the OPEC target for the second half of the year? The base is a matter of choice, not objective judgment. As the ambassador notes in his letter, calculating the revenues over and above that base is complicated by the variety of different prices for different qualities of oil and different contract arrangements. Curiously, a number of different analyses using different bases and different assumptions for sales prices have come up with an estimated Saudi windfall of $13 billion to $15 billion. Others have produced much higher figures, but as the ambassador notes, they commonly fail the rules of logic by assuming that all oil revenues -- not just those above a certain baseline -- comprise the windfall or by projecting August's price spike out into the future. Given the subjectivity of the base price, it is reasonable to assume that Saudi Arabia's windfall profits total about $13 billion to $15 billion.

Deficit: Many news reports have made reference to the fact that Saudi Arabia ran a deficit of several billion dollars in 1990. That is frequently cited as evidence that the Saudi government made no "profit" out of the confrontation. It should be noted, however, that the Saudi government has run a deficit of several billion in each of the last few years since the price of oil dropped precipitously in 1986.

Overall Assessment

In light of the vital role it has played from the beginning as host nation for the coalition forces, along with its recently increased financial pledge and indications of its military resolve, we believe Saudi Arabia is now contributing to our common cause in a way that is commensurate with its capabilities, assuming all financial pledges are fulfilled.

Kuwait

Secretary Baker announced on January 26 that Kuwait had pledged an additional $13.5 billion for the first three months of 1991 to help defray U.S. costs for the Gulf operation. Last year, Kuwait pledged $2.5 billion to U.S. military efforts. All the money pledged in 1990 has been received in the U.S. Treasury. Payments on the 1991 pledge are beginning to come in regularly at the rate of $1 billion per week.

1235-11

0095

Kuwait suffered a brutal invasion, tragic loss of life, and tremendous destruction and plundering at the hands of the Iraqis. The reconstruction of Kuwait and the revitalization of its economy will be a huge financial drain on the Kuwaid treasury, but the Kuwaiti Government is still managing to deliver on its pledges to the United States.

United Arab Emirates (UAE)

The UAE generally gets very little attention in these discussions about burdensharing. It should get more. The UAE has pledged -- and is well on its way toward paying -- $4 billion toward the costs of Operation Desert Shield/Storm. That makes the UAE the fifth principal contributor after Saudi Arabia, Kuwait, Japan and Germany. On the surface that sounds adequate. But is it?

- o The UAE is an oil giant with a small population. Through the late 1980's, its GNP was greater than Kuwait's -- $23.3 billion versus $20.5 billion; and its per capita GNP was $11,680 -- compared to $10,500 for Kuwait and $4,720 for Saudi Arabia.[1] With increased oil production and higher prices during this crisis, the UAE also enjoyed additional profits of probably several billion dollars.
- o Furthermore, the UAE had a great interest in our protection. In Saddam Hussein's buildup toward the invasion of Kuwait in July 1990, he focused his anger and rhetoric not only on Kuwait but also on the UAE for exceeding its OPEC oil production quota -- the reason for the UAE's immense wealth.
- o Finally, the UAE emerged unscathed from this war. Unlike Kuwait, it does not face an immense burden of repair and reconstruction. Unlike Saudi Arabia, it did not make a huge and costly military commitment to the confrontation with Iraq.

For all these reasons, we -- and the Kuwaitis and Saudis --have a right to expect the UAE to pay more. While the United States probably will not require any added payments to cover a reasonable share of our costs, the UAE ought to be dunned to pick up a share of the Saudi and Kuwaiti pledges, which are collectively more than eight times greater than the current UAE pledge.

South Korea

On January 30, the Republic of Korea announced an additional pledge of $280 million to the Gulf military effort, "especially for the U.S. forces." $170 million of this amount is to consist of military supplies and equipment; the other $110 million is to be in cash and transport services. It is difficult to determine exactly how much of its contribution Seoul intends for the United States, but combined with last year's pledge, our estimate is a total of $385 million to offset U.S. costs. As of April 1, Korea was credited with deliveries to the United States of $138 million, following a deposit of $60 million on March 28.

* * * *

[1] Central Intelligence Agency, The World Factbook 1990, Washington, D.C.

1235-12

0096

공 란

공　　　란

관리 번호	91-950

	분류번호	보존기간

발 신 전 보

번 호 : WUS-1505 910412 1814 FL 종별 :

수 신 : 주 미 대사. ~~총영사~~

발 신 : 장 관 (미북)

제 목 : 걸프사태 관련 대미 지원

연 : WUS-1076

1. 2차 지원 재원 확보를 위한 2,040억원 규모의 91년도 제1회 추경예산안이 4.11(목) 국무회의를 통과, 금명간 상부 재가후 4.19. 개원 제154회 임시국회에 제출하여 우선순위를 두고 통과시킬 예정이며, 국회에서의 ~~심의 의결 및~~ 필요절차 완료직후 조기집행 예정임.

2. 금일 현재 수송지원 총액은 $42,084,231 미불이므로 대미지원 집행총액은 1억5천2백8만 4,231불이며 동 내역은 아래와 같은 바, 주재국 국무부, 국방부 및 의회 등과의 업무 협의에 활용바람.

가. 지원총액 : 152,084,231미불

- 현금 지원액 : 1억1천만불
- 수송 지원액 : 42,084,231미불

나. 내 역 :

o 항공수송지원(대한항공) : 25,858,764미불

- 90년도(1차-24차) : 10,776,604미불
- 91년도(26차-50차) : 10,827,739미불
- 91년도(51차-59차) : 4,264,421미불

/계 속/

보안 통제	

앙 고 재	91년 4월 12일	북미과	기안자 성명		과 장	심의관	국 장		차 관	장 관
							전결			

외신과통제

0099

o 해운 수송지원 : 16,215,467미불

- 삼선해운 : 7,461,491미불
  - 1 차 : 1,817,459미불
  - 2 차 : 2,135,288미불
  - 3 차 : 1,999,744미불
  - 4 차 : 1,509,000미불
- 한진해운 : 8,753,976미불
  - 1 차 : 2,212,386미불
  - 2 차 : 1,568,440미불
  - 3 차 : 2,310,950미불
  - 4 차 : 1,478,200미불
  - 5 차 : 1,184,000미불 끝.

(미주국장 반 기 문)

예 고 : 91.12.31.일반

검 토 필 (1991.6.30.)

예고문에의거일반문서로
재분류 1991.12.31 서명

0100

관리번호	91-954

30-7w

원 본

외 무 부

종 별 :

번 호 : USW-1717 일 시 : 91 044 1830

수 신 : 장관(미북,미안)사본:국방부 장관

발 신 : 주미대사

제 목 : 걸프전 관련 대미 지원

대 WUS-1455

연:USW-1687

1. 대미 군수물자 지원 문제관련, 그간의 대미 접촉과정등을 통해 파악한 미측 입장과 이에 근거한 당관 견해를 다음 보고함.

가. 걸프전이 미국의 승리로 끝나고, 전후 처리 문제, 쿠르드 난민 구호문제등이 미 행정부의 긴급 외교현안으로 대두하고 있는 현 시점에서 아국의 대미 군수물자 지원 문제는 기본적으로 기술적, 실무적 성격의 문제로 미측에 의해 인식되고 있는것으로 보임.

(연호 보고와 같이 , ROWEN 차관보도 본직 면담시 동 문제에 대해서는 전혀언급치 않음)

나. 또한, 미측이 그간 여러차례에 걸쳐 시사해온바와 같이, 아국의 지원 규모나 내용은 원치적으로 아국이 결정해야 할 문제이고, 한미 양국간 교섭의 대상이될 사안이 아니므로, 대호와 같이 미 국방부 고위층에 대해 전기 문제를 다시 제기하는것은 현재의 전체적인 상황을 고려할때 적절치 않은것으로 봄.

다. 총 지원 규모에 대해서도 당초 이견이 있었으나 아국의 입장을 감안, 결과적으로는 미측이 이 문제에 대해 더 이상 거론하지 않았던 것처럼, 제 2 차 지원의 내역도 아국이 미측의 입장을 반영, 이미 한차례의 내역 조정을 하여 미측에 통보한 만큼, 동 계획에 따라 가능한 부분부터 우선 집행하는것이 현재로서는 바람직할 것으로 보임.

2. 한편, 당관이 국무부 한국과등을 통해 실무적으로 확인한바로는, 동건 관련 미 행정부내의 부처간 의견 조정이 상금 종료되지 않은 상태라 하는바, 우선은 대호 3 항의 아측입장을 충분히 설명 , 전달해 두었음.

미주국	장관	차관	1차보	2차보	미주국	청와대	안기부	국방부

PAGE 1

91.04.12 09:26

외신 2과 통제관 FE

0101

(대사 현홍주- 국장)

91.12.31. 일반

검 토 필 (1991.6.30.)

예고문에의거일반문서로
재분류 1991.12.31 서명

PAGE 2

0102

관리번호	91-1057

분류번호	보존기간

발 신 전 보

번 호 : WUS-1754 910425 1848 FL 종별 :

수 신 : 주 미 대사 ~~총영사~~

발 신 : 장 관 (미북)

제 목 : 걸프전비 추정

대 : USW-1117

1. 걸프전 2차지원 예산 확보를 위한 추경 심의와 관련 국회가 요청하는 아래 자료를 (전문(또는 FAX)으로) 지급 파악 보고.송부바람.

가. 대호 걸프전 관련 추가세출 법안 상.하원 심의시 걸프전 총소요경비 426억불에 대한 의회측 상세 자료

나. 걸프전비 관련 현재 정확한 전비 계산은 어려우나 우방국 기여금 545억불과 추가세출 예산 150억을 합한 695억원으로 걸프전비 충당이 가능하다는 미 국방부의 ~~종래 입장이외의 행정부측 견해~~ 계산 상세 자료

다. Charles Bowsher GAO 원장의 걸프전비 관련 3.22.자 WSJ 기고문 끝.

2. 금 4.25. 걸프전 2차 지원을 위한 추경예산안이 (은 상기 자료를 제출하는 조건으로 일단) 외통위를 통과하였으며 5.1-2간 예결위 심의 예정임.

(미주국장 반 기 문)

검토필 (1991.6.30.)

일반문서로 재분류 (1991.12.31.)

보안통제	

앙고재	91년 4월 25일	북미과	기안자 성명		과 장	심의관	국 장		차 관	장 관
							전결			후열

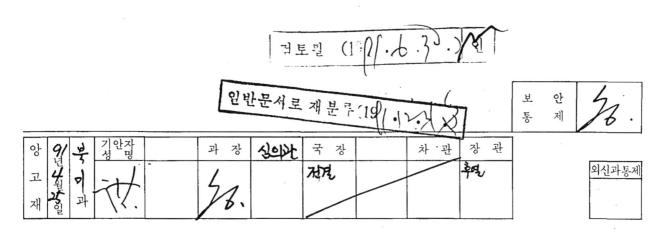

외신과통제

0103

(보 도 자 료)

1991년도 제 1회 추가경정예산 (안)
— 걸프전 추가지원 결정에 관한 건

1991. 4. 25. 외무통일위원회
문 동 환 의원

질의 방향 및 목적

1. 자주외교 역량발휘 촉구—최소한 줄것주고 받아낼것 받아내는 대강대국
교섭력만이 국민적 부담과 사대종속외교극복

2. 국제사회에 대한 공헌은 인류애에기초한 복구,의료 사업으로-전쟁비등
분담 더구나 미군사비보진은 부당

3. 힘의 역학관계상 우리측 부담이 어쩔수없었다 하더라도 최소한 그부담에
상응하는 외교적,경제적 실리는 빈약했음을 추궁 (예컨대 중동특수 三운동)

0104

(개요)

* 1차 (90.9.24): 총2억2천만불 ┌ 대미:1억5백만불
└ 주변국경제지원:1억1500만불

× 대미 1억5백만불 내역
┌ 현금 5천만불
└ 수송 3천만불+2500만불

* 2 차 (이번추경): 총 2억8천만불 ┌ 대미:2억5천만불
└ 대영: 3천만불

변경
×대미 2억5천만불 내역
┌ 현금 1억불
│ 수송 1억불
└ 군수물자지원 5천만불

×당초 ┌ 현금 6천만불
│ 수송 5천만불
└ 군수물자지원 1억7천만불

} 총2억8천만불 (한화2039억8천만원)

* 1차+2차 총 지원금 2억2천만불+2억5천만불+대영현금지원 3천만불
→ 총 5억불

* 이유:미측의 강력한 요구:
조기종전으로 군수물자 불필요 및 호환성문제

* 미측의 요구에 응한 외무부의 이유
1) 우방과의 약속이행이라는 국제적 공신력확보
2) 안보관련 한미관계의 특수성감안
3) 국제외교무대의 역학관계변화-미국의 부상감안
4) 대중동 경제진출 기반확보

0105

3

정부

[문제점]

△미의회예산국 (CBO)은 정전발표전인 2월말에 발표한 보고서에서 전비총액을 450$로 추정 — 이는 장기전 전망 배제 안한 채 추정한 것임.
억

△미의회 소속 찰스바우서 감사원장은 3.22자 월스트리트 저널지와의 인터뷰에서 미국의 총전비소요액이 4백억~450억불로 계상되며, 동맹국 약정금 545억$을 감안하면 미국은 오히려 최소 90억불에서 140억$까지의 전비잉여가 예상된다고 발언

△피츠워터 백악관 대변인은 3.19 "동맹국의 전비지원이 실제 전쟁경비를 초과할 경우 남은 돈을 반환하겠다"고 발언

△독일은 3.21 전비부담금지급과는 별개로 미국에 대해 걸프전의 전반적인 비용내역과 미국이 책정한 비용들이 어떤 방식으로 산출되는지 밝힐것을 요구

△미상원은 426억불의 전비를 승인하면서 보정예산분 150억불을 동맹국분담금 완납후 국고환수조치토록 함으로써 동맹국 분담금으로 전쟁이전의 군사적재고 수준을 유지하고 예산상의 부담도 없도록함.

△더구나 1)걸프전이 예상보다 훨씬 조기에 종전되었고
2)미군측이 입은 피해가 대단히 경미하였고
3)국제원유가가 조기에 안정됨으로써
총전비 400억~450억불 규모는 훨씬 축소되었을 것이고 이에 따른 동맹국 분담금조정은 당연히 재조정되었어야 한다는 여론이 일은

[질의]

따라서 외무부는

1)걸프전 지원금 규모가 미국의 요구에 의해 (일방적으로) 결정된 것인지, (우리가) 자체적으로 책정하고 미국에 통보한 것인지를 분명히 밝히고

2)미국요구에 의한 것이라면 이같은 결정에 도달하기까지 한미간 협의조정 내용, 요컨대 미측요구에 대한 우리측의 대안, 양측의 조정안등이 구체적으로 각이슈별로 어떻게 조정되었는지를 밝히고, 그렇게 될수밖에 없었던 이유를 밝히고

3)우리가 알아서 미리 책정하여 미측에 이렇게하겠다 고 통보하였다면 그것은 어떤 근거와 기준에 의해 산출하고 그재원은 어디에서 마련할 것이었는지를 밝히고

0106

4

4)아랍각국과 독일등 동맹국 각국에서 전비 분담금 재조정을 시도하기 위해 행했던 전비 내역/명세요구에 대하여 우리 외무부는 어떤 보조와 조치 또는 판단을 하였는지를 밝히고

5)지난 3.6 이정빈 외무제 1차관보가 걸프지역의 전후처리방안과 복구 사업참여문제와 관련, 방미하였는데, 특히 전후복구사업참여문제와 관련해서 미측으로부터 얻어낸 구체적인 성과는 무엇이었는지 밝히고

6)걸프전 지원금과 관련 국내에서 이를 문제시할 경우 결과적으로 우리의 대미교섭력 및 국제외교역량에 손상을 입힐수 있으므로 소위 "어차피 줄것이라면 주어 명분이나 살리자" 라는 식의 일부의견에 대해 본인은 권위주의, 외세굴종 비자주외교, 국민소외국가주의 외교적 발상이라 보는데 외무부의 견해는 다른가?

7)1차 지원금내역의 일부가 그러했던 것처럼 (2차 지원비도) 전비 지원금이라는 미국 군사비 보전형태가 아닌, 중동평화와 난민구호, 전쟁복구지원등 평화애호와 인류애에 입각한 국제적 구휼 차원에서 집행될 여지는 전혀 없었는가

8)대미외교가 국제무대에서의 미국의 영향력부침에 따라 그양상이 결정되는 것이라면 대미종속이라는 오해를 받기 쉽상이다. 강대국에 대한 외교역량을 자주적 측면에서 보다 강화할 필요를 느낀다. ~~언제까지~~ "미국이 요구하면 어절수없으니 받아들인다" 는 식의 대미외교가 계속되는한 외압에 눌려 국익을 지키지 못하는 외교라는 비난을 면할수없지 않은가

9)지난 3.7 미국방부 포드 부차관보가 외무부 제 1차관보에게 군사물자분 1억7천만불 전액을 현금으로 지원할 것을 요청했다(개요P6)는데 구두요청이었는가, 구두요청이었더라도 이에 대한 정부내부방침수립을 위한 토의내용은 있을것인데 그 내용을 밝히라.

※ 5억$ ⇒ 한화 2039억 8천만원

참고 ; 1월중 대미무역적자 1억 4천3백만불의 약 350%
작년 추곡수매정부예산 1조 5천억의 약 14% 해당
한국전투기 사업(KFP : FX계획)예산 3조원의 약 7%
(F16 전투기 9대 단순계산상 추산)

0107

관리 번호	91-1068

원 본

외 무 부

종 별 : 긴 급

번 호 : USW-1999 일 시 : 91 0425 1858

수 신 : 장관(미북)

발 신 : 주 미 대사

제 목 : 걸프전비 추정액

대:WUS-1754

연:(1)USW-1285, (2) USW(F)-1235

1. 대호 관련사항 아래 보고함.

가. 걸프전비 추정액

0 미행정부는 걸프전비와관련, 지금까지 어떠한 추정액도 공식 발표한바 없음. 다만 91 년도 추가 세출예산 150 억불과 우방국 기여금 535 억불을 합칠경우전비 충당이 가능할 것이라는 일반적인 견해를 표명한바 있을뿐임.(연호 (2)참조)

조기종전으로 인한 잔액발생 가능성에 대하여는 백악관을 포함한 미행정부 관리들은 아직 잔류중인 병력유지 비용과 손실 또는 파괴된 군장비 보전 비용을 합할 경우 600-650 억불은 될것이므로, 우방국 기여금에서 남는 돈은 없을 것이라는 입장을 취하고 있음.

0 연호 91 년도 추가 세출 예산법안에 언급된 426 억불은 의회가 승인한 지출한도액일뿐이며 동액수가 걸프전비 총 추정액을 의미하는것은 아님. 연호 (2) 하원 군사위 보고서 (2 페이지)에도 우방국 기여금 535 억불은 걸프전비 총 추정액의 75 % 정도를 커버할것이라고 언급되어 있는바, 이를 역산할 경우 전비 총 추정액은 713 억불 규모에 달한다는 계산이 가능함.

0 미의회는 90 년말 DESERT SHIELD OPERATION 을 위해 이미 30 억불(자체예산 20 억불 PLUS 우방국 기여금 10 억불)의 추가 세출 예산을 승인한바 있으므로이를 포함할 경우 지금까지 지출 승인된 총전비는 456 억불임.

나. 걸프전비 관련자료

0 91 년 추가세출 예산법안의 426 억불은 상기한바와같이 승인된 지출한도액에 불과하므로, 동법안 (HR1282)에는 자체예산 150 억불의 상세 내역만 명기되어

미주국 장관 차관 1차보 2차보 중아국 청와대 안기부

PAGE 1

91.04.26 08:55

외신 2과 통제관 CA

0108

있을뿐이며 426 억불의 내역은 포함되어 있지 않음.(법안 및 관련 보고서 별전 FAX 송부)

0 미국방부의 전비 추정액 관련 자료는 상기한대로 아직 외부에 배포된것이없으며 금 4.25. 당관이 미국방부 담당관을 접촉, 확인한바에 의하면 4.29(월)의회에 관련 보고서를 제출키로 되어 있으나 그때까지는 여하한 경우에도 외부에 공개할수 없다함. 동자료는 가능한 4.29 중 입수, FAX 편 송부 예정이니 양지바람.

0 BOWSHER GAO 원장이 걸프전비 관련 WSJ 지에 기고문을 게재한바는 없으며, 다만,3.25. 자 동지 관련기사에 동원장의 발언을 인용 , 보도한것이 있을 뿐임. 동기사 FAX 편 별송함.

2. 동건 관련 별도 상세 자료가 입수될 경우 FAX 편 송부하겠음.(대사 현홍주-국장)

예고 91.12.31 까지

검토필 (1991. 6. 30.)

일반문서로 재분류(1991.12.31.)

PAGE 2

0109

: USW(F) - 1512

: 장 관 (미북, 중동1, 미안) 발신 : 주미대사

: 걸프전비 분담 관련 국무부 정무차관 언급 (미국 변호사 협회 연설시)

보안 통제	

(1 매)

REMARKS OF ROBERT M. KIMMITT, UNDERSECRETARY OF STATE FOR POLITICAL AFFAIRS TO THE AMERICAN BAR ASSOCIATION WASHINGTON, DC
THURSDAY, APRIL 25, 1991

There was also an economic element to the coalition's military victory. Beyond sanctions, key members of the coalition pooled their own economic resources to support the military effort. The United States itself received commitments of over $54 billion from six countries: Kuwait, Saudi Arabia, the United Arab Emirates,

Japan, Germany and South Korea to support our military efforts, first in Desert Shield and then in Desert Storm. When the final accounting is completed, we expect allied contributions to result in highest percentage of responsibility sharing we have ever achieved.

0110

관리 번호	91-1107

외 무 부

종 별 : 긴 급

번 호 : USW-2030 일 시 : 91 0429 1707

수 신 : 장관(미북)

발 신 : 주 미 대사

제 목 : 걸프전비 추정액

연:USW-1999

연호 미 국방부의 대의회 보고서 및 BOWSHER GAO 원장의 2.27. 하원 예산위청문회 증언문을 팩스편 별송함.

첨부:USW(F)-1565

(대사 현홍주- 국장)

예고:91.12.31. 까지

검토필 (1991.6.30.)

일반문서로 재분류(1991.12.31.)

미주국 장관 차관 1차보 2차보 중아국 청와대 안기부

PAGE 1

91.04.30 06:42

외신 2과 통제관 CH

0111

04/29/91 17:14 ☎202 797 0595 EMBASSY OF KOREA --- WOI 001

주 미 대 사 관

보안 통제	

번호 : USW(F) - 1565

수신 : 장관(미북)

발신 : 주미대사

제목 : 걸프전비 추경예산 관련자료 (3매 04)

미국방부의 대의회보고서 (4.27자) 및 Bowsher GAO 원장의 하원예산위 청문회 증언문 (2.27자)을 별첨 송부함.

0112

UNITED STATES COSTS IN THE PERSIAN GULF CONFLICT AND FOREIGN CONTRIBUTIONS TO OFFSET SUCH COSTS

Report #2: April 27, 1991

Section 401 of P.L. 102-25 requires a series of reports on incremental costs associated with Operation Desert Storm and on foreign contributions to offset such costs. This is the second of such reports. As required by Section 401 of P.L. 102-25, it covers costs incurred during January and February 1991 and contributions made during January, February and March 1991. The first report, dated April 20th, concerned the costs and contributions for the period beginning August 1, 1990, and ending on December 31, 1990.

<u>Costs</u>

The costs covered in this and subsequent reports are full incremental costs of Operation Desert Storm. These are additional costs resulting directly from the Persian Gulf crisis (i.e., costs that would not otherwise have been incurred). It should be noted that only a portion of full incremental costs are included in Defense supplemental appropriations. These portions are costs that require financing in fiscal year 1991 and that are exempt from statutory Defense budget ceilings. Not included in fiscal year 1991 supplemental appropriations are items of full incremental costs such as August - September 1990 costs and costs covered by in-kind contributions from allies.

Table 1 summarizes preliminary estimates of Department of Defense full incremental costs associated with Operation Desert Storm from August 1, 1990, through February 28, 1991. The cost information is shown by the cost and financing categories specified in Section 401 of P.L. 102-25. Tables 2-9 provide more detailed information by cost category. Costs shown in this report were developed by the Department of Defense and are based on the most recent data available.

Through February 1991, costs of about $32 billion were reported by the Department of Defense. Although the combat phase was over by the end of February, the costs reported so far are preliminary. These costs do not include such items as the total cost of equipment repair, rehabilitation, and maintenance caused by the high operating rates and combat use during this period. They also do not include the costs of phasedown of operations and the return home of the deployed forces. Further, certain long-term benefit and disability costs have not been reflected in the estimates. These costs will be reported in later reports. The costs through February plus the other costs not yet reported are expected to result in total incremental costs of $60 billion or more.

Incremental Coast Guard costs of $11.4 million were incurred during this reporting period, with cumulative costs of $17.9 million through February to support military operations in the Persian Gulf.

<u>Contributions</u>

Section 401 of P.L. 102-25 requires that this report include the amount of each country's contribution during the period covered by the

1565-2

0113

report, as well as the cumulative total of such contributions. Cash and in-kind contributions pledged and received are to be specified.

Tables 10 and 11 list foreign contributions pledged in 1990 and 1991, respectively, and amounts received in January, February and March. Cash and in-kind contributions are separately specified.

As of April 25, 1991, foreign countries contributed $8.0 billion of the $9.7 billion pledged in calendar year 1990, and $28.1 billion of the $44.8 billion pledged in calendar year 1991. Of the total $36.1 billion received, $31.3 billion was in cash and $4.8 billion was in-kind assistance (including food, fuel, water, building materials, transportation, and support equipment). Table 12 provides further detail on in-kind contributions.

Table 13 summarizes the current status of commitments and contributions received for the period August 1, 1990, through April 25, 1991.

__Future Reports__

As required by Section 401 of P.L. 102-25, the next report will be submitted by May 15th. In accord with the legal requirement, it will cover incremental costs associated with Operation Desert Storm that were incurred in March 1991, and foreign contributions for April 1991. Subsequent reports will be submitted by the 15th day of each month, as required, and will revise preliminary reports to reflect additional costs as they are estimated or re-estimated.

__List of Tables__

1565-3

0114

Table 1

<u>SUMMARY 1/</u>

INCREMENTAL COSTS ASSOCIATED WITH OPERATION DESERT STORM
Incurred by the Department of Defense
From August 1, 1990 Through February 28, 1991
($ in millions)
Preliminary Estimates

	FY 1990	FY 1991			Partial and Preliminary
	Aug – Sep	Oct – Dec	This period Jan – Feb	Total through Feb	Aug 1990 – Feb 1991
(1) Airlift	425	412	371	783	1,208
(2) Sealift	234	688	1,413	2,101	2,338
(3) Personnel	268	1,192	1,381	2,574	2,842
(4) Personnel Support	364	2,112	2,028	4,140	4,504
(5) Operating Support	1,241	3,721	5,246	8,966	10,206
(6) Fuel	578	932	1,537	2,469	3,046
(7) Procurement	129	719	6,180	6,899	7,028
(8) Military Construction	47	126	229	355	402
Total	3,287	9,902	18,385	28,287	31,574 2/
Nonrecurring costs included above 3/	373	845	8,560	9,405	9,778
Costs offset by:					
In-kind contributions	225	1,032	2,818	3,850	3,875
Realignment 4/	926	379	1,814	2,193	3,119

1/ Data was compiled by OMB. Source of cost data — Department of Defense.

2/ Although the combat phase was over by the end of February, the costs reported so far are preliminary. These costs do not include such items as the total cost of equipment repair, rehabilitation, and maintenance caused by the high operating rates and combat use during this period. They also do not include the costs of phasedown of operations and the return home of the deployed forces. Further, certain long-term benefit and disability costs have not been reflected in the estimates. Those costs will be reported in later reports. The costs through February plus the other costs not yet reported are expected to result in total incremental costs of $60 billion or more.

3/ Nonrecurring costs include investment costs associated with procurement and Military Construction, as well as other one-time costs such as the activation of the Ready Reserve Force ships.

4/ This includes the realignment, reprogramming, or transfer of funds appropriated for activities unrelated to the Persian Gulf conflict.

-3-

1565-4

0115

Table 2

AIRLIFT

INCREMENTAL COSTS ASSOCIATED WITH OPERATION DESERT STORM
Incurred by the Department of Defense
From August 1, 1990 Through February 28, 1991
($ in millions)
Preliminary Estimates

	FY 1990	FY 1991			Partial and Preliminary
	Aug - Sep	Oct - Dec	This period Jan - Feb	Total through Feb	Aug 1990 - Feb 1991
Airlift					
Army	207	141	88	229	436
Navy	85	71	194	265	350
Air Force	127	195	84	279	406
Defense Logistics Agency		3		3	3
Defense Intelligence Agency		0	0	0	0 1/
Special Operations Command	6	2	5	7	12
Total	425	412	371	783	1,208
Nonrecurring costs included above	0	0	72	72	72
Costs offset by:					
In-kind contributions	2	27	23	50	52
Reallignment 2/	0	0	0	0	0

1/ Costs are less than $500 thousand.
2/ This includes the reallignment, reprogramming, or transfer of funds appropriated for activities unrelated to the Persian Gulf conflict.

This category includes costs related to the transportation by air of personnel, equipment and supplies.

At the height of operations, 127 planes landed daily in the desert in Southwest Asia, averaging one arrival every eleven minutes. Over 6,500 missions were flown in this period, involving both the Military Air Command and civilian air carriers. These missions carried over 190,000 people and 223,000 short tons of equipment to the region.

1565-5

0116

Table 3

SEALIFT

INCREMENTAL COSTS ASSOCIATED WITH OPERATION DESERT STORM
Incurred by the Department of Defense
From August 1, 1990 Through February 28, 1991
($ In millions)
Preliminary Estimates

	FY 1990	FY 1991			Partial and Preliminary
	Aug – Sep	Oct – Dec	This period Jan – Feb	Total through Feb	Aug 1990 – Feb 1991
Sealift					
Army	122	642	344	986	1,108
Navy	99	33	968	1,001	1,100
Air Force	11	13	95	107	118
Defense Logistics Agency		1	4	5	5
Special Operations Command	2		2	2	4
Total	234	688	1,413	2,101	2,335

Nonrecurring costs included above	57	0	981	981	1,038
Costs offset by:					
In-kind contributions	1	24	38	62	63
Realignment 1/	0	11	7	18	18

1/ This includes the realignment, reprogramming, or transfer of funds appropriated for activities unrelated to the Persian Gulf conflict.

This category includes costs related to the transportation by sea of personnel, equipment and supplies.

A total of 93 ships were activated or chartered during this period. Of the these ships, 24 were Ready Reserve Force ships, which completed 22 trips. During this period, 900,000 short tons of dry cargo and 2.4 million tons of refined petroleum products were shipped to the Gulf region in 89 trips.

1565-6

0117

Table 4

PERSONNEL

INCREMENTAL COSTS ASSOCIATED WITH OPERATION DESERT STORM
Incurred by the Department of Defense
From August 1, 1990 Through February 28, 1991
($ in millions)
Preliminary Estimates

	FY 1990	FY 1991			Partial and Preliminary
			This period	Total	Aug 1990 –
	Aug – Sep	Oct – Dec	Jan – Feb	through Feb	Feb 1991
Personnel					
Army	176	836	981	1,817	1,994
Navy	22	199	133	332	354
Air Force	70	157	268	425	494
Total	268	1,192	1,381	2,574	2,842

Nonrecurring costs included above	0	0	0	0	0
Costs offset by:					
In-kind contributions	0	0	0	0	0
Realignment 1/	28	54	95	150	178

1/ This includes the realignment, reprogramming, or transfer of funds appropriated for activities unrelated to the Persian Gulf conflict.

This category includes pay and allowances of members of the reserve components of the Armed Forces called or ordered to active duty and the increased pay and allowances of members of the regular components of the Armed Forces incurred because of deployment in connection with Operation Desert Storm.

By the end of February, over 200,000 Reservists had been called to active duty and over 500,000 people were in theater.

1565-7

0118

Table 5

PERSONNEL SUPPORT

INCREMENTAL COSTS ASSOCIATED WITH OPERATION DESERT STORM
Incurred by the Department of Defense
From August 1, 1990 Through February 28, 1991
($ in millions)
Preliminary Estimates

	FY 1990	FY 1991			Partial and Preliminary
			This period	Total	Aug 1990 –
	Aug – Sep	Oct – Dec	Jan – Feb	through Feb	Feb 1991
Personnel Support					
Army	209	1,748	1,452	3,200	3,409
Navy	104	251	420	671	775
Air Force	36	100	142	241	278
Defense Intelligence Agency	2	2	5	6	8
Defense Logistics Agency	12	7	7	13	25
Defense Mapping Agency		3	0	3	3
Special Operations Command	2	1	3	4	6
Office of the Secretary of Defense	-	1	0	1	1
Total	364	2,112	2,028	4,140	4,504

Nonrecurring costs included above	8	0	1,098	1,098	1,106
Costs offset by:					
In-kind contributions	33	351	601	952	985
Realignment 1/	19	113	40	153	172

1/ This includes the realignment, reprogramming, or transfer of funds appropriated for activities unrelated to the Persian Gulf conflict.

This category includes subsistence, uniforms and medical costs.

Subsistence costs of $1.5 billion were the bulk of costs incurred in this period. Most of the remaining were Reserve activation costs of about $360 million.

1565-8

0119

Table 5

OPERATING SUPPORT

INCREMENTAL COSTS ASSOCIATED WITH OPERATION DESERT STORM
Incurred by the Department of Defense
From August 1, 1990 Through February 28, 1991
($ in millions)
Preliminary Estimates

	FY 1990	FY 1991			Partial and Preliminary
	Aug - Sep	Oct - Dec	This period Jan - Feb	Total through Feb	Aug 1990 - Feb 1991
Operating Support					
Army	865	2,876	3,874	6,550	7,414
Navy	223	538	845	1,383	1,608
Air Force	130	268	693	961	1,092
Defense Intelligence Agency			1	1	1
Special Operations Command	15	7	10	17	32
Defense Communications Agency		0	1	1	1
Defense Logistics Agency		9		9	9
Defense Mapping Agency	8	23	18	41	50
Office of the Secretary of Defense		1	2	3	3
Total	1,241	3,721	5,245	8,966	10,206

Nonrecurring costs included above	133	0	0	0	133
Costs offset by:					
In-kind contributions	169	417	1,058	1,475	1,644
Realignment 1/	691	105	175	280	971

1/ This includes the realignment, reprogramming, or transfer of funds appropriated for activities unrelated to the Persian Gulf conflict.

This category includes equipment support costs, costs associated with increased operational tempo, spare parts, stock fund purchases, communications, and equipment maintenance.

Costs of almost $4.5 billion were incurred as a result of combat operations and the larger force in theater. Accrued costs of equipment maintenance and the reconstitution of equipment for Navy construction and cargo handling battalions are also included within the costs for this period.

-5-

1165-9

0120

Table 7

FUEL

INCREMENTAL COSTS ASSOCIATED WITH OPERATION DESERT STORM
Incurred by the Department of Defense
From August 1, 1990 Through February 28, 1991
($ in millions)
Preliminary Estimates

	FY 1990	FY 1991			Partial and Preliminary
			This period	Total	Aug 1990 –
	Aug – Sep	Oct – Dec	Jan – Feb	through Feb	Feb 1991
Fuel					
Army	10	80	31	110	120
Navy	19	193	621	814	833
Air Force	90	658	[illegible]	1,559	1,629
Special Operations Command		3	2	5	5
Defense Logistics Agency	460			0	460
Total	579	932	1,537	2,469	3,048

Nonrecurring costs included above	0	0	0	0	0
Costs offset by:					
In-kind contributions	21	91	617	708	729
Realignment 1/	13	0	0	0	13

1/ This includes the realignment, reprogramming, or transfer of funds appropriated for activities unrelated to the Persian Gulf conflict.

This category includes the additional fuel required for higher operating tempo and for airlift and sealift transportation of personnel and equipment as well as for the higher prices for fuel during the period.

The additional fuel used in combat operations accounted for slightly over $1 billion of the costs in this period. The balance was for higher prices paid for fuel.

1565 -10

0121

TABLE 6

PROCUREMENT

INCREMENTAL COSTS ASSOCIATED WITH OPERATION DESERT STORM
Incurred by the Department of Defense
From August 1, 1990 Through February 28, 1991
($ in millions)
Preliminary Estimates

	FY 1990	FY 1991			Partial and Preliminary
			This period	Total	Aug 1990 –
	Aug – Sep	Oct – Dec	Jan – Feb	through Feb	Feb 1991
Procurement					
Army	49	447	827	1,273	1,322
Navy	47	187	2,047	2,233	2,281
Air Force	32	81	3,192	3,273	3,305
Defense Intelligence Agency	1	1	1	1	2
Defense Communications Agency		0	0	0	0 1/
Special Operations Command			98	98	98
Defense Mapping Agency			1	1	1
Office of the Secretary of Defense		3	16	19	19
Total	129	719	6,180	6,898	7,028

Nonrecurring costs included above	129	719	6,180	6,899	7,028
Costs offset by:					
In-kind contributions	0	0	57	57	57
Realignment 2/	128	95	1,497	1,592	1,721

1/ Costs are less than $500 thousand.
2/ This includes the realignment, reprogramming, or transfer of funds appropriated for activities unrelated to the Persian Gulf conflict.

This category includes ammunition, weapon systems improvements and upgrades, and equipment purchases.

These figures reflect the value of major end item losses, to include: 27 Army aircraft, 11 Bradley Fighting Vehicles, nine M1A1 Abrams tanks, and various other wheeled and tracked vehicles (at a cost of nearly $200 million); 23 Navy and Marine Corps aircraft, six tanks, and seven armored vehicles (at a cost of more than $570 million); and 21 Air Force aircraft (at a cost of more than $450 million). These estimates are based on the current cost, if the system is still in production or the last procurement, if out of production. Additionally, approximately $1.1 billion was used to augment munitions stocks and to procure specialized equipment, such as chemical defense equipment, missile modifications and aircraft modifications, to facilitate operations in Southwest Asia. Incremental costs of munitions totaled approximately $3.8 billion.

-10-

1565-11

0122

Table 9

MILITARY CONSTRUCTION

INCREMENTAL COSTS ASSOCIATED WITH OPERATION DESERT STORM
Incurred by the Department of Defense
From August 1, 1990 Through February 28, 1991
($ in millions)
Preliminary Estimates

	FY 1990	FY 1991			Partial and Preliminary
	Aug - Sep	Oct - Dec	This period Jan - Feb	Total through Feb	Aug 1990 - Feb 1991
Military Construction					
Army	31	126	226	353	384
Navy				0	0
Air Force	16		2	2	18
Total	47	126	229	355	402

Nonrecurring costs included above	47	126	229	355	402
Costs offset by:					
In-kind contributions	0	121	225	346	346
Realignment 1/	47	0	0	0	47

1/ This includes the realignment, reprogramming, or transfer of funds appropriated for activities unrelated to the Persian Gulf conflict.

This category includes the cost of constructing temporary billets for troops, and administrative and supply and maintenance facilities.

Projects included cantonment areas and associated services such as electricity, water and sewers. Detention facilities for enemy POW's were also provided during the period.

1565-12

0123

Table 10

FOREIGN CONTRIBUTIONS PLEDGED IN 1990 TO OFFSET U.S. COSTS 1/
($ in millions)

	Commitments			Receipts in Jan., Feb. and Mar.			Receipts through April 25, 1991			Future Receipts
	Cash	In-kind	Total	Cash	In-kind	Total	Cash	In-kind	Total	
GCC STATES	5,861	984	6,845	446	13	459	4,256	984	5,240	1,605
SAUDI ARABIA	2,474	865	3,339	126	11	137	886	865	1,751	1,588 2/
KUWAIT	2,500	8	2,508			0	2,500	8	2,508	0
UAE	887	113	1,000	320	2	322	870	113	983	17 3/
GERMANY 4/	260	812	1,072		716	716	272	782	1,054	18 5/
JAPAN 4/	961	779	1,740	533	449	982	961	655	1,616	124 6/
KOREA	50	30	80		19	19	50	30	80	0
BAHRAIN		1	1			0		1	1	0
OMAN/QATAR		1	1			0		1	1	0
DENMARK		1	1			0		1	1	0
TOTAL	7,132	2,608	9,740	979	1,187	2,176	5,539	2,454	7,993	1,747

1/ Data was compiled by OMB. Sources of data: commitments — Defense, State, and Treasury; cash received — Treasury; receipts and value of in-kind assistance -- Defense.

2/ This is reimbursement for enroute transportation through December for the second deployment and for U.S. in-theater expenses for food, building materials, fuel, and support. Bills for reimbursement have been forwarded to Saudi Arabia.

3/ This is undergoing a final accounting.

4/ 1990 cash contributions were for transportation and associated costs.

5/ It is anticipated that this commitment will prove to have been fully met, though final accounting is not yet available.

6/ Resolution of balance is under discussion.

-12-

1565-13

0124

Table 11

FOREIGN CONTRIBUTIONS PLEDGED IN 1991 TO OFFSET U.S. COSTS 1/
($ in millions)

	Commitments 2/			Receipts in Jan., Feb. and Mar.			Receipts through April 25, 1991			Future Receipts
	Cash	In-kind	Total	Cash	In-kind	Total	Cash	In-kind	Total	
GCC STATES	27,713	2,287	30,000	10,150	2,287	12,437	12,400	2,287	14,687	15,313
SAUDI ARABIA	11,306	2,194	13,500	3,650	2,194	5,844	3,650	2,194	5,844	7,656
KUWAIT	13,485	15	13,500	4,500	15	4,515	6,750	15	6,765	6,735
UAE	2,922	78	3,000	2,000	78	2,078	2,000	78	2,078	922
GERMANY	5,500	0	5,500	5,500	0	5,500	5,500	0	5,500	0
JAPAN	9,000	0	9,000	5,750	0	5,750	7,832	0	7,832	1,168
KOREA	291	14	305	60	14	74	60	14	74	231
DENMARK	0	6	6		6	6		6	6	0
OTHER	4	2	6		2	2	4	2	6	0
TOTAL	42,508	2,309	44,817	21,460	2,309	23,769	25,796	2,309	28,105	16,712

1/ Data was compiled by OMB. Sources of data: commitments -- Defense, State, and Treasury; cash received -- Treasury; receipts and value of in-kind assistance -- Defense.

2/ 1991 commitments in most instances did not distinguish between cash and in-kind. The commitment shown above reflects actual in-kind assistance received.

1165-1K

0125

Table 12

DESCRIPTION OF IN-KIND ASSISTANCE RECEIVED
TO OFFSET U.S. COSTS AS OF MARCH 31, 1991
($ in millions)

	Calendar Year 1990	Calendar Year 1991
SAUDI ARABIA .... Host nation support including food, fuel, housing, building materials, transportation and port handling services.	866	2,194
KUWAIT .... Transportation	6	18
UNITED ARAB EMIRATES .... Fuel, food and water, security services, construction equipment and civilian labor.	113	78
GERMANY .... Vehicles including cargo trucks, water trailers, buses and ambulances; generators; radios; portable showers; protective masks, and chemical sensing vehicles	782	0
JAPAN .... Construction and engineering support, vehicles, electronic data processing, telephone services, medical equipment, and transportation.	655	0
KOREA .... Transportation	30	14
BAHRAIN .... Medical supplies, food and water	1	6
OMAN/QATAR .... Oil, telephones, food and water	1	0
DENMARK .... Transportation	1	0
OTHER .... Transportation		2
TOTAL	2,454	2,309

-14-

1565-15

0126

Table 13

FOREIGN CONTRIBUTIONS PLEDGED IN 1990 AND 1991 TO OFFSET U.S. COSTS
COMMITMENTS AND RECEIPTS THROUGH APRIL 25, 1991 1/
($ in millions)

	Commitments			Receipts 2/			Future Receipts
	1990	1991	Total	Cash	In-kind	Total	
GCC STATES	6,845	30,000	36,845	16,556	3,271	19,827	16,918
SAUDI ARABIA	3,339	13,500	16,839	4,536	3,059	7,595	9,244
KUWAIT	2,506	13,500	16,006	9,250	21	9,271	6,735
UAE	1,000	3,000	4,000	2,870	191	3,061	939
GERMANY	1,072	5,500	6,572	5,772	782	6,554	18 3/
JAPAN	1,740	9,000	10,740	8,793	655	9,448	1,292
KOREA	80	305	385	110	44	154	231
OTHER	3	12	15	4	11	15	0
TOTAL	9,740	44,817	54,557	31,335	4,783	36,098	18,460

1/ Data was compiled by OMB. Sources of data: commitments -- Defense, State, and Treasury; cash received -- Treasury; receipts and value of in-kind assistance -- Defense.

2/ Cash receipts are as of April 25, 1991. In-kind assistance is as of March 31, 1991.

3/ It is anticipated that this commitment will prove to have been fully met, though final accounting is not yet available.

-15-

1565-16

0127

United States General Accounting Office

GAO Testimony

For Release
on Delivery
Expected at
9:30 a.m.
Wednesday
Feb. 27, 1991

The Administration's Proposal for Financing Operations Desert Shield and Desert Storm

Statement of
Charles A. Bowsher, Comptroller General
of the United States

Before the
Committee on Budget
United States House of Representatives

GAO/T-NSIAD-91-09 1565-19 0128 GAO Form 160 (12/

I appreciate the opportunity to testify today before this Committee on the Administration's proposal for financing Operations Desert Shield and Desert Storm and on the Administration's estimate of the operations' cost. We began assessing the cost of the operation and our allies contributions at the request of the Chairman of the House Committee on Armed Services. On January 4, 1991, I testified before this Committee[1] on the uncertainties of cost estimates of Operation Desert Shield. A few days ago we received the Administration's proposal, and we have begun analyzing its contents. We intend to continue our work on the issues raised today and will provide further reporting to the Armed Services Committee as our work progresses.

SUMMARY

There are three major points I would like to stress today, Mr. Chairman. First, the cost of Operation Desert Storm must be financed to assure that our troops in the Gulf receive all the support they need. Second, we believe that rather than providing an "open checkbook" to fund the war, Congress should provide needed money only through periodic supplemental appropriations. Third, funds to prosecute the war should come first from the money pledged by our allies. Money from the American taxpayers

---

[1] Statement of Charles A. Bowsher before the Committee on Budget, House of Representatives (GAO/T-NSIAD-91-3)

1465-18

0129

should be appropriated only to the extent that it is needed to supplement allied pledges.

My statement today will elaborate on these major points.

The cost of Operations Desert Shield and Desert Storm will be considerable. As I testified before this Committee in January, the total U.S. cost of Operation Desert Shield without any hostilities could exceed $130 billion in fiscal year 1991, assuming the forces now in place remain there throughout the fiscal year. This cost consisted of three components. One was the baseline cost of the U.S. forces committed to Desert Shield, which is already provided for in the fiscal year 1991 budget. We estimated the cost of paying, equipping, and maintaining these forces to be nearly $100 billion in fiscal year 1991. These funds would be expended whether the troops were in the Middle East or elsewhere. However, as a result of the Gulf crisis these costs are higher than planned because the crisis postponed the reduction of about 100,000 troops directed by the 1991 Defense Authorization Act. A second component was the incremental cost of mounting the operation, including deploying the troops, calling up the reserves, and providing the required additional support for the forces. Estimates of this cost for more than 400,000 troops were in the $30 billion range for fiscal year 1991. The third component involved other related costs, such as debt forgiveness for Egypt and humanitarian assistance. We estimated this cost to be about $7 billion. With the armed conflict now in progress, the cost will be higher, although it is not possible to estimate the final cost because of critical unknowns such as the duration and intensity of fighting.

Separate from the Operations' cost, there is a need to finance it to assure that our troops in the Gulf receive all the support they need to fight the war. My testimony today addresses this financing requirement. To finance the incremental cost of Operations Desert Shield and Desert Storm, the Administration has made a supplemental proposal that calls for establishing a working capital type account, rather than the traditional approach in which the Department of Defense (DOD) requests and the Congress appropriates funds by functional account, such as military personnel, operations and maintenance, and procurement. Under the working capital proposal, DOD, through the Office of Management and Budget, would have direct access to, and spending discretion over, the funds without further congressional oversight or review. The working capital account would be funded by an initial $15 billion appropriation and up to $50 billion in transfers of allied contributions from the Defense Cooperation Account.

This approach appears inconsistent with Congress' intent to maintain funding control over allied contributions when it established the Defense Cooperation Account. Under the existing law, funds in this account may be used for such defense programs and activities as are authorized and appropriated by the Congress, including defraying the cost of Desert Shield and Desert Storm. The Administration's proposed approach also appears similar to the Administration's proposal for funding the Resolution Trust Corporation. As I stated in testimony before the House Banking Committee[2] last week, providing the Corporation with an "open checkbook" would effectively eliminate controls over its obligational authority written into the existing law. I believe in the case of the Resolution Trust Corporation, as I do in the case of the Defense Cooperation Account, that it is important to retain the budget and appropriation control mechanisms already in place and functioning. Moreover, if the Administration's approach were adopted, it would be much more difficult for Congress to be sure that the allies' contributions were not used to fund aspects of defense subject to the three-year limitations of the budget agreement.

To date the allies have pledged $53.5 billion in cash and in-kind contributions to support U.S. Desert Shield and Desert Storm operations. About $12.2 billion has been received in cash and deposited in the Defense Cooperation Account. Another estimated

---

[2]Statement of Charles A. Bowsher before the Committee on Banking, Finance, and Urban Affairs, House of Representatives (GAO/T-GGD-91-7)

1565-21 0132

$2.7 billion has been received in the form of in-kind contributions, such as fuel and food.

I testified in January that there are many uncertainties in estimating the incremental cost of Desert Shield and Desert Storm and that Congress should provide periodic supplemental funding until actual costs become clearer. We believe that many uncertainties still exist today and we have some concerns regarding the costs estimates provided with the supplemental proposal. Specifically, the estimate (1) includes higher fuel costs that DOD is paying for operations outside the Middle East, (2) overstates costs that are being incurred because it does not take into account rebates and credits that are being accrued within DOD that will reduce actual outlays, and (3) does not fully reflect substantial savings resulting from free fuel and other in-kind contributions. Moreover, based on past GAO work, we have found that it is generally difficult to obtain good actual cost data because DOD lacks effective cost accounting systems.

For these reasons we continue to believe that Congress should provide periodic supplemental funding through the traditional supplemental appropriations process. We further believe that an initial supplemental appropriation of $17 billion based on the actual and estimated Desert Shield and Desert Storm obligations would support current operations through March 31, 1991, including operations and pressing procurement needs. The

Congress could then provide further appropriations quarterly as actual experience clarifies spending requirements.

The first increment of supplemental funding should be provided by appropriating the $11 billion balance now in the Defense Cooperation Account together with additional funds from that account as they become available, not to exceed the $17 billion we believe to be required through March 31. This would eliminate the need for immediate U.S. funding beyond the over $100 billion already appropriated for the baseline cost of the U.S. forces in the Middle East.

Subsequent quarterly supplemental appropriations should be enacted in response to specific requests from DOD (as approved by the Office of Management and Budget and the President) and should draw first on accumulating balances in the Defense Cooperation Account. Only if Desert Storm funding requirements exceed anticipated contributions in the Defense Cooperation Account should additional U.S. funds be appropriated.

To assure to the extent possible that proper accountability and control are maintained, appropriations to finance Desert Shield and Desert Storm should take the normal form and be specified as to account, purpose, and period of availability. Upon the conclusion of hostilities, there should be a full accounting for and audit of the expenditure of all the funds that have been appropriated, including those from the Defense Cooperation Account.

DESCRIPTION OF THE ADMINISTRATION'S REQUEST

The funding mechanism the Administration is requesting consists of two basic elements. One element is the establishment of a Desert Shield Working Capital Account, which would be funded initially by $15 billion in new budget authority provided by the U.S. Government and would subsequently be replenished by foreign contributions as funds become available from the Defense Cooperation Account. The funds in this account would be used to maintain a continuity of payment for the funding requirements of Desert Shield and Desert Storm. The other element is the authority to transfer additional funds from the Defense Cooperation Account to reimburse defense appropriation accounts depleted by the incremental costs of Desert Shield and Desert Storm.

The Administration's request is not a traditional appropriations request for authority to obligate specified amounts of money in specific appropriations accounts, such as military personnel and operations and maintenance. This request would instead provide as much as about $26 billion immediately (the sum of the $15 billion in new budget authority plus approximately $11 billion in

0135

foreign contributions deposited in the Defense Cooperation Account). As additional foreign contributions are deposited in the Defense Cooperation Account, the Administration's proposal would make them available as well. Currently, the Administration estimates that foreign contributions committed to the Operations but not yet received total about $39 billion, which when added to the funds now in the Defense Cooperation Account plus the additional $15 billion requested by the Administration totals about $65 billion. To the extent the sum of the $15 billion and the funds deposited in the Defense Cooperation Account are not sufficient to cover the Operations' cost, the Administration plans to seek additional funds from Congress or additional contributions.

The Administration's request would give the Secretary of Defense, with the approval of the Office of Management and Budget, the authority to transfer funds from the Defense Cooperation Account without further Congressional action and to use these funds as it deemed necessary to cover the incremental costs of the Operations. The proposal provides less Congressional control than the existing mechanism for accessing funds from the Defense Cooperation Account, which the Congress established October 1, 1990, under Public Law 101-403. The 1990 act authorized the Secretary of Defense to accept contributions of money and property. Cash contributions and the proceeds from the sale of property are deposited in the Account. Funds in this Account may

1566-25

0136

be used for such defense programs and activities as are authorized and appropriated by Congress, including to defray the costs of Desert Shield and now Desert Storm. In the 1991 Defense Appropriation Act the Congress appropriated $1 billion for transfer from the Account to operations and maintenance appropriations of DOD for the purpose of reimbursing incremental expenditures made for fuel, transportation, equipment maintenance, and purchases from stock. The Administration's request would significantly diminish the Congressional role established in October 1990.

STATUS OF ALLIED CONTRIBUTIONS

Since the Iraqi invasion of Kuwait and the outbreak of hostilities, 46 countries have pledged or contributed some type of support for the Persian Gulf crisis. These pledges and contributions include deployment of military forces to the Gulf region; cash donations to the U.S. Treasury; in-kind support to U.S. forces in Saudi Arabia and other Gulf states; and economic assistance to countries affected by the U.N. economic embargo against Iraq. Some countries have provided other types of support, such as basing and overflight rights and military assistance to countries affected by the hostilities.

Military Contributions

Currently, 31 countries have sent ground, air or naval forces, or support units to the Gulf region to participate in the multinational force supporting Desert Shield, Desert Storm and maritime enforcement of the economic embargo. Since the outbreak of hostilities in mid-January 1991, allied forces have participated in combat and combat support missions during the air campaign against Iraq.

Cash Contributions and In-Kind Support to the United States

Major contributors of cash and in-kind support to the United States include Saudi Arabia, Kuwait, United Arab Emirates, Japan, Germany, and Korea. As of February 1991, these countries pledged a total of $53.5 billion. These pledges were to cover the costs of Operation Desert Shield and Desert Storm from August 1990 through March 1991.

As of February 20, 1991, Saudi Arabia, Kuwait, United Arab Emirates, Japan, Germany, and Korea contributed about $12.2 billion in direct cash contributions to the Defense Cooperation Account. Of this amount, Japan and Germany contributed about $3.3 billion and asked that these funds and any of their subsequent cash donations be used to cover expenses related to transporting U.S. troops, equipment, and materials to the Gulf

1565-21

0138

region. The other countries did not place any conditions on the use of their contributions.

In-kind contributions include food, fuel, water, transportation, material, and facilities. Major contributors included Saudi Arabia, United Arab Emirates, Kuwait, Japan, Germany, and Korea. As of February 20, 1991, DOD has reported receipts through January 1991 of in-kind support valued at about $2.7 billion. We have not had the opportunity to evaluate the basis for these reported levels; however, we intend to visit the Central Command in the near future to review in-kind reporting procedures. The breakdown of pledges and contributions is as follows

Allied Pledges and Contributions of Cash
and In-Kind Support to the United States
(U.S. $ Millions)

Country	Pledges[a] 1990	1991	Total	Contributions Cash (2/20/91)	In-Kind (1/31/91)	Total
Saudi Arabia	3,339	13,500	16,839	4,457	1,566	6,023
Kuwait	2,506	13,500	16,006	3,500	10	3,510
United Arab Emirates	1,000	2,000	3,000	870	140	1,010
Germany	1,072	5,500	6,572	2,432	531	2,963
Japan	1,740	9,000	10,740	866	457	1,323
Korea	80	305	385	50	21	71
Other[b]	3	0	3	0	3	3
Total	9,740	43,805	53,545	12,175	2,728	14,903

[a]1990 pledges are for August 1990 through December 1990 and 1991 pledges are for January 1991 through March 1991.

[b]Includes Oman, Qatar, Bahrain and Denmark.

As the above table indicates, total allied pledges are about $53.5 billion compared with total contributions of about $14.9 billion. Thus, about $38.6 billion is due in total future receipts. Of the $9.7 billion pledged for 1990 costs, about $5.8 billion had been contributed as of December 31, 1990. As of February 20, 1991, these contributions increased to about $7.3 billion. The remaining $2.4 billion includes about $1.7 billion that DOD intends to bill Saudi Arabia in the near future for reimbursement of in-kind support and enroute transportation expenses for the second deployment of U.S. forces; about $19 million in cash recently requested from the United Arab Emirates and $700 million from Germany, Japan, and Korea for in-kind

1565-29

0140

support. According to DOD officials, the outstanding in-kind support reflects goods and services that have been ordered and will be delivered soon.

Economic Assistance to Frontline States and Other Countries

In addition to cash and in-kind support, the European Commission and 24 countries have pledged economic assistance to Turkey, Jordan and Egypt, referred to as frontline states, and other countries affected by the economic embargo against Iraq. This support includes concessional loans, import financing grants and project assistance. As of February 1991, these pledges totaled about $14.7 billion for the period of August 1990 through December 1991, and contributions totaled about $6.7 billion.

The status of pledges and contributions is as follows

Economic Assistance to Frontline States (FLS) and other Countries
As of 2/19/91 (U.S. $ Millions)

Donor	Pledge to FLS	Contribution to FLS	Pledge to Other States	Contribution to Other States	Total Pledges	Total Contribution
Gulf States						
Saudi Arabia	2,848	1,788	1,503	1,203	4,351	2,991
Kuwait	2,500	855	1,184	763	3,684	1,618
United Arab Emirates	1,000	587	418	418	1,418	1,005
European Commission						
EC Budget	805	78	0	0	805	78
Bilateral						
Belgium	33	7	0	0	33	7
Denmark	30	10	0	0	30	10
France	200	0	30	0	230	0
Germany	1,190	360	144	0	1334	360
Ireland	6	0	0	0	6	0
Italy	150	37	9	0	159	37
Luxembourg	4	1	0	0	4	1
Netherlands	63	45	0	0	63	45
Portugal	1	0	0	0	1	0
Spain	36	9	0	0	36	9
United Kingdom	5	5	0	0	5	5
Other European Countries/ Australia						
Australia	14	3	0	0	14	3
Austria	11	1	0	0	11	1
Finland	15	13	0	0	15	13
Iceland	3	2	0	0	3	2
Norway	32	14	21	21	53	35
Sweden	52	21	0	0	52	21
Switzerland	109	9	0	0	109	9
Japan	2,120	445	0	0	2,120	445
Canada	66	17	0	0	66	17
Korea	83	5	17	2	100	7
Total	11,375	4,311	3,326	2,407	14,701	6,718

14

1창-31

0142

Other Types of Contributions

In addition to military, economic, and in-kind support, our allies have contributed with other means. For example, Germany has deployed a fighter squadron to Turkey and ships to the Eastern and Central Mediterranean Sea, and pledged about $2.7 billion in military assistance to Turkey, Israel, and the United Kingdom. Further, Japan has sent oil booms to Saudi Arabia to assist in counteracting the Gulf oil slick. In addition, our NATO allies and certain Gulf countries have granted basing and transit rights.

UNCERTAINTIES AND CONCERNS REGARDING ADMINISTRATION COST ESTIMATES SUGGESTS PERIODIC SUPPLEMENTAL FUNDING

We have several concerns about the cost estimates provided with the supplemental proposal. Specifically, the estimate (1) includes higher fuel costs that DOD is paying for operations outside the Middle East; (2) overstates costs that are being incurred because it does not take into account rebates and credits that are being accrued within DOD that will reduce actual outlays; and (3) fails to fully reflect substantial savings resulting from free fuel and other in-kind contributions.

DOD also includes in its cost estimate the purchase of large amounts of supplies such as spare parts to support the deployment and military action. To the extent these supplies are not

1561-32

0143

consumed during the Operations, they could meet DOD inventory requirements for some time to come. This could reduce future defense budgets by the value of any excess inventory.

Fuel Costs

DOD includes in its estimate for all of fiscal year 1991 $2.8 billion to cover the higher price all of DOD is paying for fuel for its operations throughout the world. In DOD's view, higher fuel prices are a Desert Shield cost because fuel costs rose as a result of Iraqi aggression, which lead to the deployment of military forces to the Gulf. As we testified in January, we do not believe that these fuel costs should be included in a supplemental appropriation for Desert Shield. The Omnibus Budget Reconciliation Act of 1990, which provides that the incremental costs for Operation Desert Shield are to be treated as emergency funding requirements, defines such costs as those associated with increased operations in the Middle East. DOD's need to pay higher overall fuel costs is no different than any other federal agency's.

In addition, the drop in oil prices over the past few months should alleviate some of DOD's need for funding in this area. The Defense Stock Fund continues to charge the services $44.10 per barrel of refined fuel. However, the fund is currently paying only about $37 a barrel. If this pattern continues throughout the balance of the fiscal year, the Stock Fund will likely make a profit which could be rebated to the services.

Rebates

The issue of rebates and credits arises in several areas. We are concerned that these be accurately accounted for so that DOD does not receive some future windfall. For example, the Navy and the Marine Corps obligate funds for fuel they receive in the Persian Gulf. Most of this fuel was provided free by Saudi Arabia and other Gulf states to some part of DOD, usually the Army or the Air Force. If, for example, an Air Force tanker fuels up Navy planes, the Air Force charges the Navy for that fuel--even though the Air Force received it free. That obligation will at some point have to be undone, or if paid, rebated to the Navy. Until that point, however, the costs of Desert Shield and Desert Storm are overstated.

As I testified in January, the Military Airlift Command (MAC) could show an operating profit when it closes its books on fiscal year 1991. MAC is also receiving some free fuel as well as donated airlift support normally provided by MAC aircraft. However, MAC bills the services for any transportation it provides as though it were paying for all the costs - regardless of whether any are received free. According to MAC officials, they will rebate to the services any operating profits resulting

산반-34

from its operations, including those attributable to donated fuel and airlift, and other factors, such as recapturing more fixed costs than they incur[3]. The magnitude of any operating profit, however, will not be known until the end of the fiscal year. Our concern is that DOD will receive appropriations to cover expenses that should not really exist.

Assistance In-kind

DOD's cost estimates do not reflect the savings from the likely receipt of assistance in-kind throughout the fiscal year. As of February 20, 1991, DOD had reported receipts of about $2.7 billion of in-kind support from October 1990 through January 1991; however, it has not adjusted its estimates to reflect any offset of direct costs for this support or expected future support. Our estimate for future receipts through the end of fiscal year 1991

[3]MAC develops its tariffs based on its estimates of costs it will incur, including an amount to recapture fixed costs. The fixed costs are spread over its approved flying hours, 450,000 in the 1991 budget. To the extent MAC bills more than its approved flying hours, it will be recovering an amount in excess of its fixed costs. MAC officials advised us that they may end the year having flown twice their approved flying hours. Actual billed hours will of course not be known until the end of the fiscal year.

1565-35

0146

is about $3.7 billion based on about $700 million due from Japan, Germany, and Korea from their 1990 pledges, and a projected amount of $3 billion from Saudi Arabia for its 1991 pledge[4].

ALTERNATIVE TO ADMINISTRATION PROPOSAL

Given the uncertainties and concerns regarding the Operations' cost estimates, we believe a traditional supplemental appropriation would be more advisable than the Administration's working capital proposal. Such an appropriation would be emergency funding not subject to the defense spending limits contained in the Omnibus Budget Reconciliation Act of 1990. We estimate that an appropriation of $17 billion would be required to cover the anticipated funding requirements of the Operation from October 1, 1990, through March 31, 1991, the first half of fiscal year 1991. Our estimate is based on first quarter fiscal year 1991 obligations of $5.8 billion for deployment and subsistence reported by DOD minus the higher price DOD is paying for fuel worldwide; GAO's estimate of second quarter obligations based on DOD's projection of operating tempo; and the cost of accelerated acquisitions needed for use in the Gulf this fiscal year. The Congress could then provide further appropriations

---

[4]Pledges for 1991 from Japan, Germany, and Korea consist of cash contributions, and Saudi Arabia's pledge is for cash and in-kind support. Because Saudi Arabia provides in-kind support on an ongoing basis, we projected the amount for the remainder of the fiscal year based on the value of support provided in December 1990.

사65-36

0147

quarterly as actual experience clarifies spending requirements. This funding should be provided by appropriating the $11 billion in the Defense Cooperation Account and additional funds from that account as they become available, not to exceed the $17 billion we believe to be required through March 31. This funding plan would eliminate the need for immediate U.S. funding beyond the over $100 billion already appropriated by Congress for the base costs of our forces in the Middle East.

CONCLUSION

We need to assure that our troops in the Gulf receive all the support they need to fight the war. The Administration, rather than requesting a specific funding level to pursue the war, has asked Congress to establish a unique funding mechanism with little Congressional control. The obvious alternative to this funding mechanism is the traditional appropriations process. We believe that a $17 billion appropriation, which should be drawn from funds deposited in the Defense Cooperation Account, would be required to cover the anticipated funding requirements of the Operations for the first half of fiscal year 1991. Congress, however, should place limits on its use. Specifically, we believe that Congress should make clear that incremental costs do not include the higher fuel costs DOD is incurring outside the Middle East. We further believe that upon the conclusion of hostilities there should be a full accounting of the expenditure of funds and

1165-31

the assets consumed to assure appropriate disposition of all funds and assets made available for the Operations.

- - - -

Mr. Chairman, this concludes my statement. I would be happy to respond to any questions.

1565-38

0149

정 리 보 존 문 서 목 록					
기록물종류	일반공문서철	등록번호	2020120232	등록일자	2020-12-29
분류번호	721.1	국가코드	US	보존기간	영구
명 칭	걸프사태 : 한.미국 간의 협조, 1990-91. 전9권				
생 산 과	북미1과/중동1과	생산년도	1990~1991	담당그룹	
권 차 명	V.7 1991.5-11월				
내용목차					

0001

	분류번호	보존기간

발 신 전 보

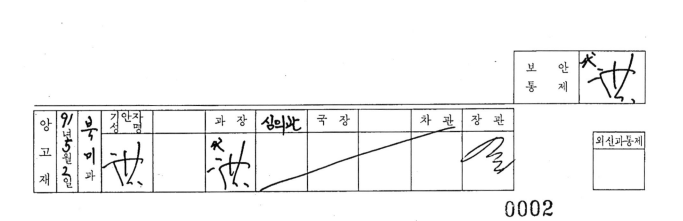

번 호 : WUS-1863 910502 2000 FL 종별 :

수 신 : 주 미 대사. 총영사 (사본: 반기문 미주국장)

발 신 : 장 관 대리

제 목 : 걸프전 예산안 예결위 통과

국회 예결위는 금 5.2. 2,039억원 규모의 걸프전 제2차 지원 관련 추가경정 예산안을 정부 원안대로 통과시킴. 끝.

(미주국장 대리 강 웅 식)

보안 통제	

앙 고 재	91년 5월 2일	북미과	기안자 성명		과 장	심의관	국 장		차 관	장 관

외신과통제

0002

분류번호	보존기간

발 신 전 보

번 호 : WUS-1948 910508 1751 CO 종별 :

수 신 : 주 미 대사. 총영사

발 신 : 장 관 (미북)

제 목 : 걸프전 2차지원 추경 국회본회의 통과

연 : WUS-1863

국회 본회의는 작 5.7(화) 2039억 8천만원 규모의 걸프전 2차 지원을 위한 91년도 추경 예산안을 ~~만장일치로~~ 통과 시켰음. 끝.

(미주국장 반기문)

사본 : 장관실

보안통제	

앙고재	91년 5월 8일	북미과	기안자 성명		과장	심의관	국장		차관	장관
							전결			

외신과통제

0003

관리 번호	91-1309

	분류번호	보존기간

발 신 전 보

번 호 : WUS-2430 910601 1131 CO 종별 :

수 신 : 주 미 대사. 총영사

발 신 : 장 관 (미일)

제 목 : 걸프전 관련 지원집행 현황

미주국장은 작 5. 31. Hendrickson 주한 미대사관 참사관을 면담하고 표제관련 사항을 아래와 같이 설명하였는바, 국무부, 국방부에 적의 통보 바람.

1. 2차 지원액 예산 배정계획이 5.30. 국무회의 심의통과를 거쳐 1억 5천만불이 6월초 당부 예산으로 영달 예정이므로, 대미 현금지원 4천만불과 대영 현금지원 3천말불을 6월초 집행이 가능하여 대미지원 집행률이 60%에 이를것임.

2. 5월말 현재 대미지원 집행총액은 1억 7천 2백 70만불이며, 부분별 상세는 아래임.

가. 대미 현금 지원 : 1억 1천만불

나. 대미 수송 지원 : 6,270만불

o 항공 수송 지원 : 3,910만불

o 해운 수송 지원 : 2,360만불

/... 계 속

중동아국장: 91

보안 통제	

앙 고 재	91년 6월 1일	북미일과	기안자 성명		과 장	심의관	국 장		차 관	장 관
						출장				

외신과통제

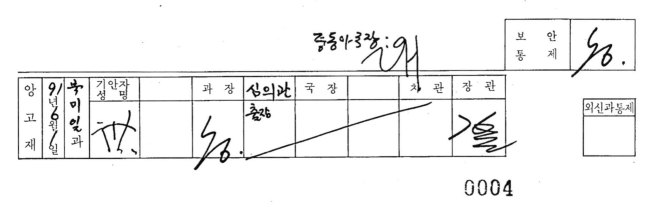

0004

3. 주변국 경제지원 집행 총액은 2,340만불이며, 부분별 상세는 아래임.

가. 현금 및 현물지원 : 1,237만불

나. EDCF : 1천만불(요르단 폐수처리 공장)

다. 국제기구 : 60.5만불

라. 행 정 비 : 42.7만불

4. 미주국장은 주변국 경제지원도 5.31-6.8간 이집트 군사사절단 방한시 지원계획 협의, 대미 현금지원에 전용된 6천만불 예산 재영달등으로 집행속도가 가속화 될것으로 예상되며, 수원국과 집행가속화를 위한 협의를 계속중임을 설명함.

5. 미측은 수송지원 잔여분 9,300만불과 주한 미군 군수물자 보전부분 5천만불의 현금지원 대체 가능성을 타진하였으나, 미주국장은 예산확보시 국회에 세부 집행 방법을 이미 보고하여 대체지원이 불가함을 분명히 하였음. 끝.

(미주국장 반기문)

예 고 : 91.6.30. 일반

예고문에 의거 일반문서로 재분류19 91. 6. 30. 서명

0005

관리 번호 91-602

원 본

외 무 부

종 별 :

번 호 : USW-2846

일 시 : 91 0607 1856

수 신 : 장 관(미북일, 미북이, 기정)

발 신 : 주 미 대사

제 목 : 걸프전 관련 대미 지원

검 토 필(1991 6.30)

1991.12.31.에 예고문에 의거 일반문서로 재분류됨

대:WUS-1079

1. 당관 한광덕 국방무관은 6.6 국방부 FORD 국제안보 부차관보의 요청으로동인을 면담하였는바, 동 부차관보는 아측의 추가 지원액중 대영 지원용으로 3,000 만불이 배정됨에 따라 KFP 판매 계획 승인 관련 의회내 논의시 다소의 논란이 예상된다고 하면서, 아래와 같은 요지로 언급함(당관 해군 무관 및 국방부KNOWLES 한국과장 배석)

가. 한국 국방부와의 KFP 사업협조가 잘진행 되어 왔으며, 의회에서는 일부의원의 반대가 있으나 양국정부의 치밀한 준비로 별문제가 없을것으로 전망되어 왔음.

나. 그러나 6.14(금)까지 의회에 제출 토록 되어 있는 KFP 판매 승인계획 관련, 버드 수정안에 따라 한국측 걸프전 관련 지원 약속 이행 실적도 제출토록 되어 있는바, 한국정부의 지원 약속액 전액에 대한 이행 보장이 없이는 의회내의논란이 예상되므로 금년 여름 의회 휴회 이전의 통과가 어렵게 될전망임.

(금번 개회기간을 놓치면 KFP 사업에 막대한 지장 초래)

다. 보다 구체적으로는 이종구 국방장관의 체니 장관앞 서한(91.1.31. 자)에 총 2억 8,000 만불 규모의 추가 지원을 전부(EXCLUSIVELY) 미국에 대해 제공하겠다고 밝힌바 있으나, 이중 3,000 만불의 지급 방법과 시기가 상금 제시되지 않고 있는것이 문제가 되고 있음.

(GAO 에서는 이를 대미 지원 약속의 불이행으로 고려)

라. GAO 는 3,000 만불의 현금지급을 당장 요구하는것은 아니며, 지급 방법과 시기만이 제시되면 충분할것으로 봄.

마. 본인은 한국 국회나 외무부와의 관련없이 이미 체결된 FMS 자금중 가용분이 있으면 활용 가능하리라 생각하며, 수년간 분할 지급 방법이 있을수 있을것이며 이 문제를 한. 미간의 협의로 토의할 준비가 되어 있음.

미주국	장관	차관	1차보	2차보	미주국	중아국	분석관	청와대
안기부								

PAGE 1

91.06.08 09:39

외신 2과 통제관 BS

0006

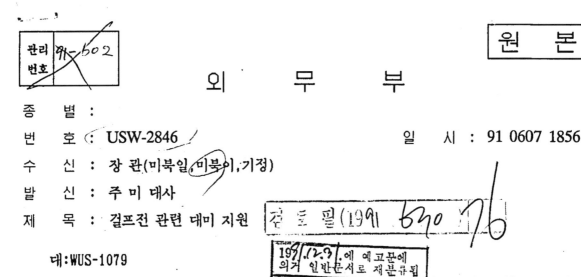

바.6.14(금)까지 한국정부로 부터 응답이 있어 휴회이전에 KFP 문제가 순조롭게 타결되기를 바람.

2. 이와 관련, 금 6.7. 국무부 정무차관실 KARTMAN 보좌관은 다음과 같이 미측 내부 동향을 당관 유명환 참사관에게 비공식적으로 알려왔는바, 이에 대해 유참사관은 기본적으로 아측이 대호와 같이 대영지원 결정 사실을 오래전에 미측에 통보하였는데도 불구하고 행정부가 이를 의회에 적의 통보치 않음으로 인해 문제가 발단된것으로 본다고 지적해 두었음.

가. 한국측의 대영 제공 지원 결정사실이 발표되기 이전, 의회에 대해 걸프전 관련 한국정부의 총 지원 규모가 3 억 8,500 만불 이라는 점을 통보 하였는바, 3,000 만불의 대영 지원이 반영되지 않음을 인해 마치 대차대조표의 양변이 일치하지 않는 상황이 발생케 되었음(미측으로서는 영국지원이 문제가 된것이 아니라 수치가 단순히 맞지않기 때문이라고 강조)

나. 또한 당초 한국은 염두에 두지도 않고 논의 되었던 버드 수정안이 금번KFP 승인문제에도 적용 되게 됨으로써, 전기"가"항의 상황이 주목을 받게 되었는바, 이를 의회에 어떻게 설명하면 좋을지에 대해 미측으로서도 고민중임.

(BYRD 상원 의원 및 GEPHARDT 하원의원등이 이미 이 문제를 거론하기 시작하고 있다함)

(대사 현홍주- 국장)

예고: 91.12.31. 일반 고문에 의거 일반문서로 재분류됨

PAGE 2

0007

관리 번호	91-1457

	분류번호	보존기간

발 신 전 보

번 호 : WUS-2562 910608 1115 FO 종별 :

수 신 : 주 미 대사. 총영사 (주 뉴욕 총영사) WNY -0907

발 신 : 장 관 (미북)

제 목 : 걸프전 승전 축하행사

동대문 행사와 관련, 본부 업무에 참고코자 하니 6.8(토, 워싱턴), 6.10.(월, 뉴욕) 각각 귀지에서 개최될 표제관련 행사(퍼레이드, 사열 및 불꽃놀이등) Video를 제작, 최선 파편 지급 송부 바람. 끝.

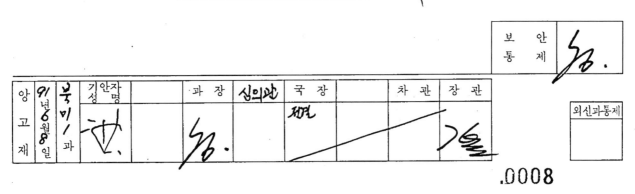

(미주국장 반기문)

예 고 : 91.12.31. 일반

검토필 (1991.6.30.)

일반문서로 재분류(1991.12.31.)

보안 통제	

앙 고 재	91년 6월 8일	북미1과	기안자 성명		과 장	심의관	국 장		차 관	장 관
							전결			

외신과통제

0008

7ವಿ3

관리 번호	91-618

원 본

외 무 부

종 별 : 지 급

번 호 : USW-2906 일 시 : 91 0612 1504

수 신 : 장관(미일,미이,기정)

발 신 : 주 미 대사

제 목 : 걸프전 관련 대미 지원

연 USW-2846

금 6.12 국무부 RICHARDSON 한국과장은 당관 유명환 참사관에게 연호 관련 아측 입장을 문의해왔는바, 본부 검토 의견 회시 바람.

(대사 현홍주-국장)

91.12.31 일반에 고문에 의거 일반문서로 재분류됨

검토필(1991.6.30.)

미주국 차관 1차보 2차보 미주국 안기부

0009

PAGE 1

91.06.13 05:55

외신 2과 통제관 CF

Mr. Raymond F. Burghardt, Jr.
Chargé d'Affaires ad interim
Embassy of the United States
of America

June 12, 1991

Dear Mr. Burghardt :

This is in response to the inquiry of ~~the United States~~ your government about the status of the Republic of Korea's contributions to the Operation Desert Storm.

On January 30, 1990, my goverment announced that, together with five c-130 aircraft and personnel, it would contribute 280 million U.S. dollars worth of additional support for the multinational efforts in the Gulf. On announcing the contributions, my government stated that it would consult the U.S. government on the composition of the support.

Thereafter our two governments began consultations and came to the understanding that the composition of the contributions to the U.S. would be as follows :

0010

공람	북미과	91년 6월 11일	담당	과장	심의관	국장	차관보	차관	장관
						출장중			

- 100 million U.S. dollars in cash,

- 100 million U.S. dollars in transportation support,

- and 50 million U.S. dollars in "in-kind" transfers.

The U.S. government has also been informed of my government's decision that 30 million out of 280 million U.S. dollars would be given to Great Britain in support of its operation in the Gulf.

Taking this opportunity, I once again confirm that my government is doing its utmost to disburse its pledges as promptly as possible.

Yours sincerely,

Yoo, Chong Ha
Vice Minister
Ministry of Foreign Affairs

0011

MINISTRY OF FOREIGN AFFAIRS
REPUBLIC OF KOREA

June 12, 1991

Mr. Raymond F. Burghardt, Jr.
Charge d'Affaires ad interim
Embassy of the United States
of America

Dear Mr. Burghardt :

I am writing to you on behalf of the Government of the Republic of Korea in response to your Government's inquiry about the status of Korea's contributions to Operation Desert Storm.

In addition to its initial commitment of 220 million US dollars to the multinational effort which was made in 1990, my Government announced on January 20, 1991, that it would contribute a further 280 million US dollars in support for the multinational force in the Gulf, together with the use of five C-130 aircraft and support personnel.

In the announcement, an unofficial translation of which is enclosed, my Government stated that it would consult with the U.S. Government about the utilization and composition of the support. The Korean Government, ~~having in mind its exclusive contributions to the U.S. at the initial stage, subsequently set out to consult with your Government about the composition and use of the additional amount~~.

However ~~In the meantime~~, on February 13, 1991, the British Government requested help in sharing the burden of its Gulf War costs. Considering the United Kingdom's significant commitment to the coalition forces in the Gulf and Korea's limited budgetary capability for any additional commitment ~~disbursement~~,

[initially indicated that the entire amount of $280 million would go to support the war efforts of the United States forces in Desert Storm operations.

0012

~~the Korean~~ my Government, after consultation with the U.S. Government, has finally decided to contribute 30 million US dollars to the United Kingdom out of the total of 280 million US dollars. The British Government and the United States Government have been ~~duly~~ notified of this decision.

Consequently, the Governments of the Republic of Korea and the United States of America have come to a final understanding that a total of 250 million US dollars out of Korea's additional contributions will go to the United States. The composition is as follows:

- 100 million US dollars in cash,
- 100 million US dollars in transportation support,
- and 50 million US dollars in "in-kind" transfers.

I would like to take this opportunity to assure you once again that my Government is doing its utmost to complete the disbursement of its pledges as promptly as possible.

Yours sincerely,

Chong Ha Yoo
Vice Minister
Ministry of Foreign Affairs

Enclosure : as stated

0013

June 12, 1991.

Mr. Raymond F. Burghardt, Jr.
Charge d'Affaires ad interim
Embassy of the United States
of America

Dear Mr. Burghardt,

I am writing to you on behalf of the Government of the Republic of Korea in response to your Government's inquiry about the status of Korea's contributions to Operation Desert Storm.

In addition to its initial commitment of 220 million US dollars to the multinational effort which was made in 1990, my Government announced on January 30, 1991, that it would contribute a further 280 million U.S. dollars in support for the multinational force in the Gulf, together with the use of five c-130 aircraft and support personnel.

In the announcement, an unofficial translation of which is enclosed, my Government stated that it would consult with the U.S. Government about the utilization and composition of the support. The Korean Government, bearing in minds its exclusive contributions to the U.S. at the initial stage, subsequently set out to consult with your government about the composition ~~of the~~ and use of the additional amount.

앙고재	북미과	담 당	과 장	심의관	국 장	차관보	차 관	장 관
					출장중			

0014

보고필 6.12.

In the meantime, on February 13, 1991, the British Government requested help in sharing the burden of its Gulf War costs. Considering the United Kingdom's significant commitment to the coalition forces in the Gulf and Korea's limited budgetary capability, the Korean Government, after consultation with the U.S. Government, has finally decided to contribute 30 million U.S. dollars to the United Kingdom out of the total of 280 million U.S. dollars. The British Government and the United States Government have been duly notified of this decision.

Consequently, the Governments of the Republic of Korea and the United States of America have come to a final understanding that a total of 250 million U.S. dollars out of Korea's additional contributions will go to the U.S. The composition is as follows:

- 100 million U.S. dollars in cash,
- 100 million U.S. dollars in transportation support,
- and 50 million U.S. dollars in "in-kind" transfers.

0015

In the meantime, on February 13, 1991, the British Government requested help in sharing the burden of its Gulf War costs. Considering the United Kingdom's significant commitment to the coalition forces in the Gulf, ~~Korea felt it necessary~~ to render ~~practical assistance to Great Britain.~~

~~Thus,~~ the Korean Government, after consultation with the U.S. Government, has finally decided to contribute 30 million U.S. dollars out of the total of 280 million U.S. dollars to the United Kingdom. The British Government and the United States Government have been notified of this decision.

Consequently, our two governments have come to a final understanding that a total of 250 million U.S. dollars out of Korea's additional contributions will go to the U.S. The composition is as follows:

- 100 million U.S. dollars in cash,
- 100 million U.S. dollars in transportation support,
- and 50 million U.S. dollars in "in-kind" transfers.

0016

I' would like to take this opportunity to assure you once again that my Government is doing its utmost to disburse its pledges as promptly as possible.

Yours sincerely,

Chong Ha Yoo
Vice Minister
Ministry of Foreign Affairs

Enclosure: as stated

0017

관리 번호	91-1490

	분류번호	보존기간

발 신 전 보

번 호 : WUS-2642 910613 0005 FO 종별 지 급

수 신 : 주 미 대사. 총영사

발 신 : 장 관 (미일)

제 목 : 걸프전 관련 대미지원

대 : USW-2846

1. 대호, 미측의 문의에 대해 정부는 우리의 대미 추가지원 규모는 2억 5천만불임을 재확인 하는 별첨 외무차관 명의 서한을 Burghardt 주한미대사 대리에게 6.13(목) 수교 예정임.

2. 주한미대사관은 6.10(화) 미 행정부의 대의회 설명등을 통해 대호와 같은 오해 해소에 도움이 되겠다고 하면서 아측이 우리의 대미지원 약속에 관한 정확한 내용을 설명하는 서한을 희망하여 온 바 있음.

3. 한편, 우리 국방부도 동 서한 사본을 주한미군 당국에 전달하여 미 국방부측에도 설명되도록 할 예정인 바, 귀관도 국무부등을 접촉, 표제와 관련한 오해가 해소되도록 요청하고 결과 보고 바람.

첨 부 : 외무차관 명의 서한. 끝.

예고문에 의거 일반문서로 재분류 1991.12.31 서명

(차 관 유종하)

예 고 : 91.12.31.일반

보안 통제	

앙 고 재	91년 6월 12일	북미과	기안자 성명		과 장	국 장	차 관	장 관
					심의관 후열	1차관보 출장중	부일 후일	전결

외신과통제

0018

MINISTRY OF FOREIGN AFFAIRS
REPUBLIC OF KOREA

June 12, 1991

Mr. Raymond F. Burghardt, Jr.
Charge d'Affaires ad interim
Embassy of the United States
of America

Dear Mr. Burghardt :

I am writing to you on behalf of the Government of the Republic of Korea in response to your Government's inquiry about the status of Korea's contributions to Operation Desert Storm.

In addition to its initial commitment of 220 million US dollars to the multinational effort, which was made in 1990, my Government announced on January 20, 1991, that it would contribute a further 280 million US dollars in support for the multinational force in the Gulf, together with the use of five C-130 aircraft and support personnel.

In the announcement, an unofficial translation of which is enclosed, my Government stated that it would consult with the U.S. Government about the utilization and composition of the support. The Korean Government initially indicated that the entire amount of 280 million US dollars would go to support the War efforts of the United States forces in Operation Desert Storm.

However, on February 13, 1991, the British Government requested help in sharing the burden of its Gulf War costs. Considering the United Kingdom's significant commitment to the coalition forces in the Gulf and Korea's limited budgetary capability for any additional amount,

0019

my Government, after consultation with the U.S. Government, has finally decided to contribute 30 million US dollars to the United Kingdom out of the total of 280 million US dollars. The British Government and the United States Government have been notified of this decision.

Consequently, the Governments of the Republic of Korea and the United States of America have come to a final understanding that a total of 250 million US dollars out of Korea's additional contributions go to the United States. The composition is as follows :

- 100 million US dollars in cash,
- 100 million US dollars in transportation support,
- and 50 million US dollars in "in-kind" transfers.

I would like to take this opportunity to assure you once again that my Government is doing its utmost to complete the disbursement of its pledges as promptly as possible.

Yours sincerely,

Chong Ha Yoo
Vice Minister
Ministry of Foreign Affairs

Enclosure : as stated

0020

Statement of the Korean Government on the Decision to Provide Additional Support to the Multinational Effort in the Gulf

January 30, 1991
18:15

1. In accordance with the principle of international law and justice that armed aggression should not be tolerated, the Korean government, since the the outbreak of the Gulf Crisis on August 2, 1990, has supported the relevant U.N. Security Council resolutions and international effort to implement them. On September 24, 1991, the Korean government announced its decision to provide support worth US$220 million to the multinational effort and the front-line states. On January 24 this year, it also dispatched a military medical team to Saudi Arabia.

2. With much regret we note that the situation in the Gulf, which resulted in the outbreak of a war on January 17, despite the efforts of the peace-loving nations of the world, is posing a serious threat to the peace and stability of the Middle East and, for that matter, of the whole world. Moreover, as the war shows signs of becoming prolonged, those countries participating in the multinational effort are facing enormous burdens of war expenditure and related financial demands.

0021

3. In consideration of the above, the Korean government has decided to provide additional support to the multinational effort as follows :

o The amount of the additional support will be US$280 million.
  - Of the US$280 million, US$170 million will be provided in military equipment and material, and the remaining US$110 million will be in cash and transportation services.
    * Detailed composition and utilization of the support will be decided through consultation between the Korean and U.S. governments.
  - The additional support is specifically for the multinational force in the Gulf, the U.S. in particular, and does not include support for the front-line states.
  - The additional support, together with the US$220 million pledged in 1990, brings Korea's commitment of support to a total of US$500 million.

o In addition to the above, the Korean government has decided, in principle, to dispatch five C-130 aircraft to the Gulf after the approval of the National Assembly. Details of the dispatch will be discussed between the Korean Ministry of National Defense and U.S. forces in Korea.

0022

관리 번호	91-1373

	분류번호	보존기간

발 신 전 보

번 호 : WUS-2787 910619 1853 ED 종별 :

수 신 : 주 미 대사. 총영사

발 신 : 장 관 (미일)

제 목 : 걸프전 지원 현금 송금

1. 표제관련 대미 현금지원 마지막 잔금 4,000만불을 6.21. 외환은행 광화문 지점에서 미 연방준비은행 국방협력 구좌에 송금 예정인 바, 동 사실 국무부 및 국방부에 적의 통보바람.

2. 동 사실은 주한대사관에도 외교공한으로 통보하였으며, 대영 전비지원 3천만불도 동시에 영국정부에 송금 예정인 바, 참고바람. 끝.

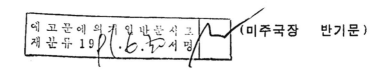

예고문에 의거 일반문서로 재분류 1991.6.30 서명

(미주국장 반기문)

보안 통제	

앙 고 재	91년 6월 19일	북미1과	기안자 성명		과 장	심의관	국 장		차 관	장 관

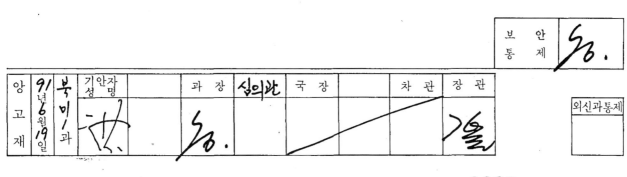

외신과통제

0023

OMB 91 - 411

The Ministry of Foreign Affairs presents its compliments to the Embassy of the United States of America and has the honour to inform the latter that the Ministry remitted on June 21, 1991 the amount of U.S. Dollars Fourty Million(US$40,000,000), being a final part of cash contribution from the Government of the Republic of Korea for Operation Desert Storm, to the U.S. Treasury for credit in the Defense Cooperation Account(Acct. No. 97X5187).

The Ministry would like to add that the above mentioned contribution was made via electronic funds transfer from Kwanghwamun Branch of the Korea Exchange Bank to the Federal Reserve Bank in New York.

The Ministry of Foreign Affairs avails itself of this opportunity to renew to the Embassy of the United States of America the assurances of its highest consideration.

Seoul, June 21, 1991

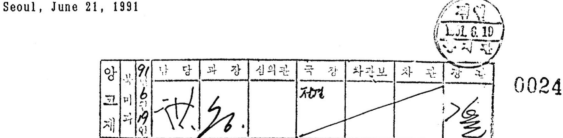

앙고제	북미국	91.6.19	담당	과장	심의관	국장	차관보	차관	장관
						전결			

0024

관리 번호	91-1576

분류번호	보존기간

발 신 전 보

번 호 : WUS-2897 910624 2051 DA 종별 :

수 신 : 주 미 대사. 총영사

발 신 : 장 관 (미일)

제 목 : 걸프전 관련 지원

연 : WUS-2642

대 : USW-1717

1. 귀지 개최 PRS 회의에 참석했던 김동진 국방부 국방정책 실장의 Solomon 국무부 동아.태차관보 및 Ford 국방부 국제안보 담당 부차관보 면담시, 미측은 영국에 지원한 3천만불을 대통령 방미 이전 추가로 보전지원하여 줄 것을 요청하였다함.

2. 상기 관련, 1.30. 정부 공식발표시 우리의 추가지원 2억 8천만불은 다국적군(주로 미국)을 위한 지원임을 분명히 한 바 있으며, 영국에 대한 전비지원문제는 그간 미측과 사전.사후 누차에 걸쳐 여러채널을 통해 협의한 바 있으며 그때마다 미측 반응은 동건 한국정부가 독자적으로 결정 할 일임을 분명히한 바 있음.

3. 아울러 정부는 2차 지원액 예산확보를 위한 국회 추경심의 과정에서 상세 집행 예정 내역을 심의 받은 바 있으므로 미측이 동건을 전투기 구매 사업의 의회 심의와 연계 한국정부에 압력을 가한다는 사실이 국내 언론등을 통해 국민들에 알려질 경우, 국민 감정을 자극하여 심한 국민적 반발여론이 발생할 것으로 예상됨. 더우기 추가 재원을 마련, 3천만불을 미측에 지원하는 것은 불가능한 실정임.

/... 계 속

보안 통제	

앙 고 재	91년 6월 24일	북미1과	기안자 성명		과 장	심의관	국 장		차 관	장 관
							전결			

외신과통제

0025

4. 동 문제는 미 행정부가 우방국 기여액의 대의회 통보과정에서 발생된 오해인 만큼 미측이 자체적으로 해결해야 한다는 것이 본부 입장인 바, 상기사항등을 국무부, 국방부측에 명확히 전달하고 결과 보고 바람.

5. 상기 PRS 대표단 보고에 의하면 미 국방성은 7.2(화) 대통령의 Cheney 장관 접견시 동건을 대통령에게 직접 거론할 것을 건의할 예정이라는 바, 동건이 대통령에게 거론되는 일이 없도록 사전에 국방부측과 협의하고 결과 지급 보고 바람.

6. 금 6.24. Gregg대사는 본직과의 면담시 지난 1.30. 본직이 Gregg 대사에 서면 통보한 내용을 검토한 결과, 우리의 2차 지원 2억 8천만불은 다국적군에 제공하되 주로 미국을 위한 지원임이 분명하므로 동건은 처음부터 논란의 여지가 없는 명백한 사안이며, 3천만불 추가지원 요청은 완전히 근거없는(absolutely unwarranted) 주장이라고 전제하고, 동대사 자신의 견해를 국무부측에 강력히 보고한 바 있다고 말하였으니 참고 바람. 끝.

(미주국장 반기문)

예 고 : 91.12.31.일반

검 토 필 (1991.6.30.)

예고문에의거일반문서로 재분류 1991. 12. 31 서명

0026

관리 번호	91-1580

외 무 부

원 본

종 별 : 지 급

번 호 : USW-3197 일 시 : 91 0624 2004

수 신 : 장관(미일,미이)

발 신 : 주 미 대사

제 목 : 걸프전 관련 지원

대:WUS-2897

1. 대호관련 , SOLOMON 국무부 동아태 차관보는 6.19. 김동진 국방부 국방정책실장 면담시, 동 면담 말미에 아국의 대영전비 지원문제 관련, 걸프전 지원 전비 약속 이행 실적 과 대우 무기 판매 승인 문제를 연계시키는 BYRD 수정안의 통과로 인해 3,000 만불 문제가 발생케 되었다고 언급하고, 한국의 경우 실제 약속액과 국방부 보고 액수간에 차액이 발생함으로 인해 의회가 KFP 계속 심의시 이 문제를 거론할것으로 예상된다고하면서, 대통령 방미 이전 이 문제가 해결되기를 희망한다고언급한바 있음(KFP 계획은 금주중 미 의회에 제출될 예정이라 함)

2. 한편, SOLOMON 차관보는 동건관련 미측 입장의 설명을 위해 6.20. 본직을 면담코자 한다고 알려왔다가 , 당일 아침 RICHARDSON 한국과장을 통해, 아측의 입장을 감안 국무부측이 이 문제를 재고키로 함에 따라 , 면담일정을 취소한다고 알려온바 있음.

이에 대해, 당관은 한미 양국의 대소 경협 문제 및 PMC 외상회담시 한미 양국 외무장관 회담문제등을 거론키 위해 기보고한바 와 같이, 동일 면담을 예정대로 가졌으며, 동 면담시 SOLOMON 차관보는 3,000 만불 전비 지원 문제와 관련해서는 전혀 언급치 않음.

3. 한편 이에 앞서 당관 유명환 참사관은 6.19(수) 국무부 RICHARDSON 한국과장을 접촉, 대호 4 항 훈령에 따라 아측의 이의를 전달하고, 미측의 입장을 재타진한바, 국무부로서는 아측의 입장을 충분히 이해하나 자신의 개인적 생각으로는 문제의 발단은 아국 국방부 장관의 1.31. 자 CHENEY 장관앞 서한에 추가 지원전액이 미국용이라는 점이 명시됨에 따라 양국간 COMMUNICATION 에 무너지가 생기기 시작한것으로 본다는 반응을 보이면서 , 국무부로서는 이 문제를 더이상 제기하고

미주국 장관 차관 1차보 2차보 미주국 외정실 분석관 청와대 안기부

PAGE 1

91.06.25 09:36

외신 2과 통제관 BS

0027

싶지 않다고 언급한바 있음.

4. 미 국방부에 대해서는 당관 무관부를 통해 접촉 예정인바, 결과 추보 예정임.끝.

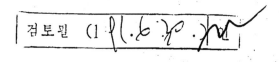

(대사 현홍주- 국장)

예고:91.12.31. 일반

검토필 (1991.6.30.)

일반문서로 재분류(1991.12.31)

PAGE 2

0028

번 호 : USW(F)- 2300

수 신 : 장 관 (미북, 중동일, 정홍, 해신)　　발 신 : 주 미 대사

제 목 : 걸프재원

THE CHRISTIAN SCIENCE MONITOR　Tuesday, June 11, 1991　6

(1매)

10

GUY STUART – STAFF

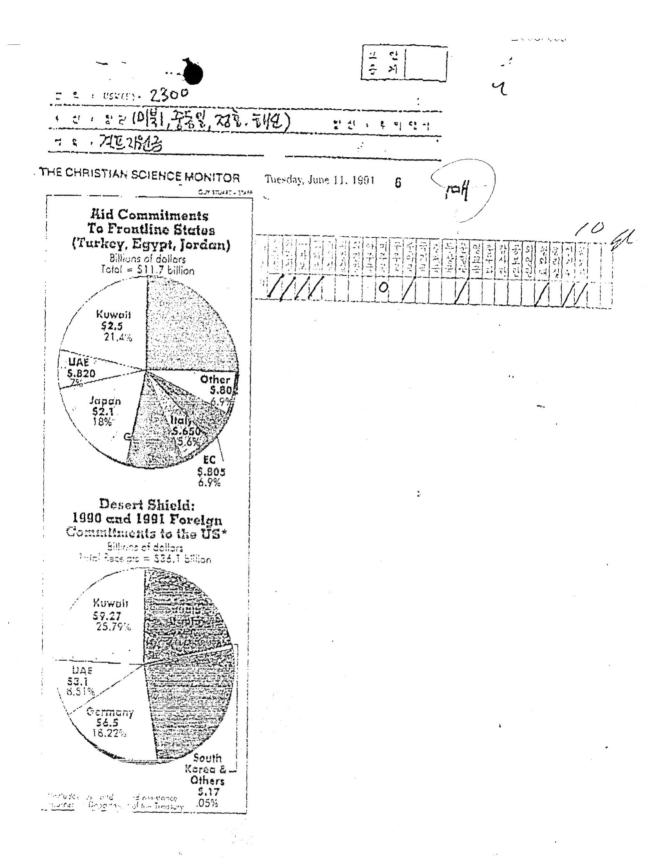

Aid Commitments To Frontline States (Turkey, Egypt, Jordan)

Billions of dollars
Total = $11.7 billion

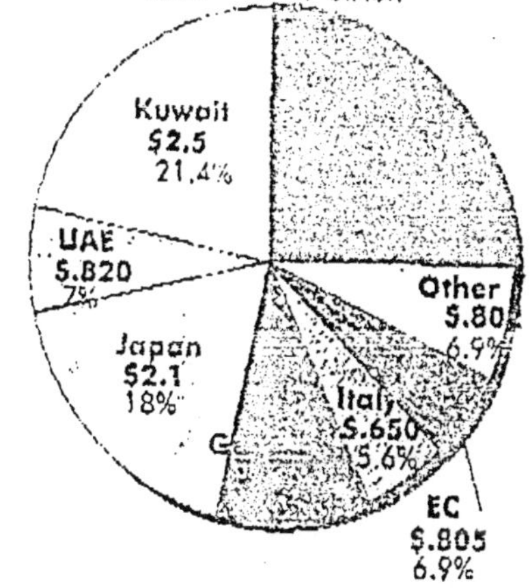

Desert Shield: 1990 and 1991 Foreign Commitments to the US*

Billions of dollars
Total Receipts = $36.1 billion

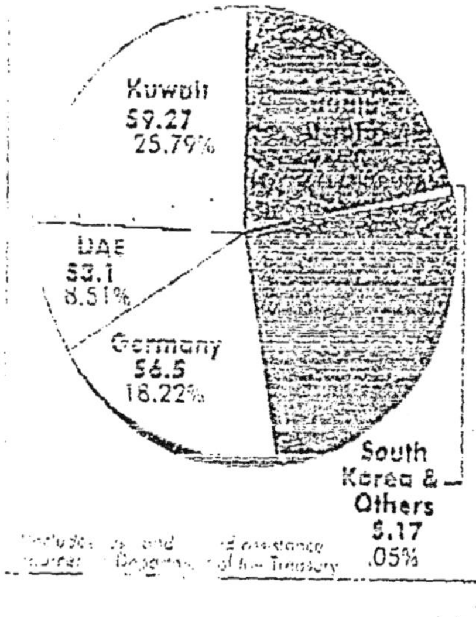

*Includes ... and ... assistance ... Department of the Treasury

2300 -1 (END)

0029

관리 번호	91-1584

	분류번호	보존기간

발 신 전 보

번 호 : WUS-2910 910625 1532 ED 종별 :

수 신 : 주 미 대사. 총영사

발 신 : 장 관 (미일)

제 목 : 걸프전 관련 지원

연 : WUS-2897

대 : USW-3197

대호 2항과 같은 Solomon 차관보의 연호건 불언급관련, 본부(미주국장)에서 귀직 초치계획을 ~~사전에 알고~~ 주한미대사관으로부터 입수, 연호건은 당초 미 기관간 협의과정에서 발생한 착오이며, 미측이 추가지원이 불가능함을 잘 알고 있으면서 계속 추가지원 요청을 계속 거론할 경우 향후 양국관계의 전반적 분위기를 심각히 저해할 것이라는 요지로 6.20. 주한 대사관측에 강력 항의한 바 있음을 참고 바람. 끝.

검토필 (1991.6.30.) (미주국장 반기문)

예 고 : 91.12.31. 일반문서로 재분류(1991.12.31.)

보안 통제	

앙고재	91년 6월 25일	북미1과	기안자 성명		과 장	심의관	국 장		차 관	장 관
							전결			

외신과통제

0030

관리번호	91-1604

원 본

외 무 부

종 별 : 긴 급

번 호 : USW-3293 일 시 : 91 0627 2246

수 신 : 장관(미일,미이)

발 신 : 주 미 대사

제 목 : 걸프전 관련 지원

대:WUS-2897

연:USW-3197

연호 4 항관련, 6.26. 당관 무관부 박세헌 대령은 국방부 KNOWLES 한국과장을 접촉, 미측 입장을 탐문한바, 동 과장은 금번 문제가 1.31. 자 아국 국방장관의 서한 내용으로 인해 발단이 된것이나, 현재 이 문제에 관한 국무부, 국방부, GAO 등 간의 논의가 계속되고 있는점을 감안, 금번 방미시 CHENEY 장관이 대통령께 거론할 계획은 없는것으로 알고 있다고 답변함.

(FORD 부차관보는 현재 출장중인바, 7.1. 귀임 예정이라 함).끝.

(대사 현홍주- 국장)

예고:91.12.31. 일반

예고문에의거일반문서로 재분류 1991. 12. 31 서명

검 토 필 (1991.6.30.)

미주국	장관	차관	의전장	미주국	외정실	분석관	청와대	안기부

PAGE 1

91.06.28 12:29

외신 2과 통제관 BS

0031

관리번호	91-1638

	분류번호	보존기간

발 신 전 보

번 호 : WUS-3148 910708 1838 DN 종별 :

수 신 : 주 미 대사. 총영사

발 신 : 장 관 (미일)

제 목 : 대 후세인 공동제재

1. 7.5(금) 주한 미 대사관측은 후세인에 대한 아래 미국의 공동제재 조치 제안을 아측에 수교하면서 동 제재조치에 아국도 동참해 줄 것을 요청 하였음.

o 미국은 후세인의 계속적 권력 유지를 저지하기 위해 전세계 수교국가들에게 외교적 공동 제재조치에 동참할 것을 요청함.

o 동 조치는 외교관 복귀등 외교관계 격상금지, 고위 정부인사 교류 금지, 신규차관 제공금지등을 포함함.

2. 이와관련, 금 7.8(월) 본부는 주이라크 대사관 청사관리등 업무를 위해 7월말경 외신관을 일시 파견할 예정임을 주한 미 대사관 관계관에게 설명한 바, 미측은 한국측의 조치가 상기 제재 조치와 관련 별 문제가 없을 것이라는 일차적 반응을 보였음을 참고 바람. 끝.

(미주국장 반기문)

예 고 : 1991.12.31. 일반

중동아국장 :

보안통제	

앙고재	91년 7월 8일	북미一과	기안자 성명		과 장	심의관	국 장		차 관	장 관
			오갑렬				전결			

사본 → 장관실

외신과통제

0032

번호 91-1931

(9.5. 접수 Mr. Piers)

KEEPING PRESSURE ON SADDAM HUSSEIN

CONCEPT: THE IRAQI LEADERSHIP APPEARS TO BELIEVE IT CAN OUTLAST INTERNATIONAL PRESSURE TO REMOVE SADDAM HUSSEIN. MOREOVER, FACED WITH SHIA AND KURDISH INSURGENCIES THE RULING ELITES MAY SEE CONTINUATION OF SADDAM HUSSEIN IN POWER AS THE LESSER OF EVILS. WE THINK IT IMPORTANT TO COUNTER THIS WITH SENSIBLE, ACTIVE STEPS TO MAINTAIN THE DIPLOMATIC PRICE OF IRAQ'S LOSS OF STATUS AND INFLUENCE IN THE WORLD, PARTICULARLY THE ARAB WORLD WHERE IRAQ ASPIRES TO LEADERSHIP. THIS WILL ADD A PSYCHOLOGICAL DIMENSION TO THE PRESSURE OF ECONOMIC SANCTIONS AGAINST ALL BUT HUMANITARIAN NEEDS. ADDITIONALLY, OUR PUBLIC DIPLOMACY NEEDS TO SHARPEN THE DISTINCTION BETWEEN PRESSURE AGAINST SADDAM HUSSEIN AS OPPOSED TO PRESSURE ON THE IRAQI PEOPLE, WHICH IS NOT OUR INTENTION. TO THIS END, THERE ARE SOME POSITIVE THINGS WE THINK SHOULD BE SAID TO THE IRAQI PEOPLE, INCLUDING THE ELITE GROUPS WHO CAN SEPARATE THEIR FUTURE FROM SADDAM HUSSEIN'S POLITICAL RULE. FOR SUCCESS WITH DIPLOMATIC PRESSURES AND PUBLIC THEMES, IT IS IMPORTANT THAT SUPPORTERS OF THE INTERNATIONAL COALITION WORK WITH US TO MAINTAIN WORLDWIDE CONSISTENCY. WITH YOUR SUPPORT, WE CAN WORK TOGETHER TO PRESS FOR WORLDWIDE IMPLEMENTATION OF THE FOLLOWING THEMES.

I. BILATERAL/MULTILATERAL DIPLOMACY:

-- NO UPGRADING OF DIPLOMATIC RELATIONS WITH IRAQ. SYMBOLISM IS IMPORTANT. WE WANT COUNTRIES NOT TO RESTAFF THEIR MISSIONS IN BAGHDAD BEYOND WHAT IS NECESSARY FOR CONSULAR PROTECTION OF FOREIGN NATIONALS. IF A MISSION HAS BEEN SENT, IT SHOULD BE KEPT AT THE CHARGE LEVEL. THERE SHOULD BE NO NEED OR JUSTIFICATION FOR MILITARY ATTACHES OR COMMERCIAL OFFICERS;

-- NO NEW POSITIONS FOR IRAQ AT THE U.N. OR OTHER INTERNATIONAL ORGANIZATIONS;

-- SHUN VISITS BY SENIOR IRAQI OFFICIALS;

-- ANY VISITS ACCEPTED SHOULD BE RECEIVED AT SUB-MINISTERIAL LEVEL WITH MINIMUM PUBLICITY;

-- NO VISITS TO IRAQ BY SENIOR OFFICIALS;

-- NO NEW CREDITS OR IBRD/IMF/PARIS CLUB HELP;

-- MAINTAIN VISA RESTRICTIONS AS MEANS OF PRESSURING IRAQI ELITE;

-- NO RESTORATION OF COMMERCIAL AVIATION LINKS, AND CONTINUED PRESSURE TO PREVENT THE RETURN OF IRAQI AIRCRAFT;

-- INITIATIVE TO RAISE DESTRUCTION OF KUWAITI OIL WELLS IN ENVIRONMENTAL AND HEALTH FORA;

-- STEPS TO LIMIT IRAQI PARTICIPATION IN OPEC, PERHAPS BY RELEGATING IRAQ TO OBSERVER STATUS

0033

II. PUBLIC DIPLOMACY THEMES:

-- IRAQ'S SITUATION CANNOT IMPROVE OR RETURN TO NORMAL WHILE SADDAM HUSSEIN REMAINS IN POWER;

-- IMMEDIATE BENEFITS WOULD FOLLOW A CHANGE IN REGIME (MORE RAPID IMPORT OF BASIC GOODS TO BRING DOWN PRICES, FACILITATE RAPID REPAIR OF BASIC SERVICES, COVER LACK OF REFINING CAPACITY; REDUCTION IN PERCENTAGE OF OIL REVENUE GOING TO COMPENSATION FUND.);

-- HIGHLIGHT IRAQI DIVERSION OF SCARCE RESOURCES TO REBUILDING THE MILITARY AND STATUS OF ESSENTIAL FOOD AND MEDICAL SUPPLIES (WE WILL BE SUPPLYING FURTHER INFORMATION ON THIS);

-- REITERATE PUBLICLY THEMES IN UNSC RESOLUTION 688 CONCERNING IRAQI TREATMENT OF ITS CITIZENS. UNDERLINE THAT THIS WILL HAVE A BEARING ON OIL EXPORTS, SANCTIONS LIFTING, AND INTERNATIONAL RELATIONS WITH IRAQ.

THIS IS A LIST OF POSSIBLE STEPS RATHER THAN A COMPREHENSIVE PLAN OF ACTION. WE WELCOME THE VIEWS OF YOUR GOVERNMENT ON THIS RANGE OF OPTIONS AND OTHER SUGGESTIONS IT MAY HAVE.

예고: 91.12.31 일반

0034

STATEMENT ON REDEPLOYMENT FROM IRAQ

-- COALITION FORCES HAVE FULFILLED THE HUMANITARIAN MISSION FOR WHICH THEY ENTERED NORTHERN IRAQ AND ARE, THEREFORE, REDEPLOYING.

-- THE INTERNATIONAL COMMUNITY AND IN PARTICULAR THE COALITION FARTNERS, WILL IN NO WAY LESSEN THEIR CONCERN REGARDING THE WAY THE GOVERNMENT OF IRAQ DEALS WITH ITS CITIZENS IN ALL PARTS OF THE COUNTRY.

-- THE COALITION PLANS TO MAINTAIN AN APPROPRIATE LEVEL OF FORCES IN THE REGION.

-- THE COALITION RETAINS A CLEAR INTEREST IN PEACE WITHIN IRAQ AND IS WILLING TO RESPOND MILITARILY TO IRAQI ACTIONS THAT THREATEN INTERNATIONAL PEACE AND SECURITY IN THE AREA.

-- WE HAVE INFORMED THE IRAQIS THAT WE WILL CONTINUE TO MONITOR CAREFULLY INTERNAL EVENTS IN IRAQ BOTH BEFORE AND AFTER A WITHDRAWAL. MILITARY TO MILITARY TALKS WILL CONTINUE WITH IRAQ ON A REGULAR BASIS.

-- WE HAVE CALLED ON ALL PARTIES TO ACT WITH RESTRAINT, TO AVOID THE USE OF FORCE AND TO ALLOW ONGOING HUMANITARIAN ACTIVITIES BY THE U.N. AND PRIVATE ORGANIZATIONS TO CONTINUE FREE OF HARASSMENT OF ANY KIND. THESE VIEWS HAVE BEEN COMMUNICATED TO THE GOVERNMENT OF IRAQ.

91. 7. 12
13:20
미대사관
Pierce 1등
→ 북미1과장

중동1과 조치사항
(협의필).

0035

U.S. STATEMENT ON REDEPLOYMENT FROM IRAQ

SINCE OPERATION PROVIDE COMFORT BEGAN IN EARLY APRIL WE'VE BEEN PROVIDING YOU WITH REGULAR REPORTS ON ITS PROGRESS. TODAY, WE ANNOUNCE THE REDEPLOYMENT OF COALITION MILITARY PERSONNEL FROM NORTHERN IRAQ TO EASTERN TURKEY.

COALITION FORCES HAVE BEEN VERY SUCCESSFUL IN CARRYING OUT THEIR HUMANITARIAN MISSION, AND VIRTUALLY ALL THE KURDISH REFUGEES WHO FLED TO THE MOUNTAINS ON THE TURKISH BORDER HAVE RETURNED TO THEIR HOMES. THE SITUATION IN NORTHERN IRAQ HAS IMPROVED TO THE POINT THAT COALITION FORCES CAN BE RETURNED TO TURKEY. THEREFORE BEGINNING TODAY, AS PART OF THE CONTINUATION OF OPERATION PROVIDE COMFORT, THE REMAINING COALITION FORCES IN NORTHERN IRAQ ARE MOVING TO EASTERN TURKEY WHERE THEY WILL REMAIN UNTIL OTHER ARRANGEMENTS ARE AGREED UPON WITH THE GOVERNMENT OF TURKEY. BY JULY 15TH, COALITION FORCES WILL BE OUT OF NORTHERN IRAQ.

IRAQI OFFICIALS HAVE BEEN INFORMED THAT THE FOLLOWING DIRECTIONS APPLY EVEN AFTER THE COALITION FORCES DEPART NORTHERN IRAQ:

-- THE COALITION RETAINS A CLEAR INTEREST IN PEACE WITHIN IRAQ AND IS WILLING TO RESPOND MILITARILY TO IRAQI ACTIONS THAT DISTURB THE PEACE.

-- NO IRAQI AIRCRAFT, FIXED OR ROTARY WING, SHOULD FLY NORTH OF THE 36TH PARALLEL.

-- THE IRAQI ARMY, SPECIAL POLICE, AND MILITARY BORDER GUARDS SHOULD REMAIN OUTSIDE THE SECURITY ZONE.

-- THE COALITION WILL UNDERTAKE RECONNAISSANCE AND OTHER AIR OPERATIONS ABOVE THE 36TH PARALLEL AS NEEDED.

-- MEETINGS BETWEEN REPRESENTATIVES OF THE COALITION AND IRAQI MILITARY WILL CONTINUE AT LEAST WEEKLY IN NORTHERN IRAQ.

THE COMBINED TASK FORCE WILL MAINTAIN AN APPROPRIATE LEVEL OF AIR AND GROUND FORCES IN THE REGION TO SEE TO IT THAT THE CONDITIONS WHICH CAUSED THE KURDS TO FLEE FROM THEIR HOMES DO NOT RECUR AND TO MAKE CERTAIN THAT IRAQ COMFLIES WITH UN SECURITY COUNCIL RESOLUTIONS AND THE CONDITIONS LAID DOWN BY THE COALITION. THE GROUND FORCES WILL BE LOCATED AT SILOPI, JUST ON THE OTHER SIDE OF THE IRAQI BORDER. THEY WILL BE SUPPORTED BY AIRCRAFT OPERATING FROM INCIRLIK AND THE USS FORRESTAL CARRIER BATTLE GROUP IN THE EASTERN MEDITERRANEAN. THE EXACT COMPOSITION AND TERMS OF REFERENCE OF THE RESIDUAL FORCE ARE STILL BEING WORKED OUT WITH THE HOST GOVERNMENT OF TURKEY.

0036

THE OPERATION OF THE LAST THREE MONTHS HAS DEMONSTRATED THE COMMITMENT AND UNITY OF THE INTERNATIONAL COMMUNITY IN RESPONDING TO THIS URGENT NEED. WE WILL CONTINUE TO MONITOR EVENTS. WE HAVE MADE IT CLEAR TO IRAQ THAT WE MAINTAIN THE CAPABILITY AND THE WILLINGNESS TO UNDERTAKE FURTHER ACTION IF NECESSARY.

BY ANY DEFINITION, OPERATION PROVIDE COMFORT HAS BEEN AN OUTSTANDING SUCCESS. ON APRIL 5TH, PRESIDENT BUSH GAVE THE DEPARTMENT OF DEFENSE THE MISSION OF PROVIDING HUMANITARIAN RELIEF FOR KURDISH REFUGEES WHO FLED TO THE MOUNTAINS OF NORTHERN IRAQ AND SOUTHERN TURKEY TO ESCAPE THE REPRESSION OF SADDAM HUSSEIN. JUST 36 HOURS AFTER THE PRESIDENT ISSUED HIS DIRECTION, THE FIRST PHASE OF THE OPERATION WAS UNDERWAY, AND URGENTLY NEEDED SUPPLIES WERE DROPPED FROM US AIR FORCE PLANES OPERATING FROM TURKEY. SO BEGAN THE LARGEST RELIEF EFFORT IN RECENT MILITARY HISTORY.

FROM THE OUTSET, THIS HAS BEEN A COOPERATIVE EFFORT INVOLVING THE FORCES OF OUR ALLIES. MEMBERS OF THE COALITION. BESIDES THE UNITED STATES INCLUDED AUSTRALIA, BELGIUM CANADA. FRANCE, GERMANY, ITALY, LUXEMBOURG THE NETHERLANDS, PORTUGAL SPAIN, TURKEY AND THE UNITED KINGDOM. NEARLY 98-HUNDRED TROOPS FROM THOSE NATIONS JOINED THE US IN THE COALITION. IN ALL, MORE THAN 30 NATIONS CONTRIBUTED FORCES OR SUPPLIES TO THE EFFORT. WHEN THE OPERATION REACHED ITS PEAK, NEARLY 12-THOUSAND US FORCES WERE COMMITTED TO THIS HUMANITARIAN OPERATION.

THE FIRST PHASE OF THE OPERATION PROVIDED IMMEDIATE RELIEF TO THE REFUGEES IN THE HARSH MOUNTAIN ENVIRONMENT. COALITION FORCES DELIVERED MORE THAN 25-MILLION POUNDS OF FOOD. CLOTHING, SHELTER, WATER, AND MEDICAL SUPPLIES IN NEARLY FOUR-THOUSAND AIR MISSIONS, FLOWN BY BOTH AIRPLANES AND HELICOPTERS.

SEA, AIR, AND LAND SUPPLY BASES WERE BUILT UP IN BOTH TURKEY AND NORTHERN IRAQ GREATLY INCREASING THE FLOW OF RELIEF SUPPLIES. ON APRIL 20TH, CONSTRUCTION STARTED ON THE FIRST OF THE REFUGEE CAMPS AT ZAKHU, IN NORTHERN IRAQ. INTERMEDIATE CAMPS, ALONG THE ROAD FROM THE MOUNTAINS TO ZAKHU, HELPED TO FACILITATE THE FLOW OF REFUGEES SOUTH.

MEDICAL TEAMS PROVIDED IMMEDIATE CARE TO PREVENT THE SPREAD OF DISEASE. ON MAY 13TH, THE UNITED NATIONS TOOK OVER THE FIRST TEMPORARY COMMUNITY NEAR ZAKHU. AS REFUGEES LEFT THE MOUNTAINS, SOME US UNITS ASSIGNED TO THE MOUNTAIN CAMP SUPPLY EFFORT HAD COMPLETED THEIR MISSION AND BEGAN TO REDEPLOY TO THEIR HOME BASES.

0037

IN MID-MAY, COALITION FORCES BEGAN THE THIRD PHASE OF THE OPERATION. HELPING THE REFUGEES RETURN TO THEIR HOME VILLAGES AND TOWNS - AND THE NORTHERN IRAQI COMMUNITY OF DAHUK. BY LATE MAY, THE REFUGEES HAD STARTED TO GO BACK TO DAHUK, AND THE CAMP AT ZAKHU BEGAN TO SHRINK. AND BY EARLY JUNE, THE LAST OF THE REFUGEE CAMPS IN THE MOUNTAINS OF SOUTHERN TURKEY WAS CLOSED DOWN. ON JUNE 7TH, THE UNITED NATIONS HIGH COMMISSIONER FOR REFUGEES TOOK OVER RESPONSIBILITY FOR THE OVERALL MANAGEMENT OF HUMANITARIAN RELIEF THE FOURTH PHASE OF OPERATION PROVIDE COMFORT.

THE SITUATION THERE CONTINUES TO IMPROVE. CROPS HAVE BEEN HARVESTED, NEW CROPS ARE BEING PLANTED, COMMERCE IS BEING RE-ESTABLISHED, GOVERNMENT SERVICES ARE RETURNING, AND HEALTH CARE CONTINUES TO IMPROVE. THE SITUATION IS STABLE, AND WE EXPECT IT TO REMAIN SO.

0038

관리번호 91-953

외 무 부

종 별 : 지 급

번 호 : USW-3521 일 시 : 91 0712 1815

수 신 : 장관(미이,미일,기정)(사본:국방부장관)

발 신 : 주 미 대사

제 목 : 걸프분담금 문제

연:USW-3484

1. 당관 유명환 참사관이 7.12.(금)국무부 RICHARDSON 한국과장에게 탐문한바에 의하면, 연호 의회에 통보된 KFP 사업과 관련 재무성 및 OMB 측에서는 한국의 걸프 분담금 약속 이행문제에 대하여 이의를 재기하고 국무부 및 국방성의 입장을 재차 문의하여 온바 있다함.

2. 이에 대해 국무부는 국방성과 협의하여 한국은 걸프분담금을 약속한 대로 이행하고 있다는 점을 국방성이 문서로 OMB 에 제출할예정이며, 동조치로서 아측의 영국 지원금 문제는 더이상 거론되지 않을 것으로 기대한다고 말함.

3. 미측으로서는 동 분담금 문제가 KFP 사업과 같은 대규모 구매사업을 지연시키는것은 한국뿐만 아니라 미국 스스로의 이익에서 볼때도 균형에 맞지않으며, 또한 일본의 경우도 추가지원 90 억불중 7 억불이 미국이외의 국가에 지원되었으나 일본이 환차 보전 5 억불을 지불하는 것으로 끝내고 이문제를 더이상 거론치 않기로 금번 미.일 정상회담에서 합의한것도 고려하여 그와같은 결정을 한것으로 사료됨.

(대사 현홍주-국장)

예고:91.12.31일반 예고문에 의거 일반문서로 재분류됨

미주국	장관	차관	1차보	2차보	미주국	분석관	청와대	안기부
국방부								

PAGE 1

91.07.13 08:08

외신 2과 통제관 DO

0039

관리번호 91-1534

기 안 용 지

분류기호 문서번호	미일 0160-1761	(전화 : 720-2321)	시 행 상 특별취급	
보존기간	영구.준영구. 10. 5. 3. 1.	장 관		
수 신 처 보존기간				
시행일자	1991.7.16.			

보존기간 국 장	전 결	협조기관		문서통제
심의관				1991.7.16
과 장				
기안책임자	김규현			발 송 인
경 유 수 신 참 조	해운항만청장 해 운 국 장	발신명의		발송 1991.7.1 외무부
제 목	대미 수송지원			

1\. 주한미군측은 걸프사태와 관련한 우리의 대미 수송지원에 관하여 별첨 서한을 통해 다음과 같이 통보하여 왔습니다.

가. 사우디로부터의 항공수송을 요하는 화물의 감소로 항공 수송지원은 더이상 불요

나. 해운수송은 연말까지 지원이 필요한바, 현재 사용중인 4척의 선박은 계속 사용 예정

일반문서로 재분류(1991.12.31.)

0040

다. 상기 선박에 추가하여 콘테이너 선박이 추가로 필요

라. 사우디에서의 하역(terminal/port services)비용을

한국의 대미 수송지원 예산에서 충당하는 데 대한

의견 문의

2. 상기 미측의 요청과 관련, 우리의 입장 수립에 참고코자

하니, 다음사항에 대한 귀청의 검토의견을 지급 회보하여 주시기

바랍니다.

가. 항만에서의 화물취급, 장비구입 및 유지, 포장재료비

등 하역비용을 통상적인 관행에 비추어 수송비용에

포함시킬 수 있는지 여부

나. 상기 하역비용을 아측이 부담할 경우, 아국 회사의

참여 가능성 및 아국장비 판매 가능성 여부

다. 기타 아측입장 검토에 필요한 참고사항.

첨 부 : Beale 주한미군 군수참모 명의 외무부 미주국장앞 서한사본

1부. 끝.

0041

3384

기 안 용 지

분류기호 문서번호	미일 0160-	(전화 : 720-2321)	시 행 상 특별취급	
보존기간	영구.준영구. 10. 5. 3. 1.	장 관		
수 신 처 보존기간				
시행일자	1991.7.18.			

보존기간	국 장	전 결	협조기관	중동아국장	문 서 통 제
	심의관				검인 1991.7.18
	과 장				
기안책임자		김규현			발 송 인 1991.7.19
경 유 수 신 참 조	대한항공사장 화물영업담당 상무이사		발신명의		
제 목	미국에 대한 항공 수송지원				

1. 주한미군측은 별첨 서한을 통하여 걸프사태시 다국적군의 전쟁수행에 있어 아측의 항공 및 해운 수송지원이 결정적 요소였음을 평가하면서, 그간 우리의 지원으로 현재 사우디로부터 항공수송을 요하는 화물이 상당히 감소함에 따라 항공 수송지원은 더이상 필요하지 않게 되었음(단, 해운 수송지원은 계속 필요)을 통보하여 왔습니다.

/계 속/

0042

2. 한편, 미국정부는 그간 귀사의 신속하고 정확한 항공 수송지원에 대해 수차 사의를 표해온 바 있습니다. 아울러 당부도 귀사의 적극적인 협조가 기존의 한.미 우호협력관계를 더욱 강화하는 데 기여하였음을 치하하는 바입니다.

첨 부 : Beale 주한미군 군수참모 명의 외무부 미주국장앞 서한 사본 1부. 끝.

0043

HEADQUARTERS, UNITED STATES FORCES, KOREA
APO SAN FRANCISCO 96301-0010

REPLY TO
ATTENTION OF:

July 12, 1991

Assistant Chief of Staff
J4

Mr. Ban, Ki Moon
Director General
American Affairs Bureau
Ministry of Foreign Affairs
Republic of Korea

Dear Director General Ban:

Republic of Korea commercial airlift and sealift were critical to the allied war effort in the Persian Gulf. Korean Air, Hanjin Shipping Company and Samsun Shipping Corporation all played important roles during the deployment, employment and redeployment phases of the operation. Their rapid response, along with the full cooperation of the Korean government, has made our mutual efforts over the past ten months most successful.

With Korean support, the amount of cargo in Saudi Arabia requiring air transport has been significantly decreased. Therefore, I have been advised by US Transportation Command that Korean Air support is no longer required. Korean Air's support has been outstanding and is a reflection of the pride and professionalism of its management and employees. United States Forces, Korea and the United States thank you for their assistance.

While airlift requirements are minimal, our need for sealift during redeployment will continue through the end of the calendar year. We expect that the four ships currently supporting redeployment will be in constant use. We may also need container ships. In addition to shipping , we have identified a new need and want to use the Republic's pledged transportation support to offset costs of terminal/port services in Saudi Arabia. This would pay for cargo handling, equipment purchase/maintenance, packing materials, etc. associated with the redeployment.

Thank you again for Korea's airlift and sealift support. I await your views concerning use of pledged transportation support to meet our newly identified requirement.

Richard E. Beale, Jr.

RICHARD E. BEALE, JR.
Brigadier General, USA
Assistant Chief of Staff, J4

0044

관리 번호	91-1846

	분류번호	보존기간

발 신 전 보

번 호 : WUS-3336 910720 1557 DN 종별 :

수 신 : 주 미 대사. 총영사

발 신 : 장 관 (미일)

제 목 : 걸프전비 지원

대 : USW - 3642

1. 주한미군 당국은 7.12.자 미주국장앞 서한을 통하여 걸프사태시 아국의 수송지원이 결정적 역할을 수행하였음을 평가하면서 앞으로의 수송지원과 관련, 다음과 같이 미측의 요망사항을 통보해 옴.

가. 사우디로부터의 항공수송을 요하는 화물의 감소로 항공 수송 지원은 더이상 불요

나. 해운수송은 연말까지 지원이 필요한 바, 현재 사용중인 4척의 선박은 계속 사용 예정

다. 상기 선박에 추가하여 콘테이너 선박이 추가로 필요

라. 사우디에서의 하역(terminal/port services) 비용을 한국의 대미 수송지원 예산에서 충당하는 데 대한 아측의 입장 문의

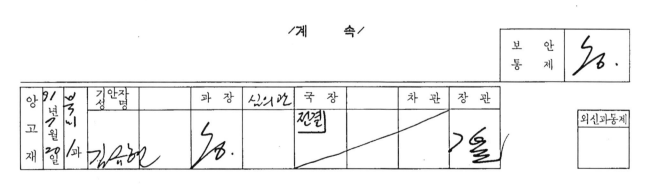

/계 속/

보안 통제	

앙 고 재	91 년 7 월 20 일	북미 1과	기안자 성명		과 장	심의관	국 장		차 관	장 관
			김				전결			

외신과통제

0045

2. 위와 같은 미측의 요청에 따라, 정부는 현재 콘테이너 선박을 추가 지원키로 하고 주한미군 당국과 협의중에 있으며 아울러, 항공 수송지원의 중단과 관련 여타 수송지원을 통해 연말까지 수송지원 예산을 집행할 수 있는 다각적인 방안을 검토중에 있음. (현재 투입중인 선박 4척에 콘테이너 선박 1척 추가시 연말까지 약 5천만불 정도 집행 예상)

3. 다만, 미측이 요청하고 있는 사우디에서의 하역작업 비용을 아국의 대미 수송지원 예산에서 충당하는 문제는 아국의 하역업체가 사우디에 진출하고 있지 않는 상황등을 감안, 신중히 검토중에 있음을 우선 귀관의 참고로만 하기 바람.

4. 한편, 5천만불 상당의 군수물자 지원에 관해서는 현재 주한미군 당국과 우리의 국방당국간에 협의가 진행되고 있음을 참고바람. 끝.

(미주국장 반기문)

예 고 : 91.12.31.일반

일반문서로 재분류(1991.12.31.)

0046

관리 번호	91-1599

외 무 부

종 별 : 지 급

번 호 : USW-3657 일 시 : 91 0722 1839

수 신 : 장 관(중동이,미일)

발 신 : 주 미국 대사

제 목 : 걸프전 전선국에 대한 경제 원조 집행 실적

1. 당지 IMF 측은 걸프전 전선국에 대한 경제 원조와 관련, 각국의 원조 집행 현황을 통보하면서 동 일람표를 UPDATE 하여 줄것을 요청하여온바, 이를 별첨송부하니, 아국의 집행 실적을등 일람표에 의거 조속 통보 바람.

2. 또한 동 실무 회의 개최시 회의 준비에 참고코저 하니, 전선국 개별 국가에 대한 원조 내용을 아울러 상세 통보 바람.

첨부 USW(F)-2912

(대사 현홍주-국장)

예고:91.12.31 까지

예고문에 의거 일반문서로 재분류 1991. 12. 31

중아국 미주국

PAGE 1

91.07.23 08:14

외신 2과 통제관 BS

0047

INTERNATIONAL MONETARY FUND

EXECUTIVE DIRECTOR
United States

번호: USW(F) - 2912
수신: 장관 (중동이, 미일)
발신: 주미 대사
제목: 첨부 (3매)

MEMORANDUM

July 16, 1991

TO: Members of the Working Committee of the Gulf Crisis Financial Coordination Group

FROM: Thomas C. Dawson II

SUBJECT: Gulf Crisis Financial Assistance

At the April 8 meeting of the Working Committee of the Gulf Crisis Financial Coordination Group, a number of you indicated that you expected significant disbursements during May and June. So that the Group can share the most recent information available, we would like to update the 1990-91 Commitments and Disbursements table and the Terms and Conditions table.

Please fax any changes you have to the attached tables to Dean Kline (fax: 202/633-7640, tel: 202/566-2011). We look forward to your response by end-July, after which we will distribute the revised tables. Thank you for your cooperation.

Attachments

0048

7/12/91

2912 - 2

TERMS AND CONDITIONS ON GULF CRISIS FINANCIAL ASSISTANCE FOR EGYPT, TURKEY AND JORDAN

(Millions of U.S. Dollars)

	GRANTS						LOANS					NOT SPEC.	TOTAL
	BOP	Human.	Project	In-Kind	Unspec.	Total	BOP	Project	Co-Fin.	Unspec.	Total		
GCC	3360	0	500	1270	0	5130	0	850	0	0	850	188	6168
Saudi Arabia	1000		500	1160		2660					0	188	2848
Kuwait	1540			110		1650		850			850		2500
UAE	820					820					0	0	820
EC	1146	113	64	13	149	1485	306	455	0	49	810	745	3039
EC Budget	443	78				521	239				239	45	805
Bilateral:	703	35	64	13	149	964	67	455	0	49	571	700	2234
Belgium				7		7	26				26		33
Denmark					30	30					0		30
France						0					0	200	200
Germany	649	14	64			727	13	455			468		1195
Ireland				6		6					0		6
Italy					101	101				49	49	500	650
Luxembourg		6			5	11					0		11
Netherlands	54				9	63					0		63
Portugal					4	4					0		4
Spain		9				9	28				28		36
U.K.		6				6					0		6
OTHER	0	67	33	1	103	204	0	0	9	0	9	37	250
Australia				1		1					0	13	14
Austria			9		3	12			9		9		21
Finland		16				16					0		16
Iceland		3				3					0		3
Norway						0					0	24	24
Sweden		28	24			52					0		52
Switzerland		20			100	120					0		120
JAPAN		9	21	1		31	1684	194	157		2035	60	2126
CANADA	29	37				66					0		66
KOREA				25		25				40	40	33	98
TOTAL	4535	226	618	1310	252	6940	1990	1499	166	89	3744	1063	11747

0049

7/12/91

GULF CRISIS FINANCIAL ASSISTANCE *
1990-91 COMMITMENTS AND DISBURSEMENTS

(Millions of U.S. Dollars)

	TOTAL			Egypt			Turkey			Jordan			Humanitarian/Unalloctd. 1/			Other States		
	Commit.	Disb. to Date	Future Disb.	Commit.	Disb. to Date	Future Disb.	Commit.	Disb. to Date	Future Disb.	Commit.	Disb. to Date	Future Disb.	Commit.	Disb. to Date	Future Disb.	Commit.	Disb. to Date	Future Disb.
GCC STATES 2/	6168	3863	2305	3423	2663	760	2745	1200	1545	0	0	0	0	0	0	3636	2845	791
Saudi Arabia 3/	2848	2188	660	1688	1388	300	1160	800	360	0	0	0	0	0	0	1833	1463	370
Kuwait	2500	855	1645	1015	555	460	1485	300	1185	0	0	0	0	0	0	1184	763	421
UAE	820	820	0	720	720	0	100	100	0	0	0	0	0	0	0	619	619	0
EC	3039	1225	1814	1225	399	826	533	395	139	560	369	190	721	62	659	177	1	176
EC Budget	805	624	181	254	207	48	240	193	48	214	173	41	96	51	45	0	0	0
Bilateral:	2234	601	1633	971	192	779	293	202	91	346	196	150	625	11	614	177	1	176
Belgium	33	17	16	16	6	10	10	10	0	7	1	6	0	0	0	0	0	0
—ark	30	10	20	20	4	16	0	0	0	10	6	4	0	0	0	0	0	0
— 4/	200	0	200	50	0	50	30	0	30	20	0	20	100	0	100	30	0	30
Germany	1195	462	733	773	154	619	174	174	0	248	134	114	0	0	0	137	0	137
Ireland	6	0	6	6	0	6	0	0	0	0	0	0	0	0	0	0	0	0
Italy 5/	650	37	614	75	10	65	49	0	49	27	27	0	500	0	500	9	0	9
Luxembourg	11	2	9	1	0	1	2	0	2	2	2	0	6	0	6	1	1	0
Netherlands	63	59	4	18	18	0	18	18	0	18	18	0	9	5	4	0	0	0
Portugal	4	0	4	0	0	0	0	0	0	0	0	0	4	0	4	0	0	0
Spain	36	9	27	12	0	12	11	0	11	14	9	5	0	0	0	0	0	0
U.K.	6	6	0	0	0	0	0	0	0	0	0	0	6	6	0	0	0	0
OTHER EUROPE/AUSTRALIA	249	76	173	55	3	52	31	2	29	67	23	44	96	48	48	82	60	22
Australia	14	5	9	1	1	0	0	0	0	0	0	0	13	4	9	0	0	0
Austria	21	2	19	0	0	0	0	0	0	9	0	9	12	2	10	0	0	0
Finland	16	16	0	0	0	0	0	0	0	3	3	0	13	13	0	0	0	0
Iceland	3	2	1	0	0	0	1	0	1	1	1	0	1	1	0	0	0	0
Norway	24	7	17	19	2	17	2	2	0	3	3	0	0	0	0	62	60	22
S— n	52	28	24	10	0	10	4	0	4	26	16	10	12	12	0	0	0	0
S—rland	120	16	104	25	0	25	25	0	25	25	0	25	45	10	20	0	0	0
JAPAN	2126	803	1323	629	336	293	720	218	502	717	189	528	60	60	0	481	0	481
CANADA	66	17	49	22	0	22	4	0	4	23	0	23	17	17	0	0	0	0
KOREA	98	19	79	30	0	30	20	5	15	15	12	3	33	2	31	17	2	15
TOTAL COMMITMENTS	11746	6003	5743	5384	3401	1984	4054	1820	2234	1381	593	788	927	189	738	4393	2908	1485
EST. EFFECT OF GULF CRISIS 6/	13580	13580	-	3375	3375	-	5910	5910	-	4295	4295	-	-	-	-	-	-	-
DIFFERENCE (a minus b)	-1834	-7577	-	2009	26	-	-1856	-4090	-	-2914	-3702	-	-	-	-	-	-	-

0050

*Does not include contributions to the multinational force. Totals may not equal sum of components due to rounding. Based on data submitted to the Coordinating Group. 1/ Unallocated among Egypt, Jordan, and Turkey. Includes general humanitarian assistance. 2/ GCC financing for "Other States" is for Syria, Morocco, Lebanon, Somalia, Pakistan, and Djibouti. 3/ Grant oil to Turkey is $1160 million. 4/ Protocols for $130 million of grand total signed by end-November. Total aid to countries affected by the Gulf crisis is $600 million in both 1990 and 1991. Aid to "Other States" is for Morocco. 5/ Italian aid to "Other States" is for Somalia. 6/ IMF/World Bank estimates (oil at $31/barrel) circulated to Group shown for illustrative purposes. Not intended to represent precise figure of impact.

관리 번호	91-1916

	분류번호	보존기간

발 신 전 보

번 호 : WUS-3368 910723 1916 DN 종별 :

수 신 : 주 미 대사. 총영사

발 신 : 장 관 (미일)

제 목 : 대미 걸프전비 지원

대 : USW-3652

대호 Dubee 보좌관의 의문 제기와 관련, 귀관은 미 국무부 및 국방부측을 접촉, OMB 보고서상 아국의 현금지원 약속액에 차이가 발생한 데 대해 미 행정부측이 의회측에 그 경위를 해명하도록 요청하고 결과 보고 바람.

끝.

(미주국장 반기문)

예 고 : 91.12.31.일반

보안 통제	

앙 고 재	91년 7월 23일	북미1과	기안자 성명		과 장	심의관	국 장		차 관	장 관
							전결			

외신과통제

0051

미국에 대한 걸프전비 지원현황

- 91.7.23. 현재

- 외무부 미주국

1. 총지원 약속액 : 355백만불

   * 91.7.20.현재 주변국 지원약속액 115백만불중 3,155만불 집행

   * 91.5.22. 영국에 대해 30백만불 현금지원 집행

2. 총지원 집행 금액 : $217,483,733

   가. 현금 지원 : 150백만불

      - 90.12.26. 50백만불

      - 91. 3.29. 60백만불

      - 91. 5.22. 40백만불

   나. 수송 지원 : $67,483,733

      - 항공수송지원(90.8.28-91.6.28간 총 89회) : $44,357,016

      - 해운수송지원(14항차) : $23,106,717 (추정치)

      - 부대 경비 : $20,000

0052

3. 미집행 예산 집행 계획 :

가. 수 송 : $87,516,267

- 미측, 사우디에서 항공수송을 요하는 물자감소로 항공수송은 더 이상 불요함을 아측에 통보(7.12)

- 해운수송의 경우, 미측은 현재 투입중인 4척의 선박에 추가하여 콘테이너선 1척의 지원을 요청해 옴에 따라 콘테이너선 1척 추가 투입 추진중

- 이 경우 연말까지 해운수송 자원으로 약 4000-5000만불 집행 가능 예상

- 아측은 잔여 예산의 조기집행을 위한 추가 방안을 강구중

나. 군수 물자 : 50백만불

- 지원품목에 관해 양측간 개략적 합의를 보았으며, 미측은 조만간 최종 입장을 아측에 통보해 올 예정

0053

걸프전 관련 대미.대영 지원집행현황

1. 대미, 대영 현금지원

집행일시	내 역	집행액($)	배정환율(/$)	집행환율(/$)	환차액(₩)	집행누계($)	비 고
90.12.26	대미 현금지원	50,000,000	716.67	719.90	-161,500,000	50,000,000	* 90 추경분 : 5천만불 해당(716.67/$)
91. 3.29	대미 현금지원	60,000,000	728.50	726.80	102,000,000	110,000,000	* 91추경분:1억3천만불 해당분(728.50/$)
91. 6.21	대미 현금지원	40,000,000	728.50	727.50	40,000,000	150,000,000	"
91. 6.21	대영 현금지원	30,000,000	728.50	727.50	30,000,000	180,000,000	"
계		$180,00,000			10,500,000	$180,000,000	

※ 집행완료 시점 ₩10,500,000 환차익 발생 (2차 지원액에 포함된 1억 3천만원의 조기 집행으로 가능)

0054

관리 번호 92-1908

해 운 항 만 청

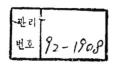

외 항 33720- 64 744-4731 1991. 7. 25

수 신 외무부 장관

참 조 해운국장

제 목 대미수송지원

일반문서로 재분류 1991. 12. 31.

1. 미일 0160-1761('91.7.16)의 관련임

2. 당청 검토의견을 다음과 같이 통보합니다.

가. 항만에서의 화물취급, 장비구입 및 유지, 포장재료비 등 하역비용을 통상적인 관행에 비추어 수송비용에 포함시킬수 있는지 여부

o 본 사항은 광의의 수송비용에 포함시킬수는 있으나 당초 미측이 요구해 왔던 "한국적(Korean Flag)선박이라는 제시조건"으로 미루어 보아 수송지원은 수송수단(선박 또는 항공기)의 지원으로 해석됨

나. 상기 하역비용을 아측이 부담할 경우 아국회사의 참여가능성 및 아국 장비 판매가능성

o 아측 하역회사로서는 주식회사 한진이 사우디아라비아의 Dammam 항에 진출하여 콘테이너의 상.하역 작업에 참여하고 있으나 사우디 항만 당국으로부터 발급된 하역 면허를 직접 소유치 못하고 네델란드계의 A.D.T.L(Aliveza Delta Transport LTD)사의 하도급 업체로 참여하고 실정임

o 다만, Gulf전이후 사우디아라비아의 주요항만(특정부두)에서 군수 화물의 상.하역은 미 군사요원들에 의해 직접 수행되어진 것으로 파악되고 있어 이경우 미군당국과(Military Traffic Management Command) 아국 진출업체간의 직접 용역계약 체결이 가능한지 여부는 현재 파악중에 있슴

0055

관리 번호	91-1951

	분류번호	보존기간

발 신 전 보

번 호 : WUS-3412 910725 1953 DN 종별 :

수 신 : 주 미 대사. 총영사

발 신 : 장 관 대리 (미일)

제 목 : 대미 걸프전비 지원

연 : WUS - 3336

1. 본부는 미국에 대한 수송지원을 가속화 하기 위해 7.25(목) 해운항만청, 주한미대사관 및 주한미군 당국간 실무 과장급 협의를 가졌음. (현재 해상 수송지원에 투입중인 4척의 선박만을 연말까지 지원할 경우, 주로 사우디에서 구라파 지역으로 수송경로를 변경함에 따라 2천만불 정도만 집행 가능 예상)

2. 동 회의시 주한미군측은 미 해군 수송사령부(MSC)로부터 아측이 이미 제시한 콘테이너 선박의 규격이 미측 물자수송에 부적합하다는 통보를 금일 접수하였다고 하면서, 걸프전 투입 항공기의 창정비(depot repair) 및 콘테이너 박스 제공 가능성을 문의하였음.

3. 이에 대해 아측은 대미 수송지원의 조속한 완료가 미국은 물론 아국 정부에도 바람직함을 언급하고, 아국의 대미 수송지원 예산이 원칙적으로 한국적 선박과 항공기등에 의한 수송지원에 사용토록 되어 있기 때문에 지난번 미측이 문의한 바 있는 사우디에서의 하역(terminal/port service) 비용에 동 예산을 사용하기는 어렵다는 입장을 통보하였음.

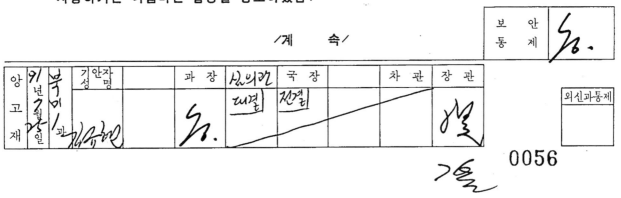

/계 속/

보안통제	송

앙고재	91년 7월 25일	북미 1과	기안자 성명		과장	심의관	국장		차관	장관
			김유현		송	대결	전결			결

외신과통제

0056

4. 이에 따라 아측은 수송지원의 조속한 집행을 위해 다음과 같은 방안에 대한 미측의 입장을 요청하였으니, 귀지에서 미측의 문의 또는 협의가 있을 시 참고바람.

가. 아측은 기 제시한 콘테이너선 이외에 다른 콘테이너선도 보유하고 있는 바, 미측이 필요로 하는 콘테이너 선박의 규격등 요건(specification)

나. 아측은 미 해군 수송사령부가 필요하다고 하는 정유제품 운반선 (product carrier)과 Ro-Ro선을 최대한 2척씩 용선, 미측에 제공 가능한 바, 미측이 요망하는 각 선박의 척수 및 기간

다. 미측의 문의한 선박용 콘테이너의 제공이 가능한 바, 필요한 수량 및 시기

라. 미측이 문의한 창정비 관련, 아측의 검토를 위한 구체적 사항

5. 한편, 91.7.25. 현재 수송지원 집행액은 총 6,750만불(항공수송 4,440만불, 해운수송 2,310만불)이며, 잔액은 8,750만불임. 끝.

(미주국장대리 김영식)

예 고 : 91.12.31.일반 일반문서로 재분류(1991.12.31.)

0057

걸프전관련 대미 수송 및 군수물자 지원에 관한 아측 입장

수송 지원

1. 걸프전관련 대미수송지원 현황

   o 총지원 약속액 : 미화 1억 5천 5백만불

   o 91.10. 현재 집행액 : US$72,898,069.-

   o 미집행 잔액 : US$82,101,932.-

     * 미집행 계약분 US$1,605,000.-

       (Roll-on /Roll-off선 2, 3차 용선료) 포함시

       - 집 행 액 : US$74,503,069.-

       - 미집행액 : US$80,496,932.-

2. 수송지원 잔액을 현금으로 지원하는 문제

   o 미측은 대미 수송지원 미집행액 8천만불을 아측이 현금으로 지원해 줄 것을 요청할 가능성이 있음.

   o 우리는 수송지원 미집행액을 현금으로 전환, 지원하는 것은 어렵다는 입장임.

     - 걸프전관련 대미지원 결정과정에서 지원형태를 구체적으로 정하여 국회의 동의를 얻음.

     - 따라서 수송지원 미집행액을 현금으로 전환하여 지원하기 위해서는 국회의 새로운 동의를 요함.

     - 새로운 동의를 구할 경우 국회의 논의과정에서 야당의 적극적인 반대가 예상되고 아울러 부정적인 여론도 야기될 가능성이 매우 높아, 한.미관계에 부정적 영향을 초래할 우려가 있음.

     - 그러므로 우리는 미측이 어떠한 형태로든지 수송과 관련된 분야에 미집행액을 사용하는 방안을 강구해 줄 것을 요망함.

0058

군수 물자

o 군수물자 지원 약속액은 미화 5천만불이나 현재 실제 집행실적 없음.

o 미측이 군수물자 지원 약속액을 현금으로 전환, 지원해 줄 것을 요청할 경우도 수송지원의 경우와 같은 이유로 어려움을 미측에 강조함.

0059

관리 번호	91-209

외 무 부

종 별 : 지 급

번 호 : USW-3822 일 시 : 91 0731 1959

수 신 : 장관(미일,미이),사본국방부장관

발 신 : 주 미대사

제 목 : 걸프전 전비 분담 관계 하원 청문회 개최

1. 금 7.31 하원 세입위 는 걸프전 전비 부담 현황및 의무 강제 이행을 위한 법령 제정 필요 여부 토의를 위한 청문회를 개최하였는바, 동 결과 아래 보고함.

가. 동 청문회는 강력한 의무 이행을 촉구하는 법안을 추진중인 DORGAN, STARK, DINGELL 의원이 증인으로 참석하여 주로 사우디와 쿠웨이트의 추가 부담 필요성 강조와 미.일 정상회담시 부시 대통령의 일본의 전비 부담 문제 종결 언급 경위를 추궁하였으며, 금번 BURDEN-SHARING 이 향후 우방국의 방위비 분담 증가의 모델이 되어야 될것을 강조하였는바, 특이 발언 내용 아래 임.

0 BYRON DORGAN 의원(민주, ND)

-일본과 독일은 전체 전비의 25 프로와 15 프로씩을 부담토록 함으로서 현재보다 100 억불 부담 추가

-현금 보유고가 많은 사우디, 쿠웨이트등 중동 부국은 300 억불을 즉시 지불해야 하며, 미이행시 수입 제품에 관세 부과

-금번 협력 관계를 기초로 미국의 대외 군사 부담이 전면 조정되어야 하며, 일본의 경우 현행 방위비 부담률(주일 미군 주둔비 관련) 40 프로를 70 프로로 대폭 조정하고, 구주의 경우 현재 30 만명의 미군 주둔 수준을 15 만명선으로 축소

-독일 헌법 개정을 통해 유엔 평화 유지군 참여 촉구

-한국의 경우 위협적인 북한의 존재로 대폭적인 미군 삭감은 불가하다고 인정되나, 대신 최근 대미 흑자 40 억불의 일부를 주한 미군 유지를 위해 사용하여야 할것이며, 한국측의 성의 있는 이행이 없는 경우 대폭적인 미군 주둔 삭감

0 PETE STARK(민주, 캘리포니아)

-전비 부담 미이행국에 대해서는 걸프만 석유 의존 비율에 따라 수입 관세를 부과

나. 행정부측 증언 내용

미주국 차관 1차보 2차보 미주국 외정실 분석관 청와대 안기부
국방부

PAGE 1

91.08.02 01:05
외신 2과 통제관 CF

공람	안보정책과	년 월 일	담당	과장	심의관	실장	차관보	차관	장관

0060

0 DARMAN 예산 국장등 행정부측 증인들은 7.29 현재 각국 부담금 현황 및 일본의 지원액 조정 경위 설명을 마친후 금번 우방국들의 협조가 만족할만한것이었으며, 미수금의 확보에 대해서도 낙관적인 견해를 표명하면서 91 년 및 92 년 회계 년도 예산 확보 문제에 영향을 미치지 않을것이라고 답변하였음.

0 아울러 사우디와 쿠웨이트등 체납국에 대한 의무 확보 를 위한 TIME-TABLE 구상 계획은 없으며, 전후 경제 복구의 어려움을 안고 있는 양국의 입장을 고려, 다각적인 실무 교섭을 진행중이고 답변하였음.

다. 대아국 관련 언급

0 MARTY RUSSO(민주-일리노이)의원은 질의 응답 과정에서 체납국인 한국에 대한 무기 수출 추진은 걸프전비 체납국에 대한 무기 수출 금지를 규정한 미공법 102-28(일명 BYRD 수정안)에 저촉된다고 언급하면서, 동법 109 조에 규정된 -FULLFILL COMMITMENTS- 에 대한 행정부의 해석을 문의하였음.

0 동 답변에서 MCALLISTER 국무부 경제 차관보는 동 규정은 약속액의 완불을 의미하지 않고 약속 이행의- 과정-으로 인식하고 있으며, 한국의 경우 의무 이행이 충실히 준수되고 있으므로 한국에 대한 무기 판매가 109 조에 반하는것으로 보지 않고 있다고 언급하고 부시 대통령도 F-16 기의 대한 판매가 적절한것으로 생각하고 있다고 답변하였음.

2. 당관 평가

가. 금번 청문회는 일차적으로 전체 체납금 78.9 억불의 96 프로를 차지하고 있는 사우디와 쿠웨이트에 대한 미수금 확보를 위한 영향력 행사와 일본에 대한 행정부의 보다 강력한 입장 고수 촉구에 주안점이 있는것으로 보이나, 궁극적으로는 금번 우방국의 공동 전비 부담을 성공적인 MODEL 로 삼아 향후 주요 우방국에 대한 미국의 방위비 부담 비율을 상당한 수준으로 절감시키려는 구체적인 노력이 의회측에서 다각적으로 이루어질것으로 예상됨.

나. 아국 체납금 문제는 금번 청문회에서는 행정부측의 확고한 입장 표명으로 크게 문제시 되지는 않았으나, 사우디와 쿠웨이트의 체납금이 계속 지체될 경우 재론될 가능성이 있음.

3. 상기 증언문 및 제출 법안은 파편 송부 예정임.

(대사 현홍주-국장)

91.12.31 일반

검 토 필 (1991.12.31)

1991.12.31.에 예고문에 의거 일반문서로 재 분류됨.

PAGE 2

0061

	분류번호	보존기간

발 신 전 보

번 호 : WUS-3750 910820 1107 ED 종별 :

수 신 : 주 미 대사.//총영사

발 신 : 장 관 (미일)

제 목 : NYT지 기사 송부

연 : WUS(F) - 0582

연호 8.16.자 NYT지의 걸프전비 흑자관련 기사 원문을 지급 Fax 송부 바람. 끝.

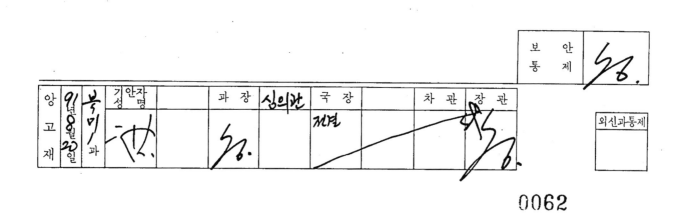

- (미주국장 반기문)

보안 통제	

앙 고 재	91년 8월 20일	북미1과	기안자 성명		과 장	심의관	국 장		차 관	장 관
							전결			

외신과통제

0062

08/19/91 23:29 ☎202 797 0595 EMBASSY OF KOREA → WOI 001/002

번호 : USW(F)- 383

수신 : 장 관 (미일, 중동일)

발신 : 주미대사

보안 통제 | 노

제목 : 걸프전비 관련 기사 (2 매)

연: WUS- 3750

Economic Scene | Leonard Silk

The Broad Impact Of the Gulf War

Niculae Asciu

IT'S been a year since Iraq invaded Kuwait — and half a year since the United States and its coalition partners defeated Iraq in a land war that lasted 100 hours. This seems like a good time to assess the effects of the Persian Gulf war on the American economy.

This was a unique war in American history in terms of its effect on the budget and the economy, both because it was fought out of inventories and because America's allies paid for the war, at least in the short run. Indeed, the United States made a "profit" on the war during the fiscal year 1991, which ends on Oct. 1.

Total pledges from coalition partners to the United States came to $54 billion. Thus far, the amount received has been $46.6 billion, of which $41.6 billion was in cash and $5.4 billion in kind, especially fuel. The Office of Management and Budget expects that by the end of this year, cash contributions will reach $48.2 billion, bringing the combined cash-and-kind grants to the $54 billion pledged.

The Congressional Budget Office estimates that United States incremental costs for Operations Desert Shield and Desert Storm came to $15 billion. Hence, with cash receipts expected to total $48 billion this year, it says the United States will have received $33 billion more than the incremental costs of the war this year.

• • •

However, Richard G. Darman, director of O.M.B., has testified that the total costs to the United States of stopping Iraq were $61 billion, implying that American outlays exceeded foreign contributions by at least $7 billion. But the Darman figure includes transfers from already budgeted military outlays to the gulf operations plus estimated future costs of replacing equipment lost in the war.

One issue is how much lost equipment should be replaced, given American plans to scale back military expenditures. The inflow of foreign capital not only offset America's budget costs but also helped reduce the United States balance-of-payments deficits. America's foreign balance swung from a $23.4 billion deficit in the fourth quarter of 1990 to a $10.2 billion surplus in the first quarter of 1991.

The gulf crisis either triggered or aggravated the American recession. Just before the invasion, Alan Greenspan, chairman of the Federal Reserve, warned of the dangers of recession and said the Fed was prepared to ease credit, if necessary, to prevent a recession. But other economists said, before the crisis erupted, that the Fed had been too tight and was endangering a weak economy.

But when Iraq's invasion came, the Fed did not ease off, caught between uncertainties of whether to fight the looming recession or an inflation aggravated by climbing oil prices. The oil shock of 1990 proved much less severe than the two oil shocks of the 1970's. After the loss of Iraqi and Kuwaiti sup-

(8/16. NYT)

0063

plies, oil prices initially soared from a pre-invasion average price around $18 a barrel to slightly above $40 by the late fall. But they fell back to roughly $21, as greater shipments came in from other producers, and world oil demand lagged.

Still, some industries were hard hit. The airlines saw the cost of jet fuel, which had been 60 cents a gallon before the invasion, soar to $1.40 a gallon by mid-October. Even after fuel prices began to ease, the outbreak of a ground and air war created a severe revenue problem for the airlines because traffic fell. Trans-Atlantic traffic dropped 50 percent.

The gulf crisis hurt consumer confidence and snagged business spending on new plant and equipment. The slide into recession, together with the steep costs of bailing out the savings and loan associations, deepened the Federal budget deficit. The Congressional Budget Office this week estimated that the budget deficit in the coming fiscal year would reach $362 billion, up from $279 billion in the fiscal year 1991. The ballooning deficit will come down painfully slowly, and it aggravates the nation's savings, investment and growth problems.

Symmetrically, Michael J. Boskin, chairman of the President's Council of Economic Advisers, says, as the gulf crisis tipped the economy into recession, its end helped stop the recession and start the recovery. The council is forecasting 3.6 percent real economic growth in 1992. The Congressional Budget Office puts next year's growth rate at 3.3 percent, and the consensus of private economists polled by Blue Chip Economic Indicators sees 2.7 percent growth next year.

Even with a slower-than-usual recovery, the expected swing in inventories from an annual rate of decline of $30 billion in the final quarter of 1990 and the first half of 1991 to a positive rate of $20 billion in inventory building, required to maintain existing inventory-to-sales ratios, would give the economy a $50 billion lift. And, with the gulf war fading into memory, and fears of inflation shrinking, the Fed is freer to nourish the recovery with easier money and credit.

0064

SECRET

관리 번호 91-1947

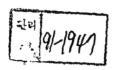

--WE APPRECIATE KOREA'S SUPPORT TO DEFRAY OUR EXPENSES IN THE GULF EFFORT.

--WE WOULD, HOWEVER, LIKE TO CONFIRM THE STATUS OF ROK CONTRIBUTIONS TO THE GULF EFFORT.

--ACCORDING TO A FEBRUARY 1, 1991, LETTER FROM THE KOREAN MINISTER OF DEFENSE TO SECRETARY CHENEY, THE ENTIRE USD 280 MILLION WAS TO DEFRAY COSTS OF U.S. OPERATION.

--CONSEQUENTLY, WE UNDERSTOOD THAT THE USG WOULD RECEIVE THE ENTIRE USD 280 MILLION IN CASH, TRANSPORTATION AND IN-KIND TRANSFERS; AND WE SO INFORMED THE CONGRESS.

--THE ISSUE HAS TAKEN ON CONSIDERABLE URGENCY BECAUSE, ACCORDING TO THE TERMS OF THE BYRD AMENDMENT, COUNTRIES WHICH HAVE NOT FULFILLED COMMITMENTS ON GULF ASSISTANCE WILL NOT BE ELIGIBLE FOR SALES OF U.S. MILITARY EQUIPMENT. THIS COULD INCLUDE THE KFP PROGRAM.

AS YOU KNOW, WE ARE WORKING ON A VERY TIGHT SCHEDULE TO COMPLETE ALL THE PREPARATIONS FOR THE KFP PROGRAM THIS FISCAL YEAR. WE WOULD LIKE TO BEGIN THE INFORMAL NOTIFICATION PROCESS TO CONGRESS ON JUNE 14.

WE ANTICIPATE THAT AS WE COMMENCE THE NOTIFICATION PROCESS, WE WILL BE ASKED ABOUT THE STATUS OF THE KOREAN PLEDGE.

WE WOULD APPRECIATE ROKG CONFIRMATION OF OUR UNDERSTANDING THAT THE ENTIRE USD 280 MILLION FOR 1991 IS FOR THE U.S. AND WOULD ALSO APPRECIATE PROMPT DISBURSEMENT.

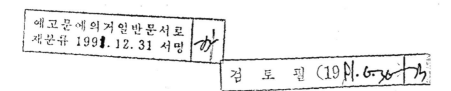

예고: 91.12.31 일반

예고문에 의거 일반문서로 재분류 1991.12.31 서명

검 토 필 (1991.6.30.)

SECRET

0065

관리 번호	91-2069

분류번호	보존기간

발 신 전 보

번 호 : WUS-4703 911016 1335 FO 종별 :

수 신 : 주 미 대사. 총영사

발 신 : 장 관 (미일)

제 목 : 걸프전 지원금 집행 현황

표제관련, 일본, 독일, 사우디, 쿠웨이트, UAE등 주요 재정지원 공여국의 걸프전 지원금 집행관련 최근 상세현황(기여 약속액, 집행액, 지원방법, 잔여액, 발생사유, 잔여지원 소진전망등)을 파악 지급 보고 바람. 끝.

(미주국장 반기문)

예 고 : 91.12.31. 일반

일반문서로 재분류(1991.12.31.)

보안 통제	

앙 고 재	91년 10월 16일	북미1과	기안자 성명		과 장	심의관	국 장		차 관	장 관
							전결			

외신과통제

0066

9

관리 번호	91-578

외 무 부

종 별 :

번 호 : USW-5077 일 시 : 91 1016 1950

수 신 : 장 관 (미일,미이,중동일)

발 신 : 주 미국 대사

제 목 : 걸프전 지원금 집행현황

91.12.31 예고문에 의거 일반문서로 재분류됨

대: WUS-4703

1. 대호, 91.10.11 현재 걸프전 지원금 집행현황을 하기 보고함. (단위 : 백만불)

국명, 기여약속액, 지원액(현금/ 물자등), 잔액(순)

사우디: 16,839, 14,428(10,552/3,876), 2,411

쿠웨이트: 16,006, 13,927(13,890/37), 2,079

UAE: 4,088, 4,088(3,870/218), 0

독일: 6,572, 6,554(5,772/782), 18

일본: 10,072, 9,987(9,416/571), 85

한국: 355, 219(150/69), 136

기타: 26, 26(4/22),

총계: 53,958, 49,229(43,654/5,575), 4,729

2. 상기 잔액관련, 국무부 JOSEPH YUN 담당관에 의하면 주요 잔액 보유국인사우디및 쿠웨이트는 달러 보유고 부족으로 상금 지불치 못하고 있고 독일의 잔액은 90 년에 실시한 물자지원에서 발생한바, 현재 물자지원에 대한 회계 정산을 하고 있고, 일본의 잔액 역시 90 년에 실시한 물자지원에서 발생하였으며, 일본정부와 동 지불에 대한 교섭이 조만간 완료될 것으로 전망하고 있다함.

3. 상기관련, 10.15 자 OBM 걸프전 관련 재정보고서를 별전 FAX(USW(F)-4342) 송부하니 상세 참고바람. 끝.

(대사 현홍주-국장)

예고: 91.12.31. 일반 고문에 의거 일반문서로 재분류됨

미주국 장관 차관 1차보 2차보 미주국 중아국 분석관 청와대
안기부

PAGE 1 91.10.17 10:19

외신 2과 통제관 BS

0067

OCT.16 '91 19:46 KOREAN EMB WASHINGTON DC P.001

번 호 : USW(F) - 4542

수 신 : 장 관(미안, 미이, 중근동) 발신 : 주미대사

제 목 : 첨부

보 안 통 제

(17 매)

UNITED STATES COSTS IN THE PERSIAN GULF CONFLICT AND FOREIGN CONTRIBUTIONS TO OFFSET SUCH COSTS

Report #8: October 15, 1991

Section 401 of P.L. 102-25 requires a series of reports on incremental costs associated with Operation Desert Storm and on foreign contributions to offset such costs. This is the eighth of such reports. As required by Section 401 of P.L. 102-25, it covers costs incurred during August 1991 and contributions made during September 1991. Previous reports have covered the costs and contributions for the period beginning August 1, 1990, and ending July 31, 1991, for costs, and August 31, 1991, for contributions.

Costs

The costs covered in this and subsequent reports are full incremental costs of Operation Desert Storm. Those are additional costs resulting directly from the Persian Gulf crisis (i.e., costs that would not otherwise have been incurred). It should be noted that only a portion of full incremental costs are included in Defense supplemental appropriations. These portions are costs that require financing in fiscal year 1991 or fiscal year 1992 and that are exempt from statutory Defense budget ceilings. Not included in fiscal year 1991 or fiscal year 1992 appropriations are items of full incremental costs such as August-September 1990 costs and costs covered by in-kind contributions from allies.

Table 1 summarizes preliminary estimates of Department of Defense full incremental costs associated with Operation Desert Storm from August 1, 1990, through August 31, 1991. The cost information is shown by the cost and financing categories specified in Section 401 of P.L. 102-25. Tables 2-9 provide more detailed information by cost category. Costs shown in this report were developed by the Department of Defense and are based on the most recent data available.

Through August 1991, costs of $47.1 billion were reported by the Department of Defense. The costs reported so far are preliminary. This report includes an estimate of costs identified to date of equipment repair, rehabilitation, and maintenance caused by the high operating rates and combat use. The report also includes many of the costs of phasedown of operations and the return home of the deployed forces.

While a substantial portion of the costs have been reported, incremental costs are being and will continue to be incurred in subsequent months. These include equipment repair, rehabilitation, and restoration that have not so far been identified, long-term benefit and disability costs, and the costs of continuing operations in the region. About 40,000 military

4542-1

0068

personnel were in the region at the end of August, and approximately 13,000 reservists were still on active duty at that time. Significant progress has been made in returning equipment from Southwest Asia; however, considerable amounts of materiel, equipment, ammunition and vehicles still had not been shipped from the area at the end of August. Materiel still in theater includes some large, heavy pieces of equipment which are costly and time consuming to prepare and transport. Combat aircraft continue to fly in the region and the U.S. forces will continue to remain in the region until all parties are satisfied with long term security arrangements. The costs through August plus the other costs not yet reported are expected by the Department of Defense to result in total incremental costs of over $61 billion. A Department of Defense estimate of potential total incremental costs by major category of expense is attached.

Incremental Coast Guard costs through August in support of military operations in the Persian Gulf were revised from $34 million to $32 million to reflect actual payroll costs.

Contributions

Section 401 of P.L. 102-25 requires that this report include the amount of each country's contribution during the period covered by the report, as well as the cumulative total of such contributions. Cash and in-kind contributions pledged and received are to be specified.

Tables 10 and 11 list foreign contributions pledged in 1990 and 1991, respectively, and amounts received in September. Cash and in-kind contributions are separately specified.

As of October 11, 1991, foreign countries contributed $8.0 billion of the $9.7 billion pledged in calendar year 1990, and $41.2 billion of the $44.2 billion pledged in calendar year 1991. Of the total $49.2 billion received, $43.7 billion was in cash and $5.6 billion was in-kind assistance (including food, fuel, water, building materials, transportation, and support equipment). Table 12 provides further details on in-kind contributions.

Table 13 summarizes the current status of commitments and contributions received through October 11, 1991.

4-382-20

0069

Future Reports

As required by Section 401 of P.L. 102-25, the next report will be submitted by November 15th. In accord with the legal requirement, it will cover incremental costs associated with Operation Desert Storm that were incurred in September 1991, and foreign contributions for October 1991. Subsequent reports will be submitted by the 15th day of each month, as required, and will revise preliminary reports to reflect additional costs as they are estimated or re-estimated.

List of Tables

43442-5

0070

Table 1

SUMMARY 1/

INCREMENTAL COSTS ASSOCIATED WITH OPERATION DESERT STORM
Incurred by the Department of Defense
From August 1, 1990 Through August 31, 1991
($ in millions)
Preliminary Estimates

	FY 1990	FY 1991			Period and Preliminary
	Aug – Sep	Oct – July	This period August	Total through Aug	Aug 1990 – Aug 1991
(1) Airlift	412	2,341	106	2,447	2,859
(2) Sealift	235	3,512	74	3,586	3,821
(3) Personnel	229	5,154	214	5,367	5,590
(4) Personnel Support	352	6,525	478	7,003	7,354
(5) Operating Support	1,210	12,929	880	13,809	15,019
(6) Fuel	626	3,901	127	4,028	4,653
(7) Procurement	128	8,329	19	8,348	8,477
(8) Military Construction	11	855		855	866
Total	3,197	42,045	1,897	43,943	47,140 2/

Nonrecurring costs included above 3/	201	12,980	203	13,183	13,384
Costs offset by:					
In-kind contributions	225	5,229	65	5,294	5,519
Realignment 4/	913	59		59	972

1/ Data was compiled by OMB. Source of data -- Department of Defense. This report adjusts earlier estimates to reflect more complete accounting information.

2/ The costs reported so far are preliminary. This report includes an estimate of costs identified to date of equipment repair, rehabilitation, and maintenance caused by the high operating rates and combat use. Additional costs for these categories will be reported as more information becomes available. The report also includes many of the costs of phasedown of operations and the return home of the deployed forces. However, certain long-term benefit and disability costs have not been reflected in the estimates. These costs will be reported in later reports. The costs through August plus the other costs not yet reported are expected by the Department of Defense to result in total incremental costs of slightly more than $61 billion.

3/ Nonrecurring costs include investment costs associated with procurement and Military Construction, as well as other one-time costs such as the activation of the Ready Reserve Force ships.

4/ This includes the realignment, reprogramming, or transfer of funds appropriated for activities unrelated to the Persian Gulf conflict.

0071

Table 2

AIRLIFT

INCREMENTAL COSTS ASSOCIATED WITH OPERATION DESERT STORM
Incurred by the Department of Defense
From August 1, 1990 Through August 31, 1991
($ in millions)
Preliminary Estimates

	FY 1990	FY 1991			Partial and Preliminary
	Aug – Sep	Oct – July	This period August	Total through Aug	Aug 1990 – Aug 1991
Airlift					
Army	207	1,062	14	1,076	1,283
Navy	65	722	42	764	840
Air Force	114	520	50	580	684
Intelligence Agencies		1		1	1
Special Operations Command	6	27		27	33
Total	412	2,341	106	2,447	2,859

Nonrecurring costs included above		986	14	1,000	1,000
Costs offset by:					
In-kind contributions	7	94		94	101
Realignment 1/	6				6

1/ This includes the realignment, reprogramming, or transfer of funds appropriated for activities unrelated to the Persian Gulf conflict.

This category includes costs related to the transportation by air of personnel, equipment and supplies.

During this period over 550 redeployment missions were flown, transporting over 12,500 people and 5,600 short tons of cargo.

434 2 — 5

0072

Table 3

SEALIFT

INCREMENTAL COSTS ASSOCIATED WITH OPERATION DESERT STORM
Incurred by the Department of Defense
From August 1, 1990 Through August 31, 1991
($ in millions)
Preliminary Estimates

	FY 1990	FY 1991			Partial [illegible] Preliminary
	Aug – Sep	Oct – July	This period August	Total through Aug	Aug 1990 – Aug 1991
Sealift					
Army	123	2,798	46	2,844	2,967
Navy	89	417	21	438	527
Air Force	12	281	7	288	300
Defense Logistics Agency		14		14	14
Special Operations Command	2	2		2	4
Total	226	3,512	74	3,586	3,812

Nonrecurring costs included above	57	1,102	15	1,117	1,174
Costs offset by:					
In-kind contributions	2	142	9	151	153
Realignment 1/	2				2

1/ This includes the realignment, reprogramming, or transfer of funds appropriated for activities unrelated to the Persian Gulf conflict.

This category includes costs related to the transportation by sea of personnel, equipment and supplies.

During this period a total of 65 ships (21 of them foreign flag ships) made redeployment deliveries. Over 395,000 short tons of dry cargo were shipped back to the U.S. and Europe.

4344 2-6

0073

Table 4

PERSONNEL

INCREMENTAL COSTS ASSOCIATED WITH OPERATION DESERT STORM
Incurred by the Department of Defense
From August 1, 1990 Through August 31, 1991
($ in millions)
Preliminary Estimates

	FY 1990	FY 1991			Period end Preliminary
	Aug – Sep	Oct – July	This period August	Total through Aug	Aug 1990 – Aug 1991
Personnel					
Army	120	3,000	147	3,257	3,368
Navy	22	1,183	57	1,170	1,162
Air Force	75	980	10	850	1,035
Total	222	5,164	214	5,557	5,660

Nonrecurring costs included above		46		46	45
Costs offset by:					
In-kind contributions					
Realignment 1/	15				15

1/ This includes the realignment, reprogramming, or transfer of funds appropriated for activities unrelated to the Persian Gulf conflict.

This category includes pay and allowances of members of the reserve components of the Armed Forces called or ordered to active duty and the increased pay and allowances of members of the regular components of the Armed Forces incurred because of deployment in connection with Operation Desert Storm.

The previous October–July estimate has been reduced by 620 million due to a recalculation of active duty pay costs.

At the end of August about 13,000 Reservists were still on active duty and about 40,000 people were still in theater.

-7-

4342-7

0074

Table 5

PERSONNEL SUPPORT

INCREMENTAL COSTS ASSOCIATED WITH OPERATION DESERT STORM
Incurred by the Department of Defense
From August 1, 1990 Through August 31, 1991
($ in millions)
Preliminary Estimates

	FY 1990	FY 1991			Partial cost: Preliminary
	Aug – Sep	Oct – July	This period August	Total through Aug	Aug 1990 – Aug 1991
Personnel Support					
Army	268	4,058	471	4,559	4,760
Navy	104	578	6	580	785
Air Force	84	512	1	513	593
Intelligence Agencies	2	10		10	12
Defense Logistics Agency	12	16	1	17	20
Defense Mapping Agency		6		6	6
Special Operations Command	2	7		7	9
Office of the Secretary of Defense		10	0 1/	10	10
Total	352	5,525	478	6,003	6,354

Nonrecurring costs included above	4	1,242	154	1,396	1,400
Costs offset by:					
In-kind contributions	28	1,634	17	1,651	1,678
Realignment 2/	5				8

1/ Costs are less than $500 thousand.
2/ This includes the realignment, reprogramming, or transfer of funds appropriated for activities unrelated to the Persian Gulf conflict.

This category includes subsistence, uniforms and medical costs.

In August major costs were for subsistence, uniforms, and medical supplies.

-8- 4342-8

0075

Table 6

OPERATING SUPPORT

INCREMENTAL COSTS ASSOCIATED WITH OPERATION DESERT STORM
Incurred by the Department of Defense
From August 1, 1990 Through August 31, 1991
($ in millions)
Preliminary Estimates

	FY 1990	FY 1991			Period and Preliminary
	Aug – Sep	Oct – July	This period August	Total through Aug	Aug 1990 – Aug 1991
Operating Support					
Army	669	7,461	170	7,631	8,550
Navy	228	5,151	602	5,753	5,976
Air Force	60	2,225	107	2,332	2,403
Intelligence Agencies		1		1	1
Special Operations Command	15	55	2	57	62
Defense Communications Agency		1		1	1
Defense Mapping Agency	8	49		49	57
Defense Nuclear Agency		2		2	2
Office of the Secretary of Defense		3		3	3
Total	1,210	12,920	880	13,808	15,010

Nonrecurring costs included above		622		652	662
Costs offset by:					
In-kind contributions	167	1,676	7	1,684	1,851
Realignment 1/	698	12		12	710

1/ This includes the realignment, reprogramming, or transfer of funds appropriated for activities unrelated to the Persian Gulf conflict.

This category includes equipment support costs, costs associated with increased operational tempo, spare parts, stock fund purchases, communications, and equipment maintenance.

Costs reported during this period were for in-country support and for operating losses in the Navy Industrial Fund that were attributable to Desert Storm.

4342-9

0076

Table 7

FUEL

INCREMENTAL COSTS ASSOCIATED WITH OPERATION DESERT STORM
Incurred by the Department of Defense
From August 1, 1990 Through August 31, 1991
($ in millions)
Preliminary Estimates

	FY 1990	FY 1991			Partial and Preliminary
	Aug – Sep	Oct – July	This period August	Total through Aug	Aug 1990 – Aug 1991
Fuel					
Army	16	164	16	181	181
Navy	18	1,292	69	1,360	1,380
Air Force	137	2,493	21	2,514	2,651
Special Operations Command		12	1	13	13
Defense Logistics Agency	460				460
Total	625	3,961	127	4,088	4,653

Nonrecurring costs included above					
Costs offset by:					
In-kind contributions	21	1,222	62	1,284	1,305
Realignment 1/	60				60

1/ This includes the realignment, reprogramming, or transfer of funds appropriated for activities unrelated to the Persian Gulf conflict.

This category includes the additional fuel required for higher operating tempo and for airlift and sealift transportation of personnel and equipment as well as for the higher prices for fuel during the period.

The previous October–July estimate has been decreased by $30 million to correct double counting of Air Force fuel costs.

About 75 percent of the costs reported during this period were due to higher prices for fuel with the balance due to the higher operating tempo.

-10-

0077

Table 8

PROCUREMENT

INCREMENTAL COSTS ASSOCIATED WITH OPERATION DESERT STORM
Incurred by the Department of Defense
From August 1, 1990 Through August 31, 1991
($ in millions)
Preliminary Estimates

	FY 1990	FY 1991			Partial and Preliminary
	Aug – Sep	Oct – July	This period August	Total through Aug	Aug 1990 – Aug 1991
Procurement					
Army	48	2,404	12	2,416	2,465
Navy	47	2,415		2,415	2,462
Air Force	32	3,372	7	3,379	3,411
Intelligence Agencies	1	18		18	19
Defense Communications Agency		0 1/		0	0 1/
Special Operations Command		89		89	89
Defense Logistics Agency		4		4	4
Defense Mapping Agency		1		1	1
Defense Nuclear Agency		0 1/		0	0 1/
Defense Systems Project Office		1		1	1
Office of the Secretary of Defense		21		21	21
Total	128	8,329	19	8,348	8,477
Nonrecurring costs included above	128	8,329	19	8,348	8,477
Costs offset by:					
In-kind contributions		124		124	124
Realignment 2/	118	47		47	165

1/ Costs are less than $500 thousand.
2/ This includes the realignment, reprogramming, or transfer of funds appropriated for activities unrelated to the Persian Gulf conflict.

This category includes ammunition, weapon systems improvements and upgrades, and equipment purchases.

The previous October–July estimates have been increased by $10.6 million to reflect reestimates of costs of equipment to facilitate operations in Southwest Asia and of research and development through finalization of contracts, and to reflect revisions of costs of major end items of equipment lost.

The costs for August result primarily from the cost of Army munitions lost during a fire at Doha, Kuwait on July 17th. August costs for the Air Force reflect the impact on the test program for the Joint Surveillance Target Attack Radar System (Joint STARS) from deployment to Southwest Asia.

6302 -11-

0078

Table 9

MILITARY CONSTRUCTION

INCREMENTAL COSTS ASSOCIATED WITH OPERATION DESERT STORM
Incurred by the Department of Defense
From August 1, 1990 Through August 31, 1991
($ in millions)
Preliminary Estimates

	FY 1990	FY 1991			Partial and Preliminary
	Aug – Sep	Oct – July	This period August	Total through Aug	Aug 1990 – Aug 1991
Military Construction					
Army	7	354		354	360
Navy					
Air Force	4	2		2	6
Total	11	355		355	366
Nonrecurring costs included above	11	356		355	366
Costs offset by:					
In-kind contributions		338		338	338
Realignment 1/	11				11

1/ This includes the realignment, reprogramming, or transfer of funds appropriated for activities unrelated to the Persian Gulf conflict.

This category includes the cost of constructing temporary billets for troops, and administrative and supply and maintenance facilities.

No costs were reported during this period.

4142 -12-

0079

Table 10

FOREIGN CONTRIBUTIONS PLEDGED IN 1990 TO OFFSET U.S. COSTS 1/
($ in millions)

	Commitments			Receipts in September			Receipts through October 11, 1991			Future Receipts
	Cash	In-Kind	Total	Cash	In-Kind	Total	Cash	In-Kind	Total	
GCC STATES	5,844	1,051	6,845				4,056	1,051	5,557	1,659
SAUDI ARABIA	2,474	855	3,330				656	855	1,761	1,659 2/
KUWAIT	2,500	6	2,506				2,500	6	2,506	
UAE	870	180	1,050				870	180	1,050	
GERMANY 3/	272	800	1,072				272	782	1,054	18 4/
JAPAN 3/	1,084	656	1,740				1,084	571	1,655	85 5/
KOREA	50	30	80				50	30	80	
BAHRAIN		1	1					1	1	
OMAN/QATAR		1	1					1	1	
DENMARK		1	1					1	1	
TOTAL	7,250	2,490	9,740				5,662	2,387	8,049	1,690

1/ Data was compiled by OMB. Sources of data: commitments -- Defense, State, and Treasury; cash received -- Treasury; receipts and value of in-kind assistance -- Defense.

2/ This is reimbursement for enroute transportation through December for the second deployment and for U.S. in-theater expenses for food, building materials, fuel, and support. Bills for reimbursement have been forwarded to Saudi Arabia.

3/ 1990 cash contributions were for transportation and associated costs.

4/ An accounting of in-kind assistance accepted by U.S. forces is under way. It is expected that this accounting will conclude that the German commitment has been fully met.

5/ Resolution of balance is under discussion and should be received shortly.

43-42-18-

0080

Table 11

FOREIGN CONTRIBUTIONS PLEDGED IN 1991 TO OFFSET U.S. COSTS 1/
($ in millions)

	Commitments 2/			Receipts in September			Receipts through October 11, 1991			Future Receipts
	Cash	In-Kind	Total	Cash	In-Kind	Total	Cash	In-Kind	Total	
GCC STATES	26,868	3,150	30,058	1,216	59	1,275	24,058	3,150	27,185	5,032
SAUDI ARABIA	10,460	3,011	13,500	501	57	558	9,660	3,011	12,677	123
KUWAIT	13,468	31	13,500	715	2	717	11,230	31	11,421	2,078
UAE	3,000	55	3,055				3,000	55	3,060	
GERMANY	6,500		6,500				6,500		6,500	
JAPAN 3/	8,332		8,332				8,332		8,332	
KOREA 4/	100	175	275		-3	-3	100	30	130	125
DENMARK		11	11					11	11	
LUXEMBOURG		6	6					6	6	
OTHER	4	[illegible]	6				4	2	6	
TOTAL	40,894	3,324	44,218	1,216	59	1,273	37,992	3,183	41,180	3,028

1/ Data was compiled by OMB. Sources of data: commitments — Defense, State, and Treasury; cash received -- Treasury; receipts and value of in-kind assistance — Defense.

2/ 1991 commitments in most instances did not distinguish between cash and in-kind. The commitment shown above reflects actual in-kind assistance received unless specific information is available.

3/ 1991 cash contributions are for logistics and related support.

4/ The reduction of $3 million in September reflects a re-pricing of transportation assistance previously provided.

4342 -14-

0081

Table 12

DESCRIPTION OF IN-KIND ASSISTANCE RECEIVED TO OFFSET U.S. COSTS AS OF SEPTEMBER 30, 1991
($ in millions)

	Calendar Year 1990	Calendar Year 1991
SAUDI ARABIA .... Host nation support including food, fuel, housing, building materials, transportation and port handling services.	855	5,011
KUWAIT .... Transportation	6	31
UNITED ARAB EMIRATES .... Fuel, food and water, security services, construction equipment and civilian labor.	130	68
GERMANY .... Vehicles including cargo trucks, water trailers, buses and ambulances; generators; radios; portable showers; protective masks, and chemical sensing vehicles	782	
JAPAN .... Construction and engineering support, vehicles, electronic data processing, telephone services, medical equipment, and transportation.	571	
KOREA .... Transportation and replenishment stocks	50	60
BAHRAIN .... Medical supplies, food and water	1	
OMAN/QATAR .... Oil, telephones, food and water	1	
DENMARK .... Transportation	1	11
LUXEMBOURG........ Transportation		6
OTHER .... Transportation		2
TOTAL	2,397	5,189

43 42 -15-

0082

Table 13

FOREIGN CONTRIBUTIONS PLEDGED IN 1990 AND 1991 TO OFFSET U.S. COSTS
COMMITMENTS AND RECEIPTS THROUGH OCTOBER 11, 1991 1/
($ in millions)

	Commitments			Receipts 2/			Future Receipts
	1990	1991	Total	Cash	In-kind	Total	
GCC STATES	6,845	30,088	36,932	28,812	4,132	32,444	4,492
SAUDI ARABIA	3,339	13,500	16,839	10,852	3,676	14,458	2,411
KUWAIT	2,506	13,500	16,006	13,350	37	13,327	2,079
UAE	1,000	3,088	4,088	3,870	218	4,088	
GERMANY	1,072	6,500	6,572	5,772	782	6,554	16 3/
JAPAN	1,740	8,332	10,072	9,416	571	9,987	55 4/
KOREA	80	275	355	150	69	219	136
OTHER	3	23	26	4	22	26	
TOTAL	9,740	44,218	53,958	43,654	5,676	49,329	4,700

1/ Data was compiled by OMB. Sources of data: commitments — Defense, State, and Treasury; cash received — Treasury; receipts and value of in-kind assistance — Defense.

2/ Cash receipts are as of October 11, 1991. In-kind assistance is as of September 30, 1991.

3/ An accounting of in-kind assistance accepted by U.S. forces is under way. It is expected that this accounting will conclude that the German commitment has been fully met.

4/ Resolution of balance is under discussion and should be resolved shortly.

4342 -16

0083

ATTACHMENT

Department of Defense Preliminary Estimate of Full Incremental
Desert Shield/Desert Storm Costs
($ in Billions)

	Reported 1 August 1990-31 August 1991	DOD Estimate of Additional Potential Expenses	Total Reported Plus Potential Costs *
Airlift	2.9	.1	3.0
Sealift	3.8	1.8	5.6
Personnel	5.6	1.6	7.2
Personnel Support	6.4	.6	7.0
Operating Support	15.0	5.0	20.0
Fuel	4.7	.8	5.5
Investment	8.5	--	8.5
Military Construction	.4	-	.4
Present Value of Long Term Personnel Benefits	-	3.9	3.9
Total	47.1	14.0	61.1 *

(May not add due to rounding)

Estimating the full incremental cost of Desert Shield/Desert Storm requires assumptions about the scope and extent of operations in the region, the level of activity to occur in the phasedown period, the number of people and time it will take to prepare equipment and materiel for return, the availability of transportation, and needed equipment repair, rehabilitation and restoration due to combat stress, to name several of the more significant factors. Estimates may change as more information becomes available. It should be noted that substantial numbers of people and quantities of equipment and materiel remained in theater at the end of August.

o About 40,000 troops were in the region at the end of August, and approximately 13,000 reservists were still on active duty at that time.

o Significant amounts of materiel, equipment, ammunition and vehicles had not been shipped from Southwest Asia at the end of August. Materiel still in theater includes the large, heavy pieces of equipment which are costly and time consuming to prepare and transport.

o Combat aircraft continue to fly in the region and U.S. forces will continue to remain in the region until all parties are satisfied with long term security arrangements.

* A substantial fraction but not all of these costs require appropriations.

4542-17 (END)

2094

원 본

외 무 부

종 별 :

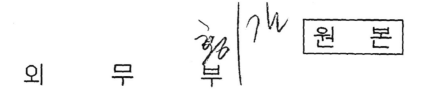

번 호 : USW-5521 일 시 : 91 1107 1855

수 신 : 장 관 (미일,미이,중동이)

발 신 : 주 미 대사

제 목 : 걸프전 전비

1. 금 11.7 국방부 정례 브리핑시 PETE WILLIAMS대변인은 최근 걸프전비에 관한 GAO보고서 가사실과 다르게 우방국의 걸프전 지원금 총액이 실제전비보다 과다하여 8억불의 잉여금이 발생할것이라는 추측을 불러 일으키고 있다고 지적하면서, 실제로는우방국이 걸프지원금 총액을 전부지불해도 28억불의 부족분이 발생하며, 이는 미정부가 부담해야 한다고 발표함.

2. 동 대변인은 걸프전비 총액은 (1) FY 91/92미 국방예산 추가 소요분 471억불,걸프전 관련 미군인사에 대한 장기 보조금 39억불, (3) 우방국의 대미 현물등 지원및 주재국 지원분 58억불, (4)FY 90 미국의 걸프전비 사용금 31억불, (5) 대체계획이없는 소모군장비 12억불등 총611억불이며, 이중 FY 91/92 미 국방예산 추가소요분및미군인사에 대한 장기보조금(총액 510억불)은 우방국의 걸프지원 현금총액(현물등 기타지원 제외)인 482억불로 충당되어야 하며, 따라서 28억불의 부족이 발생한다고 부연함.

3. 동 관련 발표문은 금파편 송부함.끝.

(대사 현홍주-국장)

미주국 안기부 장관 차관 1차보 미주국 중아국 외정실 분석관 청와대

PAGE 1 91.11.08 13:53 WH

외신 1과 통제관

0085

주 미 대 사 관

미국(정) 700 - 2391 1991.11. 8.

수신 : 장 관

참조 : 미주국장, 중동아프리카국장

제목 : 걸프전 전비

연 : USW - 5521

연호 걸프전비 관련, 11.7. 국방부 발표문을 별첨 송부합니다.

첨부 : 동 발표문 1부. 끝.

91.11.08

주 미 대 사

64467

0086

DEFENSE DEPARTMENT REGULAR BRIEFING BRIEFER: PETE WILLIAMS
12:02 P.M. EST THURSDAY, NOVEMBER 7, 1991

Okay, the only other announcement that I have -- or the only other thing I wanted to discuss with you is we've had a couple of questions here before about **Gulf War costs.** And I wanted to readdress that issue in part because I've got some better numbers here, and in part because of a GAO report that says -- that implies in one

place, but not in another place. I mean, if you read the whole GAO report, it's pretty -- it's pretty good, but it implies at the beginning that somehow we're going to end up with more money than we got -- let me rephrase that. It implies that we're going to end up with some money left over from the **Foreign Contributions** Account, and that's not correct. The GAO statement implies that the Gulf War contributions will exceed the costs, and that is not correct. That part of the GAO report is misleading.

But if you -- as I say, if you read the whole GAO report, it eventually gets it right. But let me break the costs down for you. We think that the cost estimate for Desert Storm will be about $61 billion, and that will exceed the foreign pledges for operation. But let me walk through these figures for you, and tell you why we believe that there will be no money left over from the foreign contributions.

The '91 -- FY '91 and '92 **incremental costs** to the Department of Defense, the number we have for that right now -- and recognize that as I give you these numbers they all have the potential to go up a little, but we think they're coming in for a landing here, and we have a pretty firm handle on them. But the '91/'92 incremental costs will be $47.1 billion, $47.1 billion. Now, beyond '92 we will still have some obligations from the war. These are mostly long-term personnel costs: benefits; additional benefits that were earned as a matter of people staying on, for example, beyond retirement; or reservists coming on active duty; some additional benefits that were approved by Congress in the supplemental that was passed earlier this year. The total cost, we estimate, of these long-term personnel benefits that would be funded '91/'92 and later are $3.9 billion.

Now, further looking at costs -- that's 3.9 -- $3.9 billion. Looking at other costs --

Q Million or billion?

MR. WILLIAMS: "Billion", with a "B" as in "boy." Other costs, assistance in kind and host nation support, which is a cost of the war, not a cost to DOD, but a cost of the war, 5.8 billion [dollars] in assistance in kind and host nation support.

Another category is costs incurred in fiscal year '90 that have already been funded by US appropriations, and that's $3.1 billion. Now we have discussed that in here before, we talked about it last fall. You will recall that we absorbed, of that figure, $3.1 billion, let me break that down further for you. That's FY-'90 costs that we have already paid for.

We absorbed $1.1 billion of that by basically reprogramming from the '90 budget, and then we got a $2 billion supplemental, you

0087

will recall, in fisc= year '90. So there is th —3.1 billion. And in the final category of cost would be $1.2 billion worth of US equipment that was in essence consumed by the war that we are not going to replace, equipment that was worn out in the war, was destroyed in the war, otherwise consumed in the war. So let me just go through those one more time.

Ninety-one, '92, DOD incremental costs, 47.1 billion [dollars]. Long-term personnel benefits 3.9 billion [dollars]. Assistance in kind and host nation support 5.8 billion [dollars]. FY-'90 costs funded by US appropriations, 3.1 billion [dollars], and equipment not replaced 1.2 billion [dollars]. So that's total costs of $61.1 billion.

Now, the cash cost to the Defense Department is just the first two numbers that I gave you, the 47.1 [billion dollars] and the 3.9 [billion dollars] is 51 billion [dollars] for the cash cost that we are stuck with for '91 and '92. The allies have pledged basically $48.2 billion, so that leaves a $2.8 billion cash shortfall. I'll do that one more time.

We estimate the cost as the first two figures to us, that is the cash cost of the department, 47.1 [billion dollars] and 3.9 [billion dollars] for a total of 51 [billion dollars]. The allies have pledged 48.2 [billion dollars], so that leaves us with a $2.8 billion shorfall that we are going to have to get funded by supplemental appropriation from Congress to reach into that $15 billion fund that they set up last year for the war.

Any questions about that? Juan?

Q Yeah, I have a question that may be basic, but what do you mean by assistance in kind and host nation support? Is it US -- **Saudis** --

MR. WILLIAMS: No. No, it's mostly Saudi support and Saudi in-kind support: fuel, transportation, food, lodging, billeting, that kind of thing. But --

Q I thought they were giving that as part of the --

MR. WILLIAMS: Well, but you still have to consider it a cost of the war.

Q You mean, this is US support to the Saudis?

MR. WILLIAMS: No. This is support to the United States. This is Saudi support to the United States. In other words, instead of giving us the money for it, they gave it to us in kind. It's a cost we incurred, but they paid for it.

Q Why don't you put that under the allied contribution category?

MR. WILLIAMS: It is in the allied contribution. It's in the in-kind contribution category, but it's not in the cash contribution category.

Q That's part of the 48.2 billion [dollars]?

0088

MR. WILLIAMS: It is not -- it is not |—t of the $48.2 billion pledged in cash. If you want to track just the cash, it's the first two numbers that I gave you, 47.1 [billion dollars] in DOD costs and 3.9 [billion dollars] in personnel benefits that we're still going to have to pay. Those are the obligations that we still face that we have to pay in cash. And they've pledged $48.2 billion in cash. But the total cost of the war is $61 billion.

Suzanne?

Q As a cost of the war, why don't you include the FY '90? If that's right, what the 3.1 billion is? And also, the equipment.

MR. WILLIAMS: We do. We do. That is a total cost, 61.1 [billion dollars]. But we've already paid the '90 costs. We don't need to have contributions from the allies to pay those. Those are already paid by the United States. The equipment, we've already bought. We're not going to replace it, but it was consumed by the war, so you have to consider it a cost of the war.

But if you want to just keep track of the cash contributions and what we need to go back to Congress for, the GAO is wrong in saying that we're going to have enough money from the allies and we're going to come out $800 million ahead. That's not right. We will have to go back to Congress probably for $2.8 billion.

Q Why don't we make them replace what we used up in the war?

MR. WILLIAMS: Make who replace? The allies?

Q Our allies.

MR. WILLIAMS: Well, we've just chosen not to do that. We've just chosen to incur that cost.

Q Make the taxpayers pay for it.

MR. WILLIAMS: That's right.

Q Just to make sure, by consume, do you mean destroyed, worn out, whatever?

MR. WILLIAMS: Yes. Exactly.

Q Ammunition and things like that?

MR. WILLIAMS: That would be part of the incremental costs. Ammunition, food, things like that would be covered under the 47.1 billion [dollars], the first one, the incremental costs.

Q Pete, when you say the total cost of the war, is this total cost of the war to the United States or total cost of the war to the coalition?

MR. WILLIAMS: Well, I'm not a -- I don't know what it cost the **Egyptians** and the **Syrians** and that kind of thing. This is total costs to the United States, $61.1 billion. Now, some of that $61.1

billion was covered b— ost nation support and in||nd contribution. So that's why you have to include all those when you're looking at the cost of the war, though.

Q I don't have a GAO report in front of me or the stories about it, but they seem to think that there was like an $800-million --

MR. WILLIAMS: Exactly. They said that --

Q Where did they go wrong, then, in your point of view, in their calculations, even though you say they finally got it right?

MR. WILLIAMS: They do -- if you look toward the full -- if you read the whole report, they sort of come around to this, they kind of work themselves around to it by the end of the report. But the beginning of the report is misleading.

Q The summary.

MR. WILLIAMS: Yeah. The conclusion or whatever they call it, at the beginning?

Eric?

Q Pete, does this mean that we've received all the contributions from our allies that we're going to receive?

MR. WILLIAMS: No, we have not yet gotten them all. But this is -- the 48.2 is basically their commitments. We have about $45 billion so far, in cash.

Q That's why we have to go back to Congress to dip into that fund?

MR. WILLIAMS: No, we --

Q The 2.8 --

MR. WILLIAMS: No, we're assuming that they'll give us the full 48.2 that they've pledged.

Q I understand, but it's not as if they're -- they always see more beyond --

MR. WILLIAMS: Correct.

Q -- what's -- (inaudible) --

MR. WILLIAMS: That's right, that's right.

Q Pete, who's the deadbeats with the $3.2 billion? (Scattered laughter.)

MR. WILLIAMS: It's a little bit of everybody.

Q Can you provide that on paper for us?

0090

4

MR. WILLIAMS: 1, yeah, we do. DDI has =it.

Q Okay.

MR. WILLIAMS: Yes, sir?

Q Pete, would you have any breakdown on the equipment that was destroyed or --

MR. WILLIAMS: The $1.2 billion in equipment not replaced?

Q (Inaudible.)

MR. WILLIAMS: I don't have it but I'll see if I can get it. What's the breakdown of the $1.2 billion in equipment consumed by the war?

Q You're talking major casualties, not -- major.

MR. WILLIAMS: You want major stuff, right?

Q Yeah. You know, how many tanks, how many planes --

MR. WILLIAMS: Right. Okay. And that's equipment not replaced.

Okay. Anything else on that?

Q Jut sort of to help me understand, Pete, if you take the 48.2 that you have in contributions --

MR. WILLIAMS: That have been pledged in contributions.

Q That have been pledged in contributions, plus the Saudis' in-kind donations of 5.8 and subtract that figure from the $61 billion, it cost about $8 [billion] or $9 billion to the US Treasury for the war?

MR. WILLIAMS: No, because what the United States will pay -- if you're looking for what the United States will pay, you have to look at the 47.1 billion [dollars] in '91 and '92 costs, at the 3.9 billion [dollars] that we'll be paying later in personnel costs that are liabilities that we've incurred now that we've got to pay out. That's for '91 and '92. You have to also look at the 3.1 billion [dollars] that we've already appropriated and we've already shelled out, and did that in FY '90. So you have to at least look at those figures. And then you ought to throw in the 1.2 billion [dollars] of equipment not replaced.

Q So, in the final -- so if you take it to $15 billion cost to the United States Treasury, that is really the true figure that the United States winds up paying --

MR. WILLIAMS: No, we won't pay the full 15 billion [dollars]. That's what Congress has set side as an account -- you know, what Congress did is they set up two accounts. They set up the foreign contributions account, and all the cash and in-kind contributions -- well, the cash contributions go in there, the cash contributions from the coalition partners, which is basically Saudi Arabia, Kuwait, the UAE, Japan, Germany, Korea and some of the other allies. That goes into a cash contribution account.

Then we have another account that Congress set up, $15 billion that we can dip out of as we need to. Now, the only appropriation that Congress has so far approved out of that $15 billion, by the way, is $320 million that they approved for costs of Operation Provide Comfort. So we have yet to really dip into there for this $2.8 billion that we think we're going to need to come up with.

Q That is expected to be our total out of pocket?

MR. WILLIAMS: Well, except we've already paid $3.1 billion in '90. We're not going to replace $1.2 billion worth of equipment. Let me do this. I think what I hear here is a question of how much is this going to cost the US. And let me

Okay. Anything else?

Q What happens to the remainder of that 15 billion [dollars]? Can that be used for other DOD purposes or does that revert to --

MR. WILLIAMS: No, it can't. I am not positive about it, Eric, and rather than speculate on what I think it does -- I think Congress has set aside what happens to that money, but let me take that question, too. I think they've already decided on what happens to the money that isn't encumbered by the war, and what happens to the rest of the $15 billion. We'll check on that, too.

6 (END) 0092

정 리 보 존 문 서 목 록					
기록물종류	일반공문서철	등록번호	2020120233	등록일자	2020-12-29
분류번호	721.1	국가코드	US	보존기간	영구
명 칭	걸프사태 : 한.미국 간의 협조, 1990-91. 전9권				
생 산 과	북미1과/중동1과	생산년도	1990~1991	담당그룹	
권 차 명	V.8 대영국 지원문제				
내용목차	2.13 Weston 외무부 부차관 방한(걸프전 전비 분담 요청) 3.20 대영국 전비 지원(3천만불) 결정 주한영국대사관 측에 통보 6.21 걸프전 지원금 송금 * 걸프 지원금의 대영국 할당문제				

0001

관리 번호	91/979

원 본

외 무 부

종 별 :

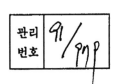

번 호 : UKW-0301 일 시 : 91 0201 1900

수 신 : 장관(중근동,구일,미북)

발 신 : 주 영 대사

제 목 : 걸프사태

당관 조참사관이 2.1(금) HUGH DAVIED 극동과장 면담시 동 과장은 아국정부의 걸프전 관련 추가지원 발표에 대해 언급하고, 영정부가 일본, 독일등에 경제적 지원을 요청하고 있음을 상기 시키면서 증대하는 전비보전을 위해서 여러가지 가능한 방안을 모색하고 있는 바, 아직 한국에 특별한 지원을 요청할 방침이 결정된 것은 없다고 가볍게 언급했으니 참고바람. 끝

(대사 오재희-국장)

예고: 91.12.31 일반 검토필(1991.6.30.)

중아국 장관 차관 1차보 미주국 구주국

PAGE 1

91.02.02 07:17

외신 2과 통제관 BT

0002

오검토

관리 번호	91-356

외 무 부

종 별 : 지 급

번 호 : UKW-0375 일 시 : 91 0208 1910

수 신 : 장관(중근동,미북,구일)

발 신 : 주 영 대사

제 목 : 걸프전쟁-영 외무성 부차관 방한

금 2.8(금) 본직의 SIR PATRICK WRIGHT 사무차관에 대한 이임 예방시 동 차관은 외무성 JOHN WESTON 정무담당 부차관의 내주초 방한 희망을 피력한 바, 아래 보고함.(황서기관 배석)

1. 영측 언급요지

가. 연합군중 영국군의 규모는 미국에 이어 2 위인 바, 이에따르는 재정적 부담이 막대하여 크게 우려하고 있음. 지금까지 12.5 억 파운드가 전비로 지출된것으로 추산됨

나. 현재 연합국내 전비 조달 체제가 확립되어 있지 않은 상태에서 연합국은 각자 이를 해결해야 하는 형편임. 영국은 상당수 나라에게 전비협조를 요청하고자 하는 바, 그 일환으로 J.WESTON 부차관이 금주말 일본 방문하며, 이어서 내주초 한국 방문하기를 희망함

다. 영국은 군사적 기여(지상군 병력)의 규모면에서 미국의 약 8 프로를 점하고 있음. 따라서 걸프전 재정지원액중 미국이 받는것의 약 8 프로를 영국이 차지하기를 희망함. 예컨데 일본의 경우, 기 약속한 추가 90 억달러 지원액중 8 프로 정도가 영국을 위해 지원되기를 기대하고 있음.

라. 구체적 협의를 위해서 한국 외무부 간부와 면담하기를 희망하며, 동건 주선을 주한 영대사에게 기 지시하였음

마. 한국대사관으로서도 상기 영국입장을 본국에 보고하고, 필요한 면담주선 되도록 협조 당부함.

2. 본직은 상기를 본부에 보고하겠다고 말하고 WESTON 부차관의 방한이 유용한것이 되기를 바란다고 말함

3. 상기와 관련 (가) 한. 영 관계의 긴밀성 및 영국의 6.25 참전, (나) 영국의

중아국 장관 차관 1차보 2차보 미주국 구주국 청와대 안기부

PAGE 1 91.02.09 07:45

외신 2과 통제관 BT

0003

걸프지역에서의 역사적 관련성 및 금번 전쟁에서의 영국의 군사적 역할등에비추어 전후 처리문제에 있어서도 영국이 주요역할을 담당할 것이라는 점 및 (다) 금후 한반도 문제에 대한 영국의 계속적인 지지 확보 필요성등을 감안, 아국으로서 영국에 대하여도 적절한 규모의 지원이 필요하다고 사료되므로 WESTON 부차관 방한과 관련, 이를 적극 검토할것을 건의함. 끝

(대사 오재희-차관)

예고:91.12.31

검토필 (1991.6.30.) 인

일반문서로 재분류(1991.12.31.)

PAGE 2

0004

관리 번호	91-1632

최근 영국 정부의 걸프전 전비 비용분담 주장 관련 정부 입장

91.2.

안 고 지	북미과	91년 2월 9일	담 당	과 장	심의관	국 장	차관보	차 관	장 관
			(서명)	(서명)					

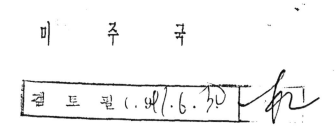

미 주 국

검 토 필 (. 91. 6. 30) (서명)

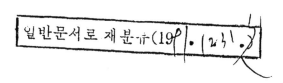

일반문서로 재분류(1991. 12. 31.)

0005

1. 영국측 주장 내용 요지

o EC 통합문제를 둘러싼 대처 수상 사임으로 새로이 출범한 메이저 수상 내각은 걸프전 관련 EC 회원국들의 산발적 군사력 파견등 EC내 공동 외교. 안보정책 부재에 노골적 불만 표시중임.

- 비용 분담 문제도 계속 제기중

o 걸프전 참전 연합국중 영국군 규모는 2위이며 현재까지 12.5억 파운드의 전비를 지출한 바 있음.

- 지상군 병력 규모면에서 미군의 약 8%

o 우방국의 대미 전비 지원액의 8% 정도가 영국에 할당되기를 희망함.

- 일본, 한국 정부에 동 희망 전달을 위해 John Weston 외무성 정무 담당 부차관을 2.13(수) 파한 예정임을 주영 대사에 2.8(금) 통보

2. 최근 걸프전 수행 관련 영국 외교적 노력

o 1.22. 메이저 수상, 하원 연설

- EC 회원국의 산발적 걸프전 지원 상황 개탄

- 영.불.이 3국을 제외한 기타 EC 국가들의 인색한 재정 지원 또는 군수품 지원 불만 표시

0006

o 1.24. 영.불 외상회담

- 종전후 중동 평화체제 및 걸프전 수행 비용분담 논의

o 1.24. 구주의회 스트라스부르그 본회의

- 걸프전 ~~관련~~ 에 관한 결의안 채택 표결~~[illegible]~~ 논의시 영국은 EC 회원국들간의 공동 외교.안보 정책 추진 필요성 강조

o 1.26. 국무성 Allan Clark 국무상 BBC 라디오 회견

- 걸프전에 대한 EC 회원국의 기여가 보잘것 없음에 불만 표시

o 1.27-28. 영 언론보도

- 영국 정부는 일일 평균 3.6백만 파운드 전비 충당을 위해 우방국 기여금 할당 또는 EC 차원에서 독일등의 지원 요청 방안 추진 보도

o 1.30. 영.독 외상회담

- 91년 1.4분기중 2억7,500만 파운드 및 군장비 제공 합의

o 1.31. Tom King 국방장관, 하원 발언

- 걸프전 참전 영국군 4만명, 매일 4만파운드 전비 소요

o 2.1. 주영 대사관, Hugh Davied 극동과장 면담

- 영국정부, 일본, 독일등에 경제적 지원 요청중임을 상기
- 아직 한국에 지원 요청 방침 미정

0007

ㅇ 2.4(월) 브랏셀 개최 EC 외상회담

- 영.불에 대한 군비 지원은 각국의 자발적 기여를 권장

ㅇ 2.8(금) 홍콩 의회, 영국군에 2,940만불 재정지원 발표

3. 영국 정부 전비 요청시 말씀 자료

가. 영국 정부의 전쟁 수행 적극 기여 경의 표시

ㅇ 영국 정부가 미국에 이어 두번째 규모로 육.해.공 병력을 투입 걸프전 수행에 적극 참여하여 쿠웨이트내 이라크군 축출이라는 UN 결의의 목표 달성을 위해 최선을 다하고 있음에 경의를 표함.

나. 우리 지원 내용 설명

ㅇ 지난해 8월 걸프사태 발발이후 한국 정부는 무력에 의한 침략 행위는 용인되어서는 안된다는 국제정의의 원칙, 국제법 및 UN 결의를 존중한다는 의미에서 대이라크 경제제재 조치의 적극 참가하고 다국적군 지원과 주변국 경제지원을 위해 총 2억2천만불의 지원을 약속한 바 있음.

ㅇ 동 지원의 상세 구성은 미국등에 다국적군 대한 현금, 수송지원으로 1억 5백만불, 주변국 경제 지원에 1억1,500만불을 지원하되, 90년중 1억7천만불, 91년중 5천만불을 지원할 예정임. 또한 150명 규모의 군 의료 지원단을 파견한 바 있음.

0008

o 지난 1.17. 걸프전 발발이후, 다국적군측의 엄청난 전비와 재정 수요를 조금이라도 덜어주기 위해 한국 정부는 2억8천만불 추가 지원키로 결정하여 총 5억불을 지원키로 하였으며, C-130 군 수송기 5대 및 150여명으로 구성된 수송 지원단을 파견키로 하였음.

o 동 추가 지원액 2억8천만불은 미국을 비롯한 다국적군만에 대해 군수물자 1억7천만불 상당과 현금, 수송지원 1억1천만불을 지원할 예정이나 상세 지원 방법은 한.미 양국간 협의를 거쳐 결정할 예정임.

다. 최근 어려운 국내 경제 여건 설명

o 한국은 90년중 무역적자가 48억불 규모로 증가했으며, 91년 1월중 우리의 무역 적자는 통관 기준 17억불에 달하고 있고, 앞으로의 전망도 매우 어두운 바, 수출 신용장 내도액은 작년 동기 대비 0.1% 증가에 머물고 있는 반면 수입 면장 발급액은 66.2%나 증가하여 국제수지 적자가 위험 수위에 올라 있음. 또한 원유가 상승 등으로 인해 물가가 앙등하고 있고 스태그플레이션이 심화되는 등 우리 경제는 극심한 어려움을 겪고 있음.

0009

o 한국은 금번 걸프 전쟁으로 인하여 건설공사 미수금(15억불), 건설 장비, 자재 손실, 공사 중단으로 인한 손해 등 약 50억불의 피해를 보고 있으며, 걸프 지역 아국 근로자(1,360명) 철수 비용도 국고로 부담했음.

o 금년에 경제 상황이 점차 악화되는 가운데 지방자치제 선거를 실시 하는 등 국내 경제.정치 상황은 더욱 어려워질 전망임. 따라서 경제 위기마저 초래될 가능성을 배제할 수 없음.

o 이러한 어려운 경제 여건하에서 다국적군 지원 및 주변국 경제지원을 위한 아측의 기여액 5억불(90년도 약속액 220백만불, 금번 추가 지원 280백만불)은 우리의 재정 능력상 제공 가능한 최대의 금액임.

- 더 이상의 지원은 우리 재정 및 경제 사정상 불가능한 실정임.
- 아측의 현재까지의 기여금은 상기한 바와 같이 계 5억불로 인정 되어야 함.
- 주변국 지원에 관하여는 작년도 약속액(1억불)의 상당 부분이 상금도 집행되지 않고 있음.

o 아국의 군 의료 지원단 기 파견 및 군 수송단 파견 계획이 아국의 적극적인 기여로 인정되어야 함.

0010

라. 자체 방위비 부담 내용 설명

o 한국은 주한 미군 주둔 경비를 지원하고 있으며 방위비 직접 부담금이 매년 상당 규모로 증가하고 있음.

- 1990년도 7천만불
- 1991년도 1억5천만불

o 한국은 남.북한 분단으로 자체 안보에 막대한 경비(전체 예산의 30%)를 사용하고 있으며, 미국의 동맹국중 GNP 대비 국방 예산 비율이 가장 높은 국가임.

4. 영국 정부 요청내용 신중 검토 예정

가. 주영 대사 건의

o 주영 대사도 한.영간 전통적 우호 협력관계, 6.25. 전쟁시 영국의 지원등을 고려 금번 영국 정부의 요청을 긍정적으로 검토하여 줄 것을 건의한 바 있어 영국측 요청을 신중 검토하겠음.

- 걸프 지역에 대한 영국의 역사적 관련성, 걸프전 수행에 있어서의 영국의 군사적 역할 및 전후 처리 문제에 있어 영국의 영향력등 감안
- 금후 한반도 문제에 대한 영국의 계속적 지지 확보 필요성 고려

0011

나. 추가 지원의 상세 집행 방법 미정

o 한국이 추가 지원키로 한 2억8천만불의 상세 집행방법은 향후 미국측과 협의 결정 예정임.

- 1억7천만불 규모의 군수 물자중 상세 지원 품목 협의 미 개시
- 1억1천만불 규모의 현금, 수송지원 배분도 미정

5. 대미 협의 진행 요청

가. 아국 지원 대상은 다국적군 전체

o 한국의 걸프전 관련 추가 지원의 대상은 미국을 포함한 다국적군 전체이며 어느 특정 국가를 대상으로 하고 있는것이 아님.

나. 미국과의 협의 필요성 지적

o 그러나 한국의 지원이 당초 미국을 염두에 두고 결정한 내용이고 현재 우방국들의 걸프전 관련 지원액의 사용에 대한 배분 체제가 확립되어 있지 않는 상황에서 지원 제공국이 이를 분할하기에는 문제가 있을 것임.

o 그러므로 영국 정부도 미국측과 동건 관련 협의를 통해 원만한 해결을 보는 것이 바람직할 것임.

0012

관리 번호	91-357

	분류번호	보존기간

발 신 전 보

번 호 : WUS-0533 910210 1827 DA 종별 :

수 신 : 주 미 대사 .총영사

발 신 : 장 관 (미북)

제 목 : 걸프 지원금의 대영국 할당

1. 주영 대사 보고에 의하면, 영국 정부는 연합국중 영국군이 차지하는 기여도(미국에 이어 2위)와 막대한 전비 지출(현재까지 12.5억 파운드)에 비추어 우방국들이 영국에 대하여도 재정지원을 해줄 것을 아국에 정식 요청하여 온 바 있음.

2. 영국 정부는 군사적 기여면에서 미국의 약 8%을 점하고 있으므로 걸프전 재정지원액중 미국이 받는 액수의 8%를 영국이 차지하기를 희망하고 이를 협의하기 위해 Weston 영국 외무부 정무담당 부차관을 일본과 한국(2.13)에 파견 예정이라고 함.

3. 이와관련, 영국 정부가 미국측과 사전에 협의가 있었는지 여부, 만일 협의가 있었다면 미국측은 어떠한 입장을 표명하였는지 등 관련사항에 관하여 지급 파악 보고 바람. 끝.

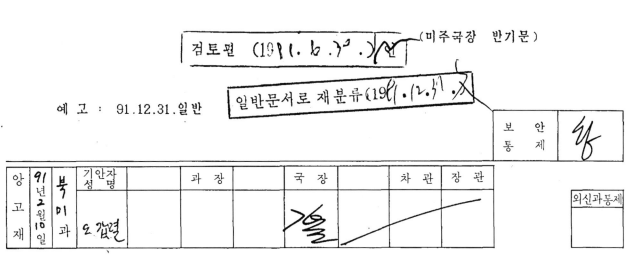

(미주국장 반기문)

검토필 (1991. 6. 30.)

일반문서로 재분류(1991.12.31.)

예 고 : 91.12.31.일반

보 안 통 제	

앙 고 재	91년 2월 10일	북미과	기안자 성 명		과 장		국 장		차 관	장 관
			오갑렬							

외신과통제

0013

관리 번호	91-369

	분류번호	보존기간

발 신 전 보

번 호 : WJA-0582 910210 1827 DA 종별 :

수 신 : 주 일 대사. 총영사

발 신 : 장 관 (미북)

제 목 : 걸프 지원금의 대영국 할당

1. 주영 대사 보고에 의하면, 영국 정부는 연합국중 영국군이 차지하는 기여도(미국에 이어 2위)와 막대한 전비 지출(현재까지 12.5억 파운드)에 비추어 우방국들이 영국에 대하여도 재정지원을 해줄 것을 아국에 정식 요청하여 온 바 있음.

2. 영국 정부는 군사적 기여면에서 미국의 약 8%을 점하고 있으므로 걸프전 재정지원액중 미국이 받는 액수의 8%를 영국이 차지하기를 희망하고 이를 협의하기 위해 Weston 영국 외무부 정무담당 부차관을 일본과 한국에 파견 예정이라고 함.

3. 동 부차관은 2.13. 방한전 방일 예정이라고 하는 바, 동건에 대한 일본 정부의 입장을 사전 파악 보고하고, 동 부차관의 방일 결과도 파악 보고바람.

끝.

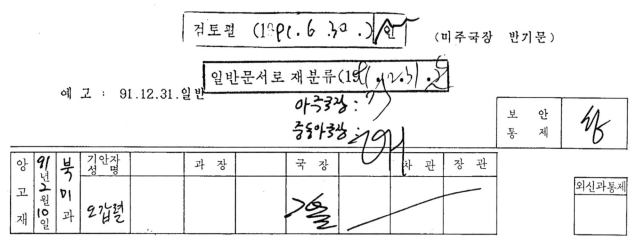

검토필 (1991.6.30.) (미주국장 반기문)

일반문서로 재분류(1991.12.31.)

예 고 : 91.12.31.일반

아주국장 :
중동아국장

보 안 통 제	

앙 고 재	91년 2월 10일	북미과	기안자 성명		과 장		국 장		차 관	장 관
			오갑렬							

외신과통제

0014

관리 번호	91-363

	분류번호	보존기간

발 신 전 보

번 호 : WUK-0260 910210 1828 DA 종별 :

수 신 : 주 영 대사 . 총영사

발 신 : 장 관 (미북)

제 목 : 걸프전 관련 영국 외무부 부차관 방한

대 : UKW-0375

대호, 영국 정부가 걸프전 관련 대미 재정지원액중 약 8%를 영국에 할당해 주기를 원하는 영국측 희망을 미국 정부와 일차적으로 협의한 사실이 있는지 여부와 협의를 한 경우 미측 반응에 관하여 지급 파악 보고 바람. 끝.

(미주국장 반기문)

예 고 : 91.12.31.일반

검토필 (1991. 6. 30.)

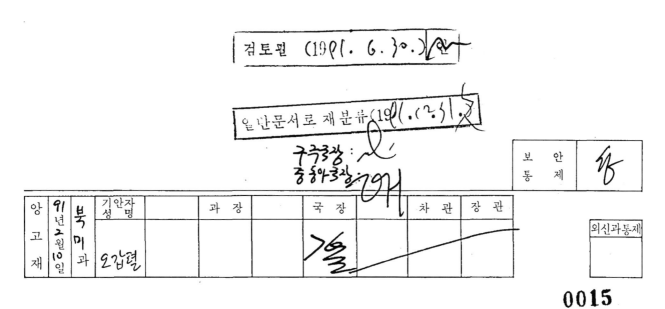

일반문서로 재분류(1991.12.31.)

보안 통제	

앙 고 재	91년 2월 10일	북미과	기안자 성명		과 장		국 장		차 관	장 관
			오갑렬							

외신과통제

0015

관리 번호	91-395

6/6

英国의 걸프戰 戰費分担 要請

1991. 2.

검토필 (1991. 6. 30.) 인

일반문서로 재분류(1991. 12. 31.)

外 務 部

구주국장 :

중동·아국장 : 대책본부장 :

앙고재	북미과	91년 2월 11일	담 당	과 장	심의관	국 장	차관보	차 관	장 관
									보고필

0016

英國政府는 最近 駐英大使 및 駐韓 英國大使를 통하여 友邦國들이 美國에 既 約束한 財政支援額의 8%를 割當해 주기를 희망하면서, 同 問題 協議를 위해 웨스턴 外務部 政務擔當 副次官을 2.13(水) 派韓 豫定임을 通報해 왔는 바, 政府 對應方向 및 關聯 事項 아래 報告드립니다.

英国 政府의 要請

ㅇ 91.2.8(金) 패트릭 롸이트 外務部 事務次官, 오재희 駐英大使에게 友邦國들이 美國에 既 約束한 財政支援額의 約 8%를 英國에 割當해 주기를 希望함

- 걸프戰 参戦 聯合国中 英国軍 規模는 2位이며, 2.8 現在까지 25億弗의 戰費를 支出
- 地上軍 兵力 規模面에서 美軍의 8%

ㅇ 데이비드 롸이트 駐韓 英國大使도 最近 이홍구 駐英大使 内定者에게 여사한 英國側 要請을 傳達함

ㅇ 존 웨스턴 外務部 政務擔當 副次官이 韓國 政府에 同 希望 傳達을 위해 2.13(水) 訪韓 豫定

- 同 副次官은 同一 目的으로 訪韓前 訪日 豫定

0017

各国의 対英国 支援現況

國　家	支援内容	備　考
獨　逸	5億5千萬弗 및 軍裝備	91年 1/4分期中 支援
쿠웨이트	13億弗	쿠웨이트 國王과 허드 英國 外相間 合意
사우디	額數未詳	食品, 燃料, 輸送支援 提供中
홍　콩	3,000萬弗	병참, 醫療等 非軍事的 分野 支援
덴마크	軍需物資	
日　本	額數 未詳	

対応方向

ㅇ 英國만을 위한 別途의 追加支援을 考慮하지 않음.

- 28個 多國籍軍 參加國들의 個別的 戰費分擔 要請 先例 可能性

ㅇ 本件은 英國政府로 하여금 多國籍軍을 主導하고 있는 美國 政府와 直接 協議토록 勸誘함

- 또한 我國이 英國側의 希望을 美側에 傳達

0018

政府立場 說明 豫定 內容

o 韓國 政府는 武力에 의한 侵略이 容認되어서는 안된다는 國際正義와 國際法 原則을 尊重하고, 유엔安保理 決議들의 履行을 支援한다는 基本 原則下에

- 1次로 多國籍軍 支援 및 周邊國 經濟支援에 2億2千萬弗을 支援하고, 이와 別途로 軍 醫療支援團 150名을 派遣하였으며,

- 2次로 多國籍軍을 위해 2億8千萬弗을 支援키로 하고, C-130 軍 輸送機 5台 및 運營要員 150名의 軍 輸送團을 派遣하였음.

o 우리의 이러한 支援은 多國籍軍에 대한 一括的 支援으로서 個別國家를 對象으로 하고 있지 않음

o 現 우리의 어려운 經濟與件上 多國籍軍 支援 및 周邊國 經濟支援을 위한 韓國의 寄與額 5億弗은 우리의 財政能力上 提供 可能한 最大의 額數임

- 90年中 貿易赤字 48億弗 示顯
- 91年 1月中 貿易赤字 17億弗
- 原油價 上昇으로 인한 物價 仰騰

0019

- 걸프戰 關聯, 建設工事 未收金 15億弗, 裝備와 資材損失 및 工事 中斷으로 인한 損害가 總 50億弗

  . 勞動者 1,360名 撤收費用도 國庫負擔

o 따라서 이 問題에 대해서는 多國籍軍을 主導하고 있는 美國 政府와 우선적으로 協議해야 할 사항임

  - 우리도 美國側에 英國側 希望을 傳達하겠음

添 附 : 1. 英國軍의 多國籍軍 參與現況

2. 최근 걸프戰 遂行 關聯 英國政府의 外交的 努力. 끝.

일반문서로 재분류 (1991 . 12. 31.)

0020

(添 附 1)

英国軍의 多国籍軍 参与現況

1. 多國籍軍 派遣 現況

国 家	軍事力 派遣 現況	備 考
英 国	ㅇ 兵 力 : 40,000名 ㅇ 탱 크 : 170台 ㅇ 航空機 : 72台 ㅇ 艦 艇 : 16隻	91.2.9 現在 戰費 12.5億 파운드 支出 - 每日 平均 4百万파운드 戰費支出

2. 醫療支援 現況

国 家	内 訳
英 国	. 野戦病院(医師200名, 400病床) (約 1,500名의 追加 軍 医療陣 派遣 準備中)

0021

(添 附 2)

最近 걸프戰 遂行 關聯 英国 政府의 外交的 努力

o 1.22 메이저 首相, 下院 演説
- EC 會員國의 散發的 걸프戰 支援 狀況 慨嘆
- 英. 佛. 伊 3國을 除外한 其他 EC 國家들의 인색한 財政支援 또는 軍需品 支援 不滿 表示

o 1.24 英. 佛 外相會談
- 終戰後 中東平和體制 및 걸프戰 遂行 費用分擔 論議

o 1.24 歐洲議會 스트라스부르그 本會議
- 걸프戰에 관한 決議案 採擇 票決 論議時 英國은 EC 會員國들간의 共同外交. 安保政策 推進 必要性 強調

o 1.26 國防省 Alan Clark 國務相 BBC 라디오 會見
- 걸프戰에 대한 EC 會員國의 寄與가 보잘것 없음에 不滿 表示

o 1.31 Tom KIng 國防長官, 下院 發言
- 걸프戰 參戰 英國軍 4萬名, 每日 4百萬파운드 戰費 所要

o 2.4(月) 브랏셀 開催 EC 外相會談
- 英. 佛에 對한 軍費支援은 各國의 自發的 寄與를 勸奬

0022

145

관리 번호	91-316

원 본

외 무 부

종 별 : 지 급

번 호 : UKW-0386 일 시 : 91 0211 1600

수 신 : 장관(미북,구일,중근동)

발 신 : 주 영 대사

제 목 : 걸프전(영 외무성 부차관 방한)

대: WUK-0260

연: UKW-0375

1. 연호, 사무차관이 말한 8% 희망은 연호 1 항(다)에서 기술한 바와같이 미국이 받는 액수의 8%에 해당하는 별도 영국에 대한 지원임. 따라서 대미 지원액중의 8%를 의미하는 것은 아님.

2. 금 2.11(월) 아침 본직은 전화로 SIR PATRICK WRIGHT 사무차관에게 상기1 항 확인한 바, 영국은 미국이 걸프전관련 지원받는 액수의 약 8%에 해당하는액수를 별도로 받기를 희망하는 것이라고 이를 재확인함. 동 차관은 따라서 이문제는 영국과 지원국간의 양자관계에 관한 것이며, 동 관련 미국과 협의한 사실이 없고, 미국과 협의할 필요도 없다고 본다고 말함.

3. 동 차관은 한편, 일본의 경우에는 90 억달러 추가공약이 미국만을 대상으로 하는것이 아니고 연합국을 대상으로 하고있기 때문에 그중에서 미국이 받는액수의 8% 정도를 받기를 희망하고 있다고 첨언함. 끝

(대사 오재희-국장)

예고: 91.12.31 일반

검토필 (1991.6.30.)

일반문서로 재분류(1991.12.31.)

미주국 장관 1차보 2차보 구주국 중아국

PAGE 1

91.02.12 05:23

외신 2과 통제관 EE

0023

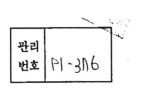

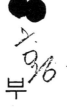

관리번호	91-374

원 본

외 무 부

종 별 :

번 호 : UKW-0387 일 시 : 91 0211 1620

수 신 : 장관(미북,구일,중근동)

발 신 : 주 영 대사

제 목 : 걸프전(영 외무성 부차관 방한)

연: UKW-0375

금 2.11(월) 본직의 MR.A.BURNS 외무성 차관보에 대한 이임 예방시, 동 차관보 언급중 표제관련 특기사항 아래 보고함.

1. J.WESTON 부차관은 항공편상 2.13(수) 한국을 먼저 방문하고, 이어서 동일중으로 일본방문 예정임.

2. 아시아에서는 홍콩이 지난 2.8(금) 1,500 만 파운드를 영국에 지원하기로 결정, 발표하였음. 끝

(대사 오재희-국장)

예고: 91.12.31 일반

검토필 (1991. 6. 30.)

일반문서로 재분류(1991.12.31)

미주국 장관 1차보 2차보 구주국 중아국

PAGE 1

91.02.12 05:41

외신 2과 통제관 EE

0024

관리번호	91-300

원 본

외 무 부

종 별 : 지 급

번 호 : USW-0702 일 시 : 91 0211 1856

수 신 : 장관(미북,구일)

발 신 : 주 미 대사

제 목 : 걸프 지원금의 대영국 할당

대: WUS-0532,0533

표제 관련, 국무부 한국과및 북구과(영국 담당과)등에 대호 사항을 문의하였는바, 국무부측은 명일중 미측 입장을 당관에 전달해 올것이라 함.

(대사 박동진-국장)

91.12.31 일반

검토필 (1991.6.30.)

일반문서로 재분류(1991.12.31.)

미주국 장관 차관 1차보 2차보 구주국 중아국

PAGE 1

91.02.12 09:40

외신 2과 통제관 BW

0025

관리번호	91-1948

報 告 畢

長 官 報 告 事 項

1991. 2. 12.
歐 洲 局
西 歐 1 課 (91-14)

題 目 : 英國 外務部 國防擔當 副次官 訪韓

John Weston 英國 外務部 國防擔當 副次官이 걸프 戰爭 戰費 分擔 問題를 協議하기 위하여 2.13(水) 訪韓 豫定인 바, 同人 訪韓時 第 2 次官補 主催로 아래와 같이 午餐을 겸한 業務協議를 가질 豫定임을 報告드립니다.

1. 日時 및 場所

- 2.13(수) 12:00 ~ 신라호텔(팔선)

2. 參席範圍

- 영측 : Weston 부차관, 주한 영국대사관 Jackson 참사관
- 아측 : 제2차관보, 미주국장, 구주국장

3. 滯韓 日程

- 2.13(수) 09:40 KAL 865편 착한
  - 11:00 이홍구 주영대사 내정자 예방
  - 14:30 주한 미국대사 면담
  - 16:00 박정수 외무통일위원장 예방
  - 18:30 NW 060편 이한

4. 웨스톤 副次官 人的事項

일반문서로 재분류(1991.12.31.)

- 연령: 53세
- 경력: 주미 참사관, 국방과장, 차관보, 주불공사, 내각실 부실장, 국방담당 부차관(현재). 끝.

검 토 필 (1991.6.30.)

0026

예고 : 91.12.31.일반

관리번호	91-313

원 본

외 무 부

종 별 : 지 급

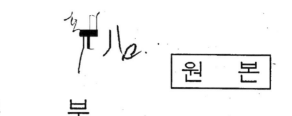

번 호 : USW-0728 일 시 : 91 0212 1849

수 신 : 장관(미북)

발 신 : 주 미 대사

제 목 : 걸프 지원금의 대영국 할당

연: USW-0702

1. 연호 관련 금 2.12 국무부 한국과 BRUCE CARTER 담당관이 당관 임성남 서기관에게 알려온바에 따르면, 걸프 사태 관련 대영 재정 지원 문제는 순전히 한영 양국간의 문제이며, 한국측의 대영 지원은 걸프 사태 관련 대미 지원과는 별도로 고려되어야할 것이라는 요지의 하기 미측 입장을 주한 미 대사관을 통해 아측에 전달할 예정이라함.

THE U.K. IS AN IMPORTANT MEMBER OF THE COALITION AGAINST IRAQI AGGRESSION IN KUWAIT. U.SK. FORCES ARE PLAYING A SIGNIFICANT ROLE IN THE GULF WAR. THE U.S. GOVERNMENT IS CLOSELY CONSULTING WITH U.K. ON VARIOUS ASPECTS OF GULF OPERATIONS. HER MAJESTY'S GOVERNMENT IS AWARE OF THE LEVEL OF CONTRIBUTION KOREA IS MAKING TO THE MULTINATIONAL EFFORT.

IT IS PUBLIC KNOWLEDGE THAT THE U.K. IS ASKING FOR CONTRIBUTIONS TO SUPPORT ITS MILITARY PRESENCE IN THE GULF. WE ARE NOT, HOWEVER, COORDINATINGTHIS ISSUE. WE BELIEVE THAT THE QUESTION OF KOREAN ASSISTANCE TO U.K. FORCES IN THE GULF IS PROPERLY A BILATERAL ISSUE BETWEEN ROK GOVERNMENT AND HER MAJESTY'S GOVERNMENT.

WE EXPECT THAT SUCH ASSISTANCE WOULD BE CONSIDERED SEPARATE FROM THE AMOUNT WE HAVE SUGGESTED AS AN APPROPRIATE LEVEL OF SUPPORT FOR U.S. USE INDESERT STORM.

2. 전기 입장을 작성하는 과정에서 미영간의 협의는 전혀 없었다하며, 국무부 북구과 EILEEN MALLOY 영국 담당관에 따르면 FINANCIAL TIMES 지등 주로 영국언론에서 걸프 사태 관련 영국의 재정 지원 확보 노력을 그간 자주 보도 했었다함.

미주국 장관 차관 1차보 2차보 구주국 중아국

PAGE 1

91.02.13 10:03

외신 2과 통제관 BW

0027

(대사 박동진-국장)

91.12.31 일반

검토필 (1991.6.30.)

일반문서로 재분류(1991.12.31.)

PAGE 2

0028

관리 번호	91-460

원 본

김(홍) 한국 기감에 갱의에 참조

외 무 부

종 별 : 지 급

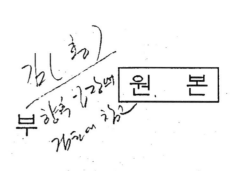

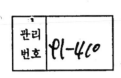

번 호 : JAW-0728 일 시 : 91 0213 1433

수 신 : 장관(미북,중근동,아일) 사본:주영대사-본부중계필

발 신 : 주 일 대사(일정)

제 목 : 걸프지원금의 대영국 할당

대:WJA-0582

1. 대호 관련, 작 2.12. 저녁 당관 박승무 정무과장은 외무성 이또 서구 2 과장을 면담, 일정부의 표제관련 입장을 문의하였는바, 동 내용을 다음과 같이 보고함.

가. 제 1 차 할당

0 일정부가 90.9 월 발표한 다국적군에 대한 지원액 20 억불중 영국에 대해서는 이미 5 천만불이 공여완료된 상태임.

- 페만 평화기금 운영위원회에 일본의 "온다"주사우디대사가 멤버가 되어 일본이 공여한 지원액 배분 과정에서 일정부 의향을 반영토록 하고 있음.

0 동 5 천만불은 비행기차타등 수송대금으로 사용토록 하였음.

나. 추가할당

0 영국측은 일본이 91.1 월 발표한 추가지원 90 억불 가운데 일정액을 다국적군에 참가하고 있는 영국에 할당 받고 싶다는 요청을 해 왔음.

0 이러한 요청은 여러 레벨에서 행해지고 있는바, 특히 90 억불 추가지원 발표직후 하드 영국 외무장관은 여사한 내용의 나까야마 외상앞 메세지를 보내 왔음.

0 영국측은 다국적군에서의 공헌도가 미국대비 8 프로 라고 일측에 설명하고는 있으나 8 프로 할당지원을 요청하고 있지는 않음.

(영국측은 1) 영국이 미국 다음으로 다국적군에 공헌하고 있으므로, 2) 이에 따른 영국의 지출에 상응하는 지원을 요청하고 있음)

0 지난주 영국측으로 부터 긴급한 정무협의를 위해 WESTON 외무부차관이 일본방문을 하겠다는 요청이 있었으나 동기간중 "오와다"외무심의관이 외국출장중이어서 2.14(목) 오후 협의를 가지기로 하였음.

0 90 억불 추가지원에 대해서는 아직 국회에서 심의중이므로 현시점에서 미국에

미주국 장관 차관 1차보 2차보 아주국 중아국 청와대 총리실 안기부

PAGE 1

91.02.13 15:59

외신 2과 통제관 BN

0029

어느정도 할당하고 영국 또는 GULF 관계국에 어느정도 할당할 것인가는 외무성으로서 아직 정식으로 검토를 시작하지 않고 있는 상황인바, 금번 WESTON 부차관과의 협의시도 일측은 구체적인 자원액은 제시하지 않을 것임.

2.WESTON 부차관의 방일 결과 추보 예정임.끝.

(대사 이원경-국장)

예고:91.12.31. 일반

일반문서로 재분류(1991.12.31.)

검 토 필 (1991.6.30.)

PAGE 2

0030

김 MEMO
(홍공관)

관리번호	91-455

심의관:

분류기호 문서번호	구일 202-259	협조문용지 ( )	결재	담당	과장	국장
시행일자	1991. 2. 18.					
수신	미주,중동아프리카 국장	발신	구주국장 (서명)			
제목	영국 외무부 부차관 방한 결과 보고서 송부					

걸프전 전비분담 협조 요청차 2.13 (수) 방한한 John Weston 부차관과 제 2차관보간의 협의 내용을 별첨 송부하니 업무에 참고 하시기 바랍니다.

첨부 : 면담요록 및 청와대보고 사본 각 1부. 끝.

예고 : 91.12.31. 일반

검토필(1991.6.30.)

일반문서로 재분류(1991.12.31.)

0031

면 담 요 록

1. 일 시 : 1991 년 2 월 13 일 (수) 12:00 ~ 13:45

2. 장 소 : 신라호텔 팔선(중국식당)

3. 면 담 자 : 이기주 차관보, John Weston 영국 외무부 국방담당 부차관
   (배석 : 미주국장, 서구1과장, 주한영국대사관 Jackson 참사관)

4. 내 용 :

이 차관보 :

- ㅇ 걸프전 전망은 어떤지?

Weston 부차관:

- ㅇ 현재 이락 지상군이 20-25% 정도 파괴되었는 바, 그 정도는 지상전 개시하기에 충분하지 않으며 더 많은 시간이 필요함.
- ㅇ 걸프전 전망은 정치적 요소, 라마단, 기후, 화학무기 사용 가능성 등이 고려되어야 할 것임.

이 차관보:

- ㅇ 일부 소식통에 의하면 쿠웨이트내 이락군에 5-6개월 정도 지탱할 보급품이 있다고 하는 데?

Weston 부차관:

- ㅇ 연료, 물의 경우에는 6개월 정도 비축분이 있을 것이나 기타의 경우는 그렇지 않음. 북부 쿠웨이트의 경우 탄약이 6일 정도 비축분을 가지고 있고 유프라테스강 이남의 경우 16일분 정도로 보고 있음.

0032

미주국장:

o 지상전이 개시될 경우 언제 끝날 것으로 보는지?

Weston 부차관:

o 1달 정도 걸릴 것으로 보나 불확실성이 많음.

o 그간 주영대사 및 주한 영국대사를 통하여 걸프전 관련, 재정지원을 요청한 것으로 알고 있으며 이에 대한 보충설명을 위하여 메이저 총리 및 허드 외무장관의 특별지시에 따라 방한하였음.

o 영국은 걸프전 참전국중 지상군수가 미국에 이어 제 2위인 바,현재 40,000명 이상의 지상군을 파견하고 있으며, 이는 참전규모(fighting commitment)에 있어 8-10%에 해당함. 40,000명은 현 주한 미군수와 거의 비슷한 숫자임.

o 영국은 한국전에 총 28,000명이 참전하였는 바, 이는 한 시점에서 16,000명이 참전한 셈임. 한국전으로 영국군이 1,000명이 죽고 2,500명이 부상당했으며 1,000명이 포로가 되는 등 한국을 위하여 피를 흘렸음.

o 금번에 본인은 걸프지역에 직접적인 이해관계가 있는 나라를 방문, 재정 지원을 요청하고 있는 바, 한국과는 전통적 우방 관계에 있으며 경제 관계도 긴밀하며 또한 한국은 걸프지역에 크게 의존하고 있음.

o 그간 15억 파운드의 전비가 소요되었으며 전반적 부대 비용이 30억 파운드에 달함.

o 영국 정부는 이러한 전비를 세금으로 일부 부담코자 하나, 재정적인 어려움으로 우방국의 지원을 요청하는 바임.

0033

o 쿠웨이트 및 독일은 영국이 미국에 대한 지원액의 8%를 받아야 된다는 점을 인정, 이에 상응한 액수의 재정지원을 약속하였으며 일본도 다국적군에 대한 90억불의 재정지원금중 10억불을 영국에 제공할 것임을 시사해 왔음.

o 영국은 그간 한국과 군사적 정치적 유대감을 표시하여 왔으며 유엔에서 한국의 유엔 가입 지지를 위한 핵심 지지그룹으로 활동하고 있음. 또한, 금년이 글로스터 연대의 격전 40주년이 되는 해이며 동 행사를 위해 당시 참전하였던 북아일랜드 담당 장관이 방한 예정임. 더우기 걸프전에 참전중인 6개의 regiment 가 한국전에 참전한 부대라는 역사적인 연결성도 갖고 있음.

o 찰스 황태자의 방한이 추진되고 있으며 한.영 관계의 새로운 전기가 될 것임.

이기주 차관보:

o 한국전 참전 및 국제무대에서의 계속적인 지지에 감사하며 쿠웨이트 주권 회복과 걸프지역 평화정착을 위한 영국의 노력을 높이 평가함.

o 우리 정부는 걸프 사태와 관련 유엔 제결의를 지지하고 있으며, 우리의 지지를 보여주기 위하여 5억불의 지원과 의료단 및 군수송기 파견을 결정하였음. 이러한 지원은 특정한 국가에 대한 지원이라기 보다 다국적군 전체에 대한 것이었음.

o 영국측 요청에 대하여 고위 당국에 보고하고 관계부처와 협의, 알려 주겠음.

0034

Weston 부차관:

- 1차 지원액중1억은 주변국에 대한 지원이고 1억 2천은 미국에 대한 지원이며 2차 지원액 2억 8천중 1억 7천만불은 미국에 대한 지원으로 알고 있음.

이기주 차관보:

- 솔직히 말해서 한국으로서는 영국으로부터 이러한 재정적 지원 요청을 예상치 않았음.

미주국장:

- 미 재무장관이 한국을 방문, 재정지원을 요청하였으때 다국적군을 대표해서 하는 것으로 이해하였음.

- 미국, 영국 이외의 국가가 재정지원을 요청할 가능성은 없는지?

- 5억불 지원은 우리의 재정능력상 제공 가능한 최대한의 지원액인 바, 추가지원은 어려움.

Weston 부차관:

- 한국이 30억불을 소련에 제공하면서 참전중인 우방인 영국에 대하여 재정지원을 하지 않을 경우 허드장관이 영국 의회에 이를 이해시키기 어려움.

이기주 차관보:

- 30억불은 단순한 공여가 아니라 순수한 상업적 베이스의 차관임.

- 또한 여타 참전국들이 동일한 요구를 해 올 가능성도 있어 한국의 입장이 매우 어려움. 불란서도 12,000명의 지상군을 파견하고 있음.

0035

Weston 부차관:

o 지상군의 수나 참전 결의 등 모든 면에서 불란서와 비교하기 어려움. 불란서는 걸프전에 있어 다소 편의적 거리(Convenient distance)를 유지하고 있음.

o 2차 재정 지원액에 대하여 국회에서 문제없이 통과된 것으로 알고 있음. 이중 1.1억에 대한 사용계획이 결정되었는지?

미주국장:

o 2억 8천만불에 대한 상세 배분문제는 아직 정해져 있지 않음.

o 4월 임시국회에서 추경 예산을 배정 받아야 하는 바, 만일 추경 예산이 시기적으로 늦다고 판단되면 우선 예비비(emergency fund)를 당겨 쓰고 추경으로 보전하는 방안을 생각하고 있음.

o 현재 국회에서 정확한 세부 사용 용도 등에 대하여 확정하지 않았으며 미측과 협의하여야 함.

이기주 차관보:

o 우리는 2억 8천만불이 다국적군을 위한 것으로 설명한 바 있으나 미국측의 인식은 우리와 상이할 가능성이 있음.

Weston 부차관:

o 그 사용내역은?

미주국장:

o 1억 7천만불은 물자지원이며 1억 1천만불은 일부 현금, 여타 운송장비등임.

o 만일 미국과 이 문제에 대한 협의에 대비, 영국은 어떤 형태의 지원을 원하는지?

0036

Weston 부차관:

- o 현금이 가장 도움이 될 것임.

- o 좀 솔직하게 말한다면 귀국이 우리의 도움이 필요할때 우리가 도와주었듯이 이제 우리가 귀국의 도움이 필요할 때 우리를 도와주기 바람.

- o 일단 국회 승인이 난 2.8억불중에서 지원 받는 것이 쉬울 것으로 보이는 바, 이중 3천-4천만불 지원해 주면 감사하겠음..

이기주 차관보:

- o 미국은 2.8억불을 미국에 대한 지원으로 생각할 가능성이 있음. 동 문제를 아국이 미국과 협의하기를 원하면 그렇게 할 용의도 있으나 미국측의 인식이 문제임.

Weston 부차관:

- o 원칙적으로 공여국의 입장이 결정적인 요소라고 생각함. 만일 우리가 미국과의 협의를 원했었다면 서울에 오지 않고 직접 워싱턴으로 갔었을 것임.

미주국장:

- o 영국측의 요청을 진지하게 검토하겠음.

Weston 부차관:

- o 귀국의 입장을 긍정적인 것으로 보아도 될런지?

0037

이기주 차관보:

- 외무부 단독으로 결정할 사항이 아니며 고위 당국과도 협의 하여야 함. 예산 문제가 걸려 있어 부처간 협의도 필요함.
- 귀하의 설명(points)에 유의하겠으며 현재로서는 어떤 이야기도 할 수 없음.

Jackson 참사관:

- 영국내 public perception은 일찍 지원을 결정하는 것이 매우 중요하다는 것임.

Weston 부차관:

- 2-3주 내 회신하여 주시면 감사하겠음.

이기주 차관보:

- 우리 신문, 방송은소련에 대한 30억불 지원에 매우 비판적이었으며, 2.8억불 지원에 대하여도 비판적이었음. 현재 우리 경제 상황은 무역적자에 허덕이고 있으며 금년 1월에는 17억불의 적자를 기록하는 등 어려운 상황에 있음.

Weston 부차관:

- 2.8억불 의회 승인시 지원 대상국을 명시하였는지?

미주국장:

- 명시적으로 언급하지 않았으나 국회나 일반국민은 미국에 대한 지원으로 일반적으로 인식하고 있음.

Weston 부차관:

- 외무부는 긍정적으로 건의할 것인지?

이기주 차관보:

- 귀하의 points를 전달하겠으며 협의해 봐야 함.

0038

Weston 부차관:

- o 전후 문제와 관련 4가지 주요 과제가 있는 바, 첫째로 즉각적인 안보회의 개최, 둘째는 여타 지역 강대국에 의해 지지되는 지역내 다각적인 협력망(network of arrangements) 구축, 셋째는 동 지역의 힘의 균형 문제가 논의될 것인 바, 상호 신뢰 구축 및 군축문제가 포함될 것이며 걸프지역에만 제한되지는 않을 것이며 이스라엘도 포함될 것임. 네번째는 이 지역의 경제 재건임. 이 4개의 요소가 전후 시나리오의 골자임.

이기주 차관보:

- o 전후 복구사업에 누가 경비를 지원할 것인지? 특히 이락의 경우, 재정사정, 원유 수출 쿼타등에 비추어 자금조달이 문제가 있을 수 있을 것임.

Weston 차관보:

- o 본인도 경비조달에 문제가 있다고 봄. 그러나 이락에 온건한 지도자가 등장할 경우 상당한 원조를 기대할 수 있을 것임.

이기주 차관보:

- o 사담 후세인 대통령이 전후에도 권력을 유지할 것인지?

Weston 부차관:

- o 이는 순전히 사담 후세인 자신에 달려 있음. 그러나 상황 여하에 따라서 서방제국은 좋든 싫든간에 당분간 사담 후세인과 공존하여야만 할 가능성도 배제할 수 없음.
- o 이락은 이제 3주나 견디냈으므로 승리한 것으로 말하고 있음.
- o 후세인 대통령이 잔인한 행동, 생화학 무기사용, 조직적인 유전 파괴등을 하지 않고 철수하는 경우 후세인 대통령을 제거하기는 어려움. 끝.

예고: 1991. 12. 31. 일반

0039

관리번호	91-455

英国의 걸프戰 戰費 分担 要請

1991. 2.

外 務 部

0040

걸프戰爭 戰費 分擔問題를 協議하기 위하여 2.13(水) 訪韓한 John Weston 英國 外務部 國防擔當 副次官(政務總括)과 當部 이기주 第2次官補間의 協議 內容 및 向後 對應 方向을 아래 報告드립니다.

英国側 要請内容 要旨

- ㅇ 英國은 걸프戰에서 地上軍 規模等에 비추어 美國의 8-10%에 相應하는 戰爭責任 遂行
  - 쿠웨이트 및 獨逸도 이 점을 認定, 이에 相應하는 支援 約束

- ㅇ 日本은 多國籍軍에 대한 90億弗의 財政支援金中 10億弗을 英國에 提供할 것임을 示唆해 왔음

- ㅇ 英國과 韓國은 혈맹의 關係로 6.25 當時 韓國의 獨立과 主權을 守護하기 위해 많은 英國軍이 韓國 땅에서 피를 흘림

- ㅇ 英國은 그간 韓國에 대하여 外交的으로 全幅的인 支持를 提供하여 왔으며, 最近에는 韓國의 유엔 加入 支援을 위한 核心支援國으로 活動中임

0041

o 과거 韓國이 必要로 할 때 英國이 支援하였듯이 이제 英國이 韓國의 도움을 必要로 하고 있음.
英國이 바라는 支援 額數는 3-4千萬弗 規模임

o 韓國이 蘇聯에 대하여 30億弗을 提供하면서 參戰中인 友邦 英國에 대하여 財政支援을 하지 않을 경우 英國 議會에서도 問題로 提起될 것임

o 上記 要請은 메이저 總理와 허드 外務長官의 特別指示에 의한 것임

o 韓國側 立場을 2-3週內에 알려 주시기를 期待함

我側 言及要旨

o 韓國戰 參戰 및 그동안 國際舞台에서의 繼續된 支持에 感謝하며 쿠웨이트 主權回復과 걸프地域 平和定着을 위한 英國의 努力을 높이 評價함

o 우리政府는 걸프事態와 關聯 유엔 諸決議를 支持하고 있으며 우리의 支持를 보여주기 위해 5億弗 支援과 醫療團 및 軍輸送機 派遣을 決定하였음

o 이러한 支援은 特定한 國家에 대한 支援이라기 보다 多國籍軍 全體에 대한 것이었음

0042

o 蘇聯에 대한 30億弗 供與는 순수한 商業 베이스의 借款임

o 上記 5億弗 支援은 우리의 財政能力上 提供 可能한 最大限의 支援額인 바, 英國側 要請을 上部에 報告하고 關係部處間 協議하여 我側 立場을 알려 주겠음

評 価

o 我國이 금번 英國側 支援要請에 대해 消極的인 反應을 보일 경우, 英國側은 크게 失望할 것이며, 따라서 今後 韓.英 協力關係에도 影響을 미칠 것으로 感觸됨

向後 対策

o 걸프戰爭 推移를 보아가며 周邊國에 대한 經濟支援과 함께 追後 別途 檢討함(但, 당분간은 現在 以上의 追加支援 不可 立場 堅持)

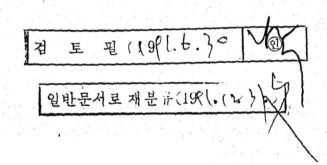

- 끝 -

예고: 91.12.31.

검 토 필 (1991.6.30	

일반문서로 재분류(1991.12.31.)

0043

관리 번호	91 - 458

6/6

英国에 대한 戰費支援과
美国에 대한 追加支援 執行方案

91. 2

검 토 필 (1991.6.30.)

일반문서로 재분류(1991.12.31.)

外 務 部

중동아국장 구주국장

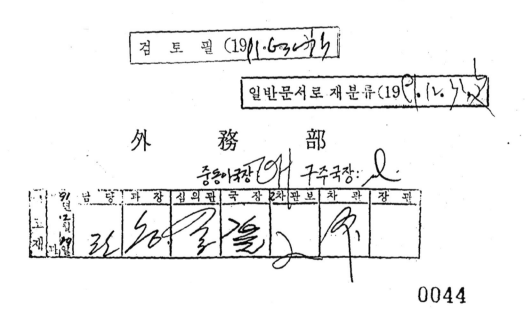

공람	91년 2월 19일	담 당	과 장	심의관	국 장	2차관보	차 관	장 관
고 재								

0044

英國에 對한 戰費 支援 問題와 今年度 對美 追加 支援 方法을 協議하기 위하여 2.19(火) 關係部處 局長級 會議(外務部 對策本部長 主宰)를 開催한 바, 同 會議에서의 建議事項과 協議結果를 報告드립니다

対英国 戰費支援 建議

(英國의 要請内容)

- 걸프戰에서 英國의 寄與度가 地上軍 規模 等을 考慮할때 美國의 8-10%에 該當함에 비추어, 韓國 政府가 3千-4千萬弗 規模의 戰費 支援을 해줄 것을 要請함
  - * 2.13(水) John Weston 英国 外務部 国防担当 副次官 訪韓

(建議 事項)

- 3千萬弗 相當의 支援을 推進함
  - 韓國戰 參戰 및 유엔 加入問題 等 國際舞台에서의 우리의 立場 積極 支持
  - 英國의 걸프戰에서 役割과 中東問題에 대한 影響力
  - 중추적 EC 國家로서 我國의 對EC 關係 強化에 重要

(必要財源 確保方案)

- 우선 美側과 協議, 可能한 限 既存 支援 約束額 5億弗中에서 財源 염출 方案을 講究함

0045

- 外務部는 2.20(水) 本 方案에 關해 駐韓 美大使館과 協議한 바, 美 政府의 公式立場은 追後 報告 豫定임.

対美 追加支援 執行方案

(對美 現金 및 輸送支援 1億1千萬弗의 構成)

- ㅇ 現金支援 6千萬弗, 輸送支援 5千萬弗로 提供하는 方案을 美側에 提議함
- ㅇ 但, 美側이 現金支援分의 增額을 要請해올 경우, 可能한 限 美側의 要請을 受容토록 함

(對美 軍需物資 支援 問題)

- ㅇ 美 軍當局은 我國이 提供코자 하는 1億7千萬弗 相當의 物資中 상당부분이 걸프戰 參戰 美軍用으로는 不要하다며서, 同 物資를 前線國家에 支援하는 方案을 提示해 옴
  - 이에 대해 我側으로서는 美側 提議에 따라 前線國家에 物資를 支援하는 경우, 이는 我國의 對美 追加支援 2億8千萬弗 範圍内에서 支援되어야 할 것이라는 政府 立場을 美側에 分明히 通報하였음
  - 한편, 上記 美 軍當局의 提議가 美 政府의 公式立場인지 與否가 尙今 不分明하므로 이를 確認中임

일반문서로 재분류 (1991.12.31.)

끝.

0046

관리 번호	91-356

외 무 부

종 별 :

번 호 : UKW-0465 일 시 : 91 0220 1700

수 신 : 장관(중근동,구일,미북)

발 신 : 주 영 대사

제 목 : 걸프전쟁 전비지원

영국정부의 걸프전쟁 전비에 대한 각국정부의 재정지원 공약내역(91.2.19 현재)을 외무성으로 부터 입수, 아래와 같이 보고함.

-독일: 275 백만 파운드(8 억 마르크)

-일본: 26 백만 파운드(5 천만불)

-홍콩: 15 백만 파운드(2 억 3 천만 홍콩불)

-쿠웨이트: 660 백만 파운드

-UAE: 250 백만 파운드(5 억불)

? -덴마크: 89 백만 파운드(약 1 억 크로너)

-총액: 1,315 백만 파운드. 끝 → 900 억불

(대사 오재희-국장)

예고: 91.12.31 일반

일반문서로 재분류(1991.12.31.)

검 토 필 (1991.6.30.)

중아국 차관 1차보 2차보 미주국 구주국 청와대 안기부

PAGE 1

91.02.21 07:59

외신 2과 통제관 CW

0047

관리번호	91-313

	분류번호	보존기간

발 신 전 보

번 호 : WUS-0667 910221 1731 AO 종별 : 지 급

수 신 : 주 미 대사 ~~총영사~~

발 신 : 장 관 (미북)

제 목 : 대미추가 지원

대 : USW-0819

1. 정부는 대미 추가지원 문제와 영국에 대한 전비 지원문제 협의를 위해 2.19(화) 관계부처 국장급 회의를 개최한 바, 동 회의에서 미국에 대한 현금 및 수송지원 1.1억불을 현금 6,000만불, 수송지원 5,000만불로 지원하는 방안을 일단 미측에 제시하기로 결정하였음. 이에따라 미주국장은 2.20(수) Hendrickson 참사관을 초치, 상기 방안을 제시하고 이에대한 미측의 반응을 요청한 바 있음.

2. 한편, 영국의 전비 지원 요청관련 상기 관계부처 회의에서 영국의 걸프전에서의 기여도, 유엔 가입문제 등 국제무대에서 영국의 아국 입장 지지 및 EC 의 중추적 국가로서의 영국의 위상등을 감안, 약 3,000만불 상당의 전비 지원을 적극 검토키로 원칙적인 결정을 보았음. 그러나 아국의 여건상 이미 지원키로 약속한 5억불외에 추가 지원은 사실상 불가능함에 비추어 시리아에 대한 지원 배정액 1,000만불과 미국에 지원키로한 1.7억불 상당의 군수물자 지원분중에서 일부를 영국에 대한 지원으로 전환하는 방안을 미측과 협의키로 함에 따라, 미주국장은 2.20. Hendrickson 참사관 면담시 동 방안도 아울러 제시하고 이에대한 미측의 입장을 문의한 바 있음. 끝.

일반문서로 재분류(1991.12.31.)

예 고 : 91.12.31.일반

검 토 필 (1991.6.30.)

보안통제	

앙고재	91년 2월 21일	북미과	기안자 성명	과 장	심의관	국 장		차 관	장 관
			김규현			전결			

외신과통제

0048

관리 번호	91-476

기

원 본

외 무 부

종 별 :

번 호 : JAW-0951 일 시 : 91 0221 1631

수 신 : 장관(미북,구일,중근동,아일)

발 신 : 주 일 대사(일정)

제 목 : 걸프지원금의 대영국 할당

대 : WJA-0582

연 : JAW-0728

1. 연호관련, 당관 박승무 정무과장은 금 2.20 오전 외무성 이또 서구 2 과장을 면담, WESTON 영 외무 부차관의 2.14 방일시 표제관련 협의 내용을 문의하였는바, 일측 설명내용은 다음과 같음.

0 WESTON 부차관은 일정부가 페만 분쟁과 관련, 국제적인 책임을 수행해 나가겠다는 결의를 분명히 명시한 것을 높이 평가한다고 말함.

0 동 부차관은 영국이 다국적군에 대한 공헌으로서 미국대비 8-10% 에 달하는 전쟁책임을 수행하고 있고 총병력수도 4 만 5 천명 이상에 달한다고 설명한뒤이미 15 억 폰드에 달하는 전비를 지출했으며 금후 전황진전에 따라 최종적으로는 30 억 폰드이상의 전비지출이 예상되므로, 일본의 2 차 페만지원액 90 억불중 영국의 공헌도에 비례한 액수의 지원을 지원을 해 줄것을 요청하였음.

0 또한 동 부차관은 쿠웨이트와 독일은 공헌 비율에 따른 요구를 받아들여 영국을 기지원하였다고 설명하고 일.영 관계에 대해 일정부가 가시적인 정치적 유대관계를 보임으로써 영국의 대일 여론이 좋아질 것이라고 언급함.

0 이상 영국측 요청에 대해 오와다 외무심의관은 90 억불 지원에 따른 국회에서의 심의상황을 설명하고, 영국의 요청에 대해서는 타당한 협력(APPROPRIATE COOPERATION)을 하고 싶다고 밝힌후 90 억불중 대부분이 미국에 지원되는 것은 사실이나 어느정도는 페만 주변국가에 배분될 필요성이 있다고 말함.

0 또한, 동 외무심의관은 미의회, 여론이 일본에 대해 최대한의 지원을 강하게 요구하고 있으므로 이런 여러가지 상황을 고려할때 영국의 대한 지원배분이구체적으로 몇 % 가 될지 현단계에서 명확히 하기는 곤란하다고 설명함.

미주국	장관	차관	1차보	2차보	아주국	구주국	중아국	청와대
총리실	안기부							

PAGE 1 91.02.21 21:30

외신 2과 통제관 CE

0049

2. 이또 과장은 90 억불 추가지원이 국회에서 아직 심의중에 있는 상황이므로 실무적인 각국별 배분작업을 아직 시작하지 못하고 있는 실정이라고 말하고 일측으로서는 그간 영국측에 10 억불을 지원할 것이라는 시사를 한바 없다고 설명함.
끝

(대사 이원경-국장)

예고:원본접수처:91.12.31. 일반

사본접수처:91.6.30. 파기

일반문서로 재분류(1991.12.31.)

검 토 필 (1991.6.30.)

PAGE 2

0050

BRITISH EMBASSY
SEOUL

Mr Lee Ki-Cho
Assistant Minister (Economic Affairs)
Ministry of Foreign Affairs

22 February 1991

My dear Assistant Minister,

<u>Gulf Burden-Sharing</u>

When he saw you last week, John Weston, the Political Director in the Foreign Office, promised to send you a message giving details of the British Government's request for a Gulf Burden-Sharing contribution from the Government of the Republic of Korea.

I have now received this message and enclose it. We will be in touch with your Ministry next week about this.

Yours sincerely,

David Wright

D J Wright
H M Ambassador

기획 — 공람 조치?
재무

신변 추후

기획후 조치

0051

Message to Mr Lee Ki-Cho from Mr John Weston, Political Director.

I write to express to you once again my thanks for your generous hospitality to me over lunch in Seoul on Wednesday, 13 February and for your assurances, which I have reported to British Ministers, that the British request for help in the Gulf Burden-Sharing context will be considered by the Government of the Republic of Korea: and that you will let us have a response on this within the next two or three weeks. I thought it might be helpful if I were to summarise briefly once again the considerations which I put before you on this subject during our lunch in Seoul. I explained to you that I had come to Seoul at the direction of senior British Ministers to set out the British Government's position. After the United States, the United Kingdom has made the largest military commitment of all Western partners to the coalition forces in the Gulf. We have deployed some 45,000 military personnel to Operation Desert Storm, which is the equivalent of approximately 8-10% of the United States forces deployed there. British forces have been actively engaged in the front line from the outset.

The purpose of the coalition presence in the Gulf is to ensure the implementation of the relevant UN resolutions on behalf of the whole international community and to reverse Iraq's aggression against Kuwait. In this sense our own participation is analogous to the contribution which the United Kingdom made to the United Nations' action in defence of the Republic of Korea in the early 1950s. We celebrate the 40th anniversary of one of the most crucial engagements of that conflict, the Battle of the Imjin River, in April this year. Some of the British regiments which served in Korea and which took significant losses on the battlefield there are now also present again in the Gulf.

The British contribution to the multi-national forces in the Gulf has come as a major unforeseen commitment in resource terms. We calculate that sums totalling some £1.5 billion have already been incurred or committed by way of additional costs. These include the costs of transporting military forces to the Gulf and recovering them thereafter to the UK. New equipment or modifications to existing equipment required in the Gulf theatre of operations, losses of material during military action (including losses of aircraft) and a range of logistic and associated items. The ground campaign has not yet been joined. Overall we assess that the total additional costs of the British contribution to Operation Desert Storm are unlikely to amount to less than £3 billion.

/ We accept

0052

We accept that it will be for the British people to take on a significant part of these costs. But we also think it natural in the circumstances to look to our long-standing friends and allies for help, particularly those like Korea, who have a major direct stake in the stability of the Gulf region, bearing in mind Korea's heavy dependence on Gulf oil and her major interests there, for example in the construction industry. We are also seeking substantial contributions from other countries. A number of these have pledged contributions to us on a basis that reflects pro rata our military presence, compared with that of the United States. In all the circumstances we thought it fair to ask Korea to help us by contributing the equivalent of some 8-10% on the amount Korea had given to the United States, that is to say US$32-40 million.

I also asked you to consider this matter in the context of the bilateral relationship between the United Kingdom and the Republic of Korea. We have provided stalwart political and military support to Korea over the years. As a key member of the core group in New York and as a prominent voice within the European Community, we continue to support Korea's strategic objective of taking her full and rightful place in the United Nations. An act of political solidarity with the United Kingdom in the form of practical help for our military effort in the Gulf would be a powerful and timely demonstration of Korea's readiness to assist a friend when it matters.

Since returning to the United Kingdom I have reported to the Inter-Ministerial Committee which oversees these matters. I know the Korean response will be awaited with keen anticipation. I am grateful to you for your assurances that this will be looked at carefully by the Korean Government and that the question will be set in the overall context of our relationship.

P J Weston

0053

관리 번호	91-562

외 무 부

영국지원 문제 있음 계속 검토

전부 대사관(전 상황)

종 별 :

번 호 : UKW-0546 일 시 : 91 0227 2000

수 신 : 장관(구일,통이,미북,중동일)

발 신 : 주 영 대사

제 목 : 수상예방

대:WUK-0320

연: UKW-0375

1. 본직은 예정대로 금 2.27(수) 이임 인사차 메이저 수상을 예방했음

2. 본직은 대호 지시에 따라 대통령각하의 동 수상 방한초청 의사를 전달한바, 수상은 한국을 적절한 시기에 방문할 의향을 밝히면서 대통령께 초청에 대한 사의와 문안말씀을 전해달라고 말했음

3. 수상은 또한 한. 영 관계가 최근 꾸준히 발전되고 있는데 대해 만족을 표명하고, 양국간에 특히 경제. 통상관계가 일층 강화되어 이것이 양국관계 전반을 강화시키는 토대가 되기 바란다는 견해를 표명

4. 수상은 한편, 걸프사태와 관련해서 군사적으로 작전이 극히 성공적으로 진행되었다고 평가하면서, 앞으로 제반 외교적 문제에 있어 난관이 많을 것으로 예상하였음

5. 수상은 이어 한국이 다국적군의 작전과 유엔결의를 계속 지지하여 온데 사의를 표한 후, 한국정부가 다국적군에 대한 지원을 발표한 것과 관련, 그 국별배분방안등 구체적인 내용을 알기를 희망하면서 미국이 걸프전쟁의 주역임은 물론이나 영국정부로서도 참전규모에 상응하는 적절한 지원을 한국으로 부터 기대하고 있다고 말했음. 동 수상은 또한 영국의 전비총액을 현재 계산중인바, 추산으로서는 장래 사용될 비용까지 포함해서 30 억 파운드가 소요될 것으로 예상되어 상당한 부담이 되고 있다고 말함

6. 이에대해 본직은 연호 SIR PATRICK WRIGHT 사무차관의 면담과 JOHN WESTON 부차관의 방한에 언급하고, 현재 정부내에서 영측 요청을 검토중인 것으로 알고 있다고 밝히면서 수상의 말씀을 본국정부에 보고하겠다고 말함

구주국	장관	차관	1차보	2차보	미주국	중아국	통상국	청와대

PAGE 1

91.02.28 22:49

외신 2과 통제관 CA

0054

7. 상기 진전사항이나 아측입장이 결정되는대로 회시바람

8. 면담요록은 별도 파편 송부위계임.끝

(대사 오재희-장관)

예고:91.12.31. 일반

검 토 필 (1991.6.30.)

일반문서로 재분류(1991.12.31.)

관리 번호	91-610

	분류번호	보존기간

발 신 전 보

번 호 : WUK-0414 910305 1744 DN 종별 :

수 신 : 주 영 대사. ~~총영사~~

발 신 : 장 관 (미북, 구일)

제 목 : 영국에 대한 전비지원 검토

대 : UKW-0546

1. 본부는 2.13(수) John Weston 부차관 방한이후 양측 협의결과를 상부에 보고하고 영국에 대한 일정액의 전비지원을 긍정적으로 검토한다는 기본방침을 정한 바 있음.

2. 다만 현 예산 사정상 대영 전비 지원을 위한 별도 추가 예산 확보가 사실상 불가하므로, 정부의 다국적군 2차 지원 약속액중 군수물자 지원 1.7억불에서 일부를 영국에 대한 지원액으로 전용하는 방안을 미측과 협의중에 있으며, 가까운 시일내 이에 대한 공식 입장을 알려올 것으로 예상됨~~을 우선 참고 바람~~.

3. 상기내용은 3.2(토) 미주국장이 주한 영국대사에게 통보한바 있음을 참고바람.

(미주국장 반 기 문)

예 고 : 91.12.31. 일반

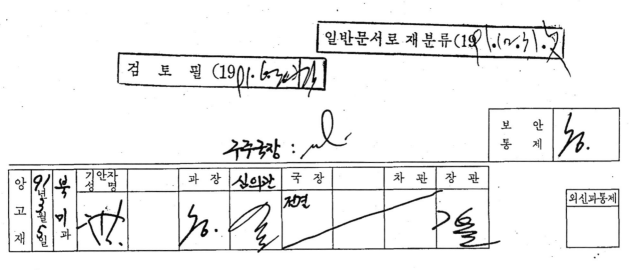

일반문서로 재분류(1991.12.31.)

검 토 필 (1991.6.30.)

미주국장 :

보 안 통 제	

앙 고 재	91년 3월 5일	북미과	기안자 성 명		과 장	심의관	국 장		차 관	장 관
							전결			

외신과통제

0056

관리번호	91-629

원 본

외 무 부

종 별 :

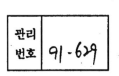

번 호 : UKW-0604 일 시 : 91 0306 1800

수 신 : 장관(미북,구일)

발 신 : 주 영 대사대리

제 목 : 장관친전 전달

대: WUK-0405(1),0414(2)

1. 최근배 대사대리는 외무성 R.A.BURNS 차관보 방문, 대사대리 명의 공한 첨부 대호(1) 친전 수교하고 HURD 외상에게 전달해 줄것을 당부함.(이기철서기관, IAN DAVIES 한국담당관 배석)

2. 동 차관보는 대호(1) 친전을 곧 외상에게 전달하겠다고 하고 걸프전쟁이극적으로 빨리 끝나게 된것을 다행으로 생각하며, 성공적이긴 하였으나, 매우 많은 경비가 소요되었다고 하면서 대호(2) J.WESTON 부차관 방한시 협의한 아국의 영국에 대한 전비 지원문제의 진전상황을 문의함

3. 최대사대리는 대호(2) 미주국장의 주한 영국대사에 대한 설명내용을 상기시키고 본건에 대한 본부 회시가 있는대로 알려주겠다고 말함. 끝

(대사대리 최근배-국장)

예고:91.12.31. 일반

일반문서로 재분류(1991.12.31.)

검 토 필 (1991.6.30.)

미주국 장관 차관 2차보 구주국 중아국

PAGE 1

91.03.07 08:32

외신 2과 통제관 BW

0057

관리 번호	91-642

	분류번호	보존기간

발 신 전 보

번 호 : WUS-0884 910307 1904 FD 종별 : 긴급

수 신 : 주 미 대사. 총영사

발 신 : 장 관 (미북)

제 목 : 영국에 대한 전비 지원

대 : USW-0728

연 : WUS-0667

1. 연호 걸프전 관련 아국의 대영국 지원 문제와 관련, 본부는 전통적인 한.영 관계, 걸프전에서 영국의 기여도등을 감안할때 [redacted] 적절한 규모의 지원이 필요하다는 판단을 갖고 있음.

2. 이러한 판단하에 본부는 영국측에 대해 지원을 긍적적으로 검토중이며 이를 위해 미국과 협의중이라는 요지로 영국측에 중간 통보한 바 있으나, 기 약속한 5억불 범위내에서만 대영 지원이 가능한 실정임.

3. 따라서 귀관은 아국의 (2차 지원액중) 물자 지원으로 약속한 1.7억불중 2천만불을 대영 지원에 할당하는데 대한 미측의 긍정적 반응을 얻도록 이정빈 차관보의 Solomon 차관보 면담 기회등을 이용, 재차 ~~적극 교섭~~(자연스럽게 타진)하고 결과 보고 바람.

4. 참고로 아측이 걸프사태 2차 지원 규모의 대미 통보 및 발표시(1.30) 2.8억불은 다국적군, 특히 미국을 위주로 지원하는 것임을 밝힌 바 있으며, 영국측도 아국이 대영 지원을 위한 국회 추가 동의등 절차 없이 미국과의 협의만으로 지원할 수 있으면 이상적인 방법이 될 것으로 본다고 언급한 바 있음. 끝.

예 고 : 91.12.31. 일반 (장 관) 보안 통제

앙 고 재	91년 3월 7일	북미과	기안자 성 명		과 장		국 장		차 관	장 관		

일반문서로 재분류(1991.12.31.) 외신과통제

검 토 필 (1991.6.30.)

보고필 3/7

0058

	분류번호	보존기간

발 신 전 보

번 호 : WUK-0536 910320 1917 FD 종별 : 암호송신

수 신 : 주 영 대사 [redacted]사

발 신 : 장 관 (미북, 구일)

제 목 : 영국 전비 지원

대 : UKW-0604

1. 정부는 오는 4.10-5.10.간 개최 예정인 임시국회에서 추가경정 예산을 통해 재원을 마련, 영국에 대하여 3,000만불의 전비를 지원키로 금 3.20(수) 최종 결정하였으니, 이를 귀주재국 정부에 공식 통보하기 바람.

2. 한편, ~~미주국장은 우리 정부의~~ 본부는 상기 결정 내용을 3.20. 주한 영국 대사관측에 통보하였음을 참고 바람. 끝.

(미주국장 반 기 문)

중동아국장: [illegible] 구주국장: [illegible]

보안 통제	[illegible]

앙 고 재	91년 3월 20일	북미과	기안자 성명		과 장	신의관	국 장		차 관	장 관
			김[illegible]		[illegible]	출장중	전결			[illegible]

외신과통제

0059

원 본

암호수신

외 무 부

종 별 :

번 호 : UKW-0710　　　　일 시 : 91 0320 1730

수 신 : 장관(미북,구일)

발 신 : 주 영 대사대리

제 목 : 영국 전비지원

대: WUK-0536

1. 대호 당관 조참사관이 3.20(수) HUGH DAVIES 극동과장에게 통보하였음

2. 동 과장은 주한대사관을 통하여도 연락을 받았다고 하면서 한국측의 노력에 사의를 표한다고 말함. 끝

(대사대리 최근배-국장)

미주국　구주국

PAGE 1　　　　91.03.21 21:23

외신 2과 통제관 FE

0060

걸프전 관련 아국의 대영지원 현황

o 경　　위

- 91.2.8(금) 패트릭 화이트 영 외무부 사무차관은 당시 오재희 주영 대사에게 미국에 기 약속한 재정 지원액의 약 8%를 영국에 할당해 주기를 희망함.
- 데이비드 화이트 주한 영국대사도 이홍구 현 주영대사 (당시 주영 대사 내정자)에게 여사한 영국측 요청 전달
- 존 웨스턴 영국 외무부 정무담당 부차관이 한국 정부에 동 희망 전달 위해 2.13(수) 방한

o 결　　과

- 현금 US$30,000,000.00를 대영지원
- 1991.6.19. Bank of England 로 송금

0061

BRITISH EMBASSY
SEOUL

His Excellency
Mr Ro Jai-bong
Prime Minister of the
Republic of Korea
Seoul

28 March 1991

Your Excellency,

I have been asked by my Prime Minister the Rt Hon John Major MP, to pass the following message to you:

"I have heard with great pleasure of the Korean Government's decision to contribute $30 million to the costs of the British military presence in the Gulf. May I express the warm thanks of the British Government for this generous demonstration of solidarity. The land hostilities against Iraq were thankfully short. But our expenses since the first British forces arrived in the region last August have been hugh and are continuing. The Korean contribution to our costs will be of great help and is warmly appreciated."

The original letter is being despatched by diplomatic bag and will be forwarded to you as soon as possible.

I avail myself of this opportunity to renew to Your Excellency the assurance of my highest consideration.

Yours most sincerely

David Wright

D J Wright
HM Ambassador

0062

BRITISH EMBASSY
SEOUL

His Excellency
Mr Lee Sang-ock
Minister
Ministry of Foreign Affairs
Unified Government Building
77 Sejongro
Chongro-ku
Seoul

28 March 1991

Your Excellency,

I have been instructed by the Rt Hon Douglas Hurd MP, Secretary of State for Foreign and Commonwealth Affairs, to pass the following message to you:

"Thank you for your kind message of 3 March following Iraq's expulsion from Kuwait. Since receiving that message, I have also learnt of your Government's generous decision to give the UK $30 million towards our Gulf War costs. I am most grateful. Korea's firm support for the international coalition throughout this crisis - in particular your decision to send a military hospital and five transport aircraft to Saudi Arabia - has been of great value."

I avail myself of this opportunity to renew to Your Excellency the assurance of my highest consideration.

Yours most sincerely,

David Wright

D J Wright
HM Ambassador

0063

INSTRUCTIONS FOR PAYMENT FOR CONTRIBUTION TO THE COST OF BRITISH MILITARY PRESENCE IN THE GULF WAR

Payment can be made in Sterling or another major currency (Dollars, Deutschmarks or Yen).

A payment in Sterling should be paid to the Paymaster-General's cash account at the Bank of England, marked "Ministry of Defence".

For a non-Sterling payment, the Korean Central Bank or other authority making the payment, should liaise with the Bank of England (Mr Trott, Chief Foreign Exchange Dealer, Telephone Number 071 601 3691). Mr Trott will advise the Bank of England account to be used.

For any payment, we should be grateful if three working days' notice could be given to the Bank of England, and to Mr Lee Watts, HM Treasury.

구주국장: 제2차관보:

공람	북미과	91년 3월 28일	담당	과장	심의관	국장	차관보	차관	장관
			(signature)	(signature)		(signature)	(signature)		

0064

관리 번호	91-1308

분류번호	보존기간

발 신 전 보

번 호 : WUK-1037 910601 1130 CO 종별 :

수 신 : 주 영 대사. 총영사

발 신 : 장 관 (미일, 구일)

제 목 : 걸프전비 지원 집행

1. 표제관련, 91년도 제 1회 추경예산안이 5.7. 국회 본회의를 통과하고 2차 지원액 예산 배정계획이 5.30. 국무회의 심의통과되어 1억 5천만불이 6월초 당부 예산으로 영달 예상됨.

2. 상기에 따라, 대영 전비지원 3천만불 송금은 상기 예산 영달 즉시 주한 대사관 송금절차 안내에 따라 송금하고 귀관에도 추보 예정임. 끝.

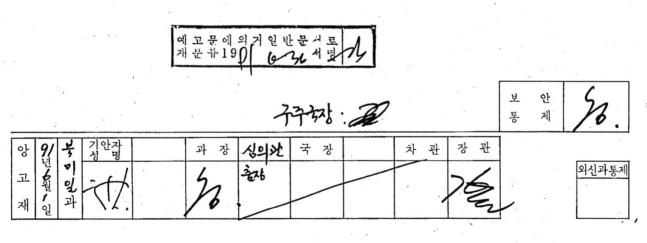

(미주국장 반기문)

예 고 : 91.6.30. 일반

예고문에 의거 일반문서로 재분류 19 91 . 6 . 30 . 서명

구주국장 :

보 안 통 제	

앙 고 재	91년 6월 1일	북미일과	기안자 성 명		과 장	심의관 출장	국 장		차 관	장 관

외신과통제

0065

OMB 91 - 442

The Ministry of Foreign Affairs presents its compliments to the Embassy of the Kingdom of Great Britain and Northern Ireland and has the honour to inform the latter that the Ministry remitted on June 21, 1991 the amount of U.S. Dollars Thirty Million(US$30,000,000), a cash contribution from the Government of the Republic of Korea for the cost of British Military Presence in the Gulf War, to the British Paymaster-General's cash account for credit at the Bank of England, marked "Ministry of Defence."

The Ministry would like to add that the above mentioned contribution was made via electronic funds transfer from Kwanghwamun Branch of the Korea Exchange Bank to the Bank of England in London.

The Ministry of Foreign Affairs avails itself of this opportunity to renew to the Embassy of the Kingdom of Great Britain and Northern Ireland the assurances of its highest consideration.

Seoul, June 21, 1991

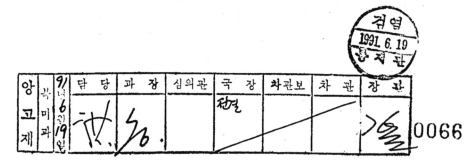

검열 1991. 6. 19

앙고재	북미과	91년 6월 19일	담 당	과 장	심의관	국 장	차관보	차 관	장 관

0066

관리 번호	91-1374

	분류번호	보존기간

발 신 전 보

번 호 : WUK-1156 910619 1853 ED 종별 :

수 신 : 주 영 대사. 총영사

발 신 : 장 관 (미일)

제 목 : 걸프전 지원금 송금

연 :

1. 표제관련 대영 현금지원분 3,000만불을 6.21. 외환은행 광화문 지점에서 Bank of England 영국 국방부 지출관 현금구좌(Paymaster General's Cash Account at the Bank of England, marked "Ministry of Defence")에 송금 예정인 바, 동 사실을 주재국 외무부 및 국방부측에 적의 통보바람.

2. 동 사실은 주한대사관에도 외교공한을 통해 공식 통보하였음을 참고 바람. 끝.

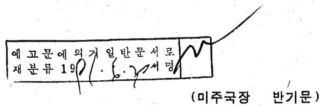

예고문에 의거 일반문서로 재분류 1991. 6. 30 서명	

(미주국장 반기문)

수주국장:

보안 통제	

앙 고 재	91년 6월 19일	북미1과	기안자 성명		과장	심의관	국장		차관	장관
							전결			

외신과통제

0067

관리번호	91-1379

외 무 부

원 본

종 별 :

번 호 : UKW-1284 일 시 : 91 0619 1800

수 신 : 장 관(미일,구일)

발 신 : 주 영 대사

제 목 : 걸프전 지원금 송금

대: WUK-1156

1. 대호 당관 조참사관이 6.19(수) HUGH DAVIES 외무성 극동과장에게 통보했음.

2. 동 과장은 아국의 지원에 대한 심심한 사의를 표하면서 정부내 관계부서에 연락하겠다고 말했음. 끝

(대사 이홍구-국장)

예고: 91.6.30 일반

예고문에 의거 일반문서로 재분류 19 91 . 6 . 30 서명	

미주국 구주국

PAGE 1

91.06.20 07:11

외신 2과 통제관 BS

0068

정리보존문서목록					
기록물종류	일반공문서철	등록번호	2020120234	등록일자	2020-12-29
분류번호	721.1	국가코드	US	보존기간	영구
명 칭	걸프사태 : 한.미국 간의 협조, 1990-91. 전9권				
생 산 과	북미1과/중동1과	생산년도	1990~1991	담당그룹	
권 차 명	V.9 우방국의 경비분담				
내용목차					

0001

외 무 부

종 별 :

번 호 : GEW-1539 일 시 : 90 0811 1800

수 신 : 장관(미북,구일)

발 신 : 주 독대사

제 목 : 페르시아만 사태 관련보도

대: WGE-1306

1. 9.11. 자 GENERAL ANZEIGER 지 보도에 의하면GENSCHER 외무장관은 베이커 미국무장관과 금주말(9.15) 본에서 페만 사태와 관련한 독일의 지원문제를 협의할 예정이라고 함

2. 또한 베이커 장관은 독일이 선박및 항공기등 수송수단 제공의 형태로 미국을 지원할 것이라 언급한바 있음

3. 독일정부 소식통에 의하면 독일정부는 페만사태 관련 5억 마르크를 지출할예정인바, 4억 마르크는 봉쇄조치로 피해를 받은 국가에 대한 지원이며 잔여 1억마르크는 미군을 위한 기술지원 비용으로 사용된 것이라 함.

(대사 신동원-국장)

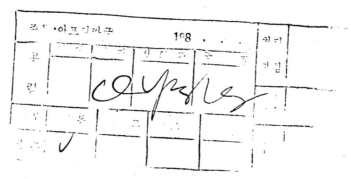

미주국 1차보 구주국 중아국 정문국 안기부 대책반

PAGE 1

90.09.12 06:35 DA

외신 1과 통제관

0002

관리 번호	90/1446

외 무 부

원 본

종 별 :

번 호 : JAW-5112 일 시 : 90 0822 1130

수 신 : 장관(아일,미안,중근동,정일,국방부)

발 신 : 주 일 대사(일정)

제 목 : 중동사태 지원방책을 위한 일정부 대책

이라크의 쿠웨이트 침공과 미국과 서방각국의 대이라크 경제제재 및 파병등 최근의 중동사태 관련, 일 국내에서는 미국등 서방의 여론도 의식, 일본 나름대로의 공헌방책안으로서 의료, 운수, 통신분야의 긴급원조대 파견에서 부터 자위대요원의 파견문제까지 여러가지 방안을 검토하고 있는바, 이와관련 당관에 관찰한 최근 동향 및 향후 전망을 하기 보고함.

1. 배경

0 미국은 최근 중동파병과 함께 자국의 국방비 부담 및 재정능력에 비추어 하기 내용을 중심으로 한 대일 협력사항을 전달하여 온 것으로 관찰됨.

- 사우디파견 미군 및 다국적 군에의 재정지원
- 페르샤만 방위를 위한 일본 나름의 직접 공헌
- 주변제국에 대한 경제지원
- 향후 수년간 주일 미군주류경비의 부담방침 명시
- 차기 방위력 정비계획기간중의 미국산 무기구입계획의 명시.

0 미국등 서방의 여사한 지원요청에 대해 일 정부로서는 현행 국내법상의 한계에 비추어 비록 일본이 가능한 범위내에서 재정지원(자금 및 물자)을 하더라도 서방의 대일 압력 및 비판을 면치 못할 것이라는 판단하에 현행법의 일부 개정 또는 입법을 해서라도 비군사분야 요원(사람)을 직접 파견하여 기여하는 것이 최선책이라는 인식을 가지게 된 것으로 관찰됨.

- 한편, 그간 자위대의 해외파견문제를 놓고, 간단없는 논의가 계속되어 왔음에 비추어 정부(방위청) 및 자민당내 일부세력(소위 방위족)간에는 금번 중동사태를 계기로 어떤 형태로든지 요원파견을 실현시켜 보려는 움직임이 더욱 강해지고 있는 것으로 보여짐.

아주국	장관	차관	1차보	2차보	미주국	중아국	정문국	청와대
안기부	국방부	대책반						

PAGE 1 90.08.22 13:22

외신 2과 통제관 EZ

0003

2. 동향

가."국제긴급원조대 파견법"의 개정 또는 비군사분야에의 요원파견을 위한 신규입법논의(외무성을 중심으로 검토)

0 현행 긴급원조대법에서는 파견대상을 홍수, 지진등의 재해 및 가스폭발, 원전사고등의 자연성 "재해"에 한정하고 활동원조대는 구조팀(경찰, 소방, 해상보안청 직원으로 구성), 의료팀(국제협력사업단 등록의 의사, 간호부등)및 전문기술가팀으로 하여 의료, 재해복구에 임무를 한정함.

- 따라서 현행법을 개정, 파견대상을 "분쟁지역"등으로 확대하고 원조대 활동도 통신, 수송등의 분야에 까지 확장하는 방안 검토

- 그러나 87 년 긴급원조대법의 제정당시 국회 심의과정에서 동 법의 파견대상을 자연재해에 한정하기로 한 경위가 있음에 비추어 신규입법 방안도 함께 검토.

나. 자위대 요원파견을 위한 자위대법의 개정 논의(방위청 일각 및 국방부회 중심의 자민당과 민사당)

0 무력행사의 목적이 아닌 자위대의 해외파견은 "헌법상 허용되어 있지 않은 것은 아니다"라는 정부, 자민당내 기본견해에 따라, 법률(자위대법)상 자위대의 임무, 권한으로서 해외파견을 규정하고 있지 아니한 현행법을 개정하여 원조대(자위대) 파견을 설정, 의료, 통신, 수송등의 지원을 위해 해당분야의 자위관을 파견함으로써 신속하게 대처하는 방안 검토.

라. 소해정 파견(자민당 일부)

0 자위대 소해정 파견문제는 87 년 페르샤만 안전항행문제 대두당시 법적인 문제가 없다는 견론에 따라 파견을 검토했으나, 수송기 및 승무원 파견에 따르는 법해석문제와 주변국에의 영향을 고려한 정치적 판단에서 최종 순간 보류한바 있음.

- 그러나 금번의 상황은 기뢰부설로 각국의 선박에 위기상황을 초래했던 당시와는 다르다는 점에서 반대의견이 강한 상태.

3. 전망

0 쿠리야마 사무차관은 8.20. 중동사태에 대한 일본의 공헌방안으로서, "일본의 국제적 책임은 자금 및 물건만이 아닌, 눈에 보이는 형태로 수행하는 것이 중요함. 비군사분야를 대상으로 사람(요원)을 파견하기 위해 법률을 개정하거나, 새로운 법률의 제정을 검토하고 싶다"고 언급함.

- 이러한 외무성 견해에는 카이후 수상도 동의하고 있으며, 향후 일 정부가

PAGE 2

0004

분쟁지역에 의료, 통신, 수송분야등의 요원파견을 위해 현행법 개정을 시도할 것은 분명한 것으로 보여짐.

- 이 경우, 일 정부가 차제에 자위대 요원 파견의 길을 열어 놓기 위하 긴급원조대파견법이 아닌 자위대법 개정까지 시도할지 여부가 주목되는 요소이나, 현재 요원 파견을 재해지역에서 분쟁지역으로 확대하는 것은 장래 자위대의 해외파병으로 나아갈 우려가 있다는 사회, 공명등 야당측(참원에서 다수의석 보유) 반대여론도 카이후 수상으로서는 감안하지 않을 수 없을 것으로 사료됨.

0 한편, 일 정부는 미국이 주문하고 있는 분쟁주변제국에의 경제력 지원과 함께 주일 미군경비의 부담증가문제도 가능한한 협력한다는 입장에 있는 것으로 보여지는바(금년도 부담예산 약 4 천 4 백억엥 계상), 금번 미국측의 요구가 강하고 또한 미 의회가 9 월 상순에 재개되는 점을 감안, 일 정부는 상기 법개정 작업시도와 병행하여 주변제국에의 경제지원과 미군경비 부담증가등을 포함, 금번 중동분쟁 해결을 위한 일정부로서의 종합방책안을 가능한 빠른 시일에 대외적으로 천명할 가능성이 많은 것으로 보여짐.끝.

(대사 이원경-국장)

예고:90.12.31. 까지

19 . . . 예고문에 의거 일반문서로 재 분류됨.

PAGE 3

0005

면 담 요 록

1. 일 시 : 90.8.30.(목) 16:00-16:30

2. 장 소 : 외무부 중동아프리카국장실

3. 면 담 자 : 이두복 중동아프리카국장

Ono 일본대사관 참사관

. 배석 : 조태용 사무관

4. 면담요지

o Ono 참사관 : 일본 정부는 최근 중동사태와 관련 8.29. 다음과 같은 지원조치를 취하기로 하였는바, 본국 정부 훈령에 따라 동 요지를 귀측에 설명드리고자 함.

우선 첫번째 분야로는,

1) 식량, 의약품, 물등 물자 수송을 위한 항공기, 선박 지원 (민간 부문에서 임차)

2) 중동지역의 고열에 견디기 위한 기자재 및 물공급을 위한 기자재 지원

3) 의약품 지원, 최대 100명 규모의 의료반 파견 및 이를 위한 선발대 파견

4) 항공기, 선박 파견 국가에 대한 재정 지원인바, 상기 협력을 위한 총경비는 약10억불에 달함.

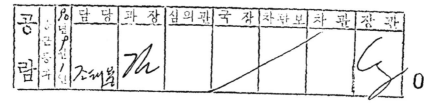

공람			담 당	과 장	심의관	국 장	차관보	차 관	장 관
		90년 9월 1일	조태용	(서명)					(서명)

0006

두번째 분야로는,

1) 요르단, 터키, 이집트등 인근국가들에 대한 경제원조 (차관등) 및 관련 국제기구 활동 지원

2) 난민, 특히 요르단 대피 난민 구호를 위한 1천만불 지원 (유엔, UNDRO, 국제적십자사 활동 지원등) 임.

o 국 장 : 상세한 설명에 감사함. 금번 일본 정부의지원 결정이 시의 적절하며, 일본의 관대함을 국제사회에 보여주는 것이라고 생각함. 이와 관련, 아국으로서도 적절한 지원 방안을 검토중임.

o 참 사 관 : 귀국에서 고려중인 지원 방안은 어떤 것인지?

o 국 장 : 지난 월요일 외무장관이 기자간담회에서 비보도 조건으로 설명한바 있지만, 아국은 비살상용 군사용품 (non-lethal military goods)으로서 군복, 군화, 의약품, 선박등 수송 수단의 지원 가능성을 검토중임.

o 참 사 관 : 방독면도 포함되는지

o 국 장 : 방독면도 검토 가능하겠으나, 외무장관이 언급하지는 않았음.

o 참 사 관 : 선박은 민간부문에서 임차 예정인지?

o 국 장 : 선박 지원시에는 임차형태가 될 것이나, 아직 지원 방안 내용은 결정된바 없음.

o 참 사 관 : 지원 시기는?

0007

o 국 장 : 구체적인 사항은 아직 결정되지 않았음.

o 참 사 관 : 일본의 경우 JAL 항공기 조종사들이 모두 민간인이어서 전쟁지역에서의 운항에 필요한 경험이 없는 것이 큰 어려움인데, 한국의 경우에는 KAL 조종사들이 모든 공군 조종사 경험이 있어 그러한 어려움이 덜할 것으로 생각함. 한국에서 이라크 주변 국가들에 대한 재정 지원을 고려한다는 이야기도 있는데

o 국 장 : 아국의 지원 방안에 관해서는 아직 전혀 결정된바 없으며, 재정지원 검토 운운은 사실이 아님.

o 참 사 관 : 이라크, 쿠웨이트의 한국인 수는

o 국 장 : 총 430여명인데, 쿠웨이트는 공관직원 4명 포함 13명이 남아 있음.

o 참 사 관 : 430여명이 앞으로 모두 철수 예정인지

o 국 장 : 모두 잔류 교민들을 철수토록 지시했으나, 이라크 잔류 근로자들의 경우 이라크측의 출국허가 지연등 행정적 어려움이 있음.

o 참 사 관 : 금번 사태 전개 전망은 어떻게 보는지

o 국 장 : 사적 견해이지만, 우리로서는 금번 사태가 전쟁으로 발전되지 않기를 희망함. 이라크측은 미국등 다국적군의 막대한 화력을 감안 먼저 도발하지는

0008

않겠다는 입장이고, 미국도 이라크측의 도발없이 군사 행동을 하지는 않겠다는 입장이어서, 교착상태가 계속되는 가운데 일부의 외교적 해결 움직임이 나타나고 있음. 쿠웨이트 주재 일본 외교관 2명이 어떤 경로로 철수 했는지 궁금함.

o 참 사 관 : 항공편으로 바그다드로 이동하였음. 귀국 외교관들은 아직 쿠웨이트에 잔류중인지

o 국 장 : 통신두절, 단전등 어려움이 크지만, 아직 주재하고 있음. 특히 간헐적인 통신외에는 본부와 통신이 안되어 우방국을 통하여 간접적으로 연락을 받기도 함.

o 참 사 관 : 오늘 아침 NHK 방송에서 쿠웨이트를 철수한 일본 외교관 2명의 인터뷰를 보았는데, 단전으로 실내온도가 50℃이상 까지 올라가고 음식 조리등도 안되어서 많은 고통을 당하였다고 함. 대사관 철수시 쿠웨이트 체재 일본인 150명도 함께 철수하여, 주쿠웨이트 대사관은 현재 비어 있는 상태임. 하지만 주쿠웨이트 대사관 문제에 대한 일본의 공식입장은 임시 폐쇄임.

o 국 장 : 외교관 2명이 이라크를 출국할 예정인지

o 참 사 관 : 잘 모르겠음. 이라크측이 부녀자들의 출국을 허용한다고 발표하였으나, 바그다드에 있던 일본인 20명은 호텔에서 나와 어디론가 옮겨졌음. 일본정부는 이러한 이라크측의 조치를 강력히 규탄함.

0009

o 국 장 : 최근 중앙일보 기자 1명이 이라크 공보부의 허가를 받아 입국, 금일 신문에 현지에서 기사를 보냈는바, 특기할만한 사실임.

o 참 사 관 : 개인적 생각이나, 이라크 정부는 세계 각국을 몇개 범주로 나누어 달리 취급하는것 같음. 오늘 아침 불란서 TV 에서 후세인 대통령과의 인터뷰를 방영하였는데, 이는 역사적으로 불-이라크간의 가까운 관계를 보여주는 것임.

o 국 장 : 그렇게도 볼수 있겠으나, 바그다드에 서방 기자들이 많다는 점을 감안하면 서방기자들을 다수 불러들여 선전전에 활용하자는 의도인 것으로 봄. 이런면에서 일본 기자도 입국 허용을 할 가능성이 있음.

o 참 사 관 : 한국인 완전 철수는 곧 이루어질 것으로 보는지

o 국 장 : 이미 언급한 바와 같이 행정절차 지연등 어려움이 있으나, 앞으로 조속 완결될 것으로 기대함.

0010

관리 번호	90/1126

외 무 부

원 본

종 별 : 긴 급

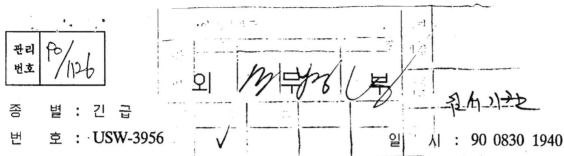

번 호 : USW-3956　　　　　　일 시 : 90 0830 1940

수 신 : 장관(미북,미안,중근동)

발 신 : 주 미 대사

제 목 : 부쉬 대통령 기자 회견-II(걸프만 비용 분담 요청)

연: USW-3953

1. 연호 부쉬 대통령 기자 회견시 비용 분담 참여 요청 대상국에 한국을 포함 지칭한것과 미고위 사절단 파견 계획을 밝힌것과 관련, 앤더순 동아태국 부차관보는 당관 이승곤 공사의 문의에 대해, 상금 구체 방침이 정해진바 없으며, 추후 미측 제안을 통보하겠다는 반응을 보였음.

2. 금일 W.P 지가 미국정부가 금번 걸프만 사태로 인한 피해국에 대한 보상을 포함, 걸프만 비용 분담을 동맹국들에 요청할것이라는 보도를 게재한것과 관련(미국의 ECONOMIC ACTION PLAN 이라고 보도하면서 각국의 구체적 목표 기여액 소개), 당관 유명환 참사관은 RICHARDSON 한국과장에게 한국에 관한 검토가 있었는지 문의한바, 동과장은 검토 사실은 알고 있었으나, 구체적 금액은 정해지지 않은것으로 안다고 답변하였음(W.P 지의 관련 기사 도표는 한국에 대해서는 UNDETERMINED 라고 표시한바 상세는 FAX 보고 참조 바람)

3. 또한 부통령실 GLASSMAN 안보 보좌관은 금일 유참사관과의 오찬 접촉시(부쉬 대통령 기자 회견 직전), 현재 행정부로서는 의회 개원 직후 의회측과의 예산 타협(BUDGET SUMMIT)이 이루어지지 않으면 그램-래드먼 법에 따라 전 예산 항목에 대해 30% 규모의 자동 삭감 집행(AUTOMATIC SEQUESTRATION)을 할수밖에 없는 사정인바, 부쉬 대통령 에게는 의회측(민주당 지도부)의 협조 확보가 최우선의 당면 과제라고 설명하고, 최근 의회 내에서 점차 걸프만에서의 무임 승차는 있을수 없다는 강한비판이 증대되고 있음에 따라 이러한 비판에 선제 대응키 위해 동맹국에 대한 비용 부담 요청 결정을 하게 된것으로 본다 말함.

4. GLASSMAN 보좌관은 한국이 대상국에 포함된것은 한국의 의사 여부에 관계없이 한국에 대한 미국내의 일반적 인식(일본을 따라가는 성공적 신흥 공업국)과, 주한

미주국 대책반	장관	차관	1차보	2차보	미주국	중아국	청와대	안기부

PAGE 1　　　　　　90.08.31　11:44

외신 2과　통제관 EZ

0011

미군등 긴밀한 한미 동맹 관계에 따른것이라고 설명함.

5. 금일 부쉬 대통령은 기자 회견에서 안전한 원유 공급(FREE OIL-FLOW)의 덕을 보고 있는 국가는 정당한 몫을 내야할것이라고 언급한바 있으며 동 기자 회견직후 미 방송 매체들은 일본 , 한국및 유럽국가들이 미국보다 오히려 안정적 원유 공급으로 덕을 보고 있는 나라들이며 이러한 나라들로부터 재정적 기여가 있어야한다는 전문가들의 평가를 보도 하고 있음.

6. 한편 KEN BAILEY 동아태국 부대변인은 미 고위 대표단의 파한 여부에 대한 당지 특파원의 전화 질문에 대해, 현재로서는 알수 없으나, 사견으로는 BRADY 재무장관이 방한할 가능성이 있다고 답변하였음.

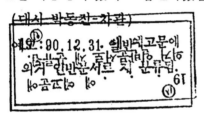

~~(대사 박동진-차관)~~

예고: 90.12.31. 일반문고문에 의거 일반문서로 재분류됨.

PAGE 2

0012

번호 : USW(F) - 2001

수신 : 장 관(미북, 미안, 중근동) 발신 : 주미대사

제목 : 미국의 대 동맹국 비용분담 요청

보안 통제	

(2 매)

U.S. Asking Allies To Share the Costs

Plan Would Also Aid Nations Suffering From the Embargo

By Patrick E. Tyler and David Hoffman
Washington Post Staff Writers

President Bush is expected to launch an "economic action plan" under which wealthy U.S. allies agree to share the cost of the U.S. military deployment to the Persian Gulf and to help ease the financial pain to key countries participating in the trade embargo against Iraq, administration officials said.

The plan, which could total as much as $23 billion in donor aid in the first year, half of which would be paid to the United States, was reviewed by Bush during a National Security Council meeting yesterday. It could be implemented as early as today, one senior administration official said.

In one sign that donor nations are signing up, Japanese Prime Minister Toshiki Kaifu announced his country's participation yesterday in a nationally televised address. Bush had talked to Kaifu by telephone earlier in the day.

It could not be determined which other countries have firmly committed to the plan, although officials expect Germany, Saudi Arabia and the exiled Kuwaiti government to participate.

The plan would be the first significant step by the administration to get the rest of the world to help pay the bill for one of the largest military operations since World War II, designed to defend Saudi Arabia and to enforce the United Nations trade embargo against Iraq with a naval blockade. It would also prevent economic breakdown or possible cheating in other countries—particularly in

See AID, A36, Col. 2

AID, From A1

the Middle East—hard pressed by the cessation of trade with Iraq and occupied Kuwait.

The Pentagon this week said the cost of the U.S. deployment was running at a rate of $46 million a day, or $2.5 billion by Sept. 30.

This "burden-sharing" drive by the White House follows increasingly vocal advice from members of Congress that the U.S. mission in the Persian Gulf will lose popular political support unless Europe and Japan, which depend heavily on Persian Gulf oil, share the cost of defending Saudi Arabia.

Members of Congress returning from their districts to meet Tuesday with Bush said they were beginning to hear complaints from constituents that U.S. soldiers might be called upon to die in defense of Arab oil shipped primarily to Asia and Europe.

Under the terms of the draft prepared for yesterday's National Security Council meeting, wealthy nations would commit at least $1.1 billion a month to help cover the cost of the U.S. defense of Saudi Arabia. And they would also contribute to a pool of at least $10 billion for distribution to Iraq's neighbors and other nations severely affected by the U.N. embargo.

Japanese government officials said Japan will contribute $1 billion, Washington Post foreign correspondent T.R. Reid reported from Tokyo. The U.S. draft plan calls for Tokyo to pay at least $1.3 billion into the donor pool, and an additional $60 million a month toward the "monthly incremental costs of U.S defense expenditures." Saudi Arabi and the exiled Kuwaiti goverr ment—much of whose assets ar outside Kuwait—would pay th largest amount, $7 billion for dono aid and $900 million a month fo U.S. defense forces.

One U.S. official described th plan as a "multilateral approach by number of donor nations in an effor coordinated by the United States t provide to front-line countries an to others involved the assistanc they need to ensure they can cor tinue to support the embargo."

The senior administration offici said the plan allows Japan, German and other European and Arab dc nors to "show some responsibility by helping countries that are mal ing big sacrifices by cutting o trade with Iraqi President Saddar Hussein.

"It's very important to demor strate we are going to be respor sive to their needs," he said, addin "One of the reasons this is a critic thing to do is to ensure a continuin squeeze on Saddam."

One U.S. official who saw th four-page memorandum to th president outlining the plan said included a country-by-country sun mary of donor nation commitmen that were under discussion and country-by-country resume of r cipient nation needs. It was n clear whether the aid figures h the final approval of the forei governments, but Kaifu's announc ment in Tokyo was an indicati that some may be final.

Defense Secretary Richard Cheney and Gen. Colin L. Powe chairman of the Joint Chiefs Staff, recommended that Jorda

W.P. 8.30.

2001-1

0013

Bush to Urge Allies to Share Costs, Aid Nations Hurt by Trade Embargo

THE PROPOSED ECONOMIC ACTION PLAN

Funds would come from:

	Total funds	Defense Assistance to U.S.
Japan	$1.3 billion	$60 million per month
Germany	$600 million	$40 million per month
Saudi Arabia	$4 billion	$500 million per month
United Arab Emirates	$1 billion	$100 million per month
Kuwait	$3 billion	$400 million per month
South Korea	Undetermined	Undetermined
Total	**At least $10 billion**	**At least $1.1 billion monthly**

NOTE: Discussions with other European countries regarding funding are pending.

Funds would go to selected countries, including:

BANGLADESH:
Needs funds to offset the cost of military support to Saudi Arabia.

EASTERN EUROPE:
Faces interruption of important trade with Iraq.

EGYPT:
Facing default on a $7.1 billion military debt to the United States and the influx of tens of thousands of expatriate workers coming home from Iraq.

INDIA:
Facing the loss of oil supplies from Iraq that were used as payment in barter deals.

JORDAN:
Predicted to lose $900 million a year in trade with Iraq—25 percent of its GNP. The kingdom also has substantial debts outstanding.

MOROCCO:
Needs funds to offset the cost of military support to Saudi Arabia.

PHILIPPINES:
Facing the loss of oil supplies from Iraq and the return of thousands of expatriate workers from Iraq and Kuwait.

TURKEY:
Predicted to lose $2 billion a year in trade with Iraq.

THE WASHINGTON POST

Egypt and Turkey be singled out for special and more urgent assistance because of their key contributions to enforcing the embargo.

In Jordan's case, however, the provision of aid would be preceded by a strong diplomatic demarche to King Hussein calling on him to "get on board or forget it," as one senior official put it. Concern about "leakage" of embargoed goods through Jordan to Iraq remains high in the White House and the State Department, and has added to growing Saudi resentment over Jordan's continuing close ties with Baghdad.

Sources said the demarche would require Jordan to cut all military-to-military ties to Iraq and to reaffirm its commitment to block Iraq-bound commercial traffic from passing through the Jordanian port of Aqaba or on Jordan's highways.

Jordan also stands to gain or lose an additional $20 million earmarked for Amman in this year's U.S. defense appropriations bill, but the money has yet to be released. Some members of Congress want to block the money if Jordan does not strongly support the embargo.

In Egypt's case, the Pentagon was said to have recommended that the United States forgive most or all of the $7.1 billion military debt Cairo owes Washington for converting its military from Soviet-made weapons to American-made weapons. The debt forgiveness would require congressional approval.

A week ago, Congress agreed to a Pentagon request to reprogram $50 million in cash to be given to Egypt in recognition of Cairo's support to the U.S. deployment.

White House deputy press secretary Roman Popadiuk yesterday rejected any suggestion that Arab and other foreign aid to the United States put the U.S. military forces in a "mercenary" position. "It's a multinational cooperative effort," Popadiuk said, "We have about 22 countries that are involved in this in terms of military assistance to the defense of Saudi Arabia. We have a strong commitment by the United States for that defense."

The Pentagon also yesterday confirmed a Washington Post report that the president has approved the purchase of additional weapons by Saudi Arabia. A Pentagon statement said an initial package of 24 F-15 fighters, 150 M-60 tanks and 200 Stinger missiles had been approved, along with other missiles and weapons totaling $2.2 billion.

But administration officials said that a second Saudi weapons package, which would push the total to $6 billion to $8 billion, has been approved and will be announced later. This package calls for the delivery of 24 more F-15s after the first of the year, along with M-1 tanks, Bradley fighting vehicles, a naval command and control system, tank recovery vehicles and a host of artillery, munitions and other weapons.

2001-2.

0014

관리번호	90/1538

원 본

외 무 부

종 별 :

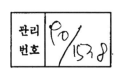

번 호 : JAW-5298 일 시 : 90 0831 1813

수 신 : 장관(중근동,아일,정일,경일)

발 신 : 주 일 대사(일정)

제 목 : 일정부 중동지원책

연 : JAW-5255

1. 일정부 관방장관은 8.30. 연호 다국적군 지원을 위한 수송, 물자, 의료 및 자금협력의 방법으로 10 억불을 금년도 예산에서 지출하기로 결정했다고 발표하였음.

2. 동 금액은 당초 지원책 발표시에는 금액 결정이 되지않은 상태에서 향후검토키로 한것이나, 8.29 카이후 수상이 연호 일본의 지원책을 발표한 직후 이를 서둘러 밝힌것은 미국측을 크게 의식한 카이후 수상의 정치적 결정으로 보여짐.

- 일 외무성에 의하면 당초 미측은 20-30 억불의 지원을 요청하였다고 하나, 90 년도 일정부의 예비비 총액이 3,500 억엔임에 비추어 금번 일정부의 10 억불(1,500 억엔)지원 금액규모는 금년 일정부의 예산에 상당한 부담으로 작용할것으로 보인다고함. 끝

(공사 김병연-국장)

90.12.31. 까지

중아국 차관 1차보 2차보 아주국 경제국 정문국 청와대 안기부

PAGE 1

90.08.31 18:52

외신 2과 통제관 BT

0015

관리 번호	90/1572

원 본

외 무 부

종 별 :

번 호 : AEW-0255 일 시 : 90 0831 1400

수 신 : 장관(중근동,기협,정일)

발 신 : 주 UAE 대사

제 목 : 이라크-쿠웨이트 사태(12)(자료응신 17호)

연:AEW-0249,0241,0219

1. 주재국은 영국, 미국등의 다국적군 기지사용 허용과 더불어 이라크, 쿠웨이트로부터의 철수 애급인들에 대한 귀국 항공기 제공등(요르단-카이로) 경비를 제공할 것이라고 발표함.

2. 또한 주재국 KHALIFA 황태자는 주재국내 유입 쿠웨이트 난민에 대하여 100 만드람(미불 270 만불)을 지원한바 있으며, 주재국내 여성연맹(WOMAN LEAGUE)은 외무부와 협조, 쿠웨이트 난민을 위한 자선 외국음식 바자회(9.1-6)를 개최하는등 이들에 대한 각계로부터의 지원이 점증하고 있음을 보고함. 끝.

(대사 박종기-국장)

예고:90.12.31 일반
19 . . . 에 예고문에
의거 일반문서로 재 분류됨.

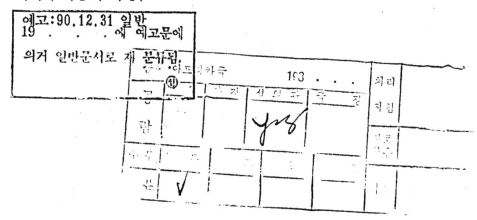

중아국 장관 차관 1차보 2차보 경제국 정문국 청와대 안기부
대책반

PAGE 1

90.08.31 21:53

외신 2과 통제관 CF

0016

원 본

외 무 부

종 별 :

번 호 : UKW-1626 일 시 : 90 0831 1700

수 신 : 장 관 (중근동,구일,기정동문)

발 신 : 주 영 대사

제 목 : 걸프사태

걸프사태관련, 주요 최근 주재국 동향을 아래와 같이 보고함

1. 대처수상은 8.30 핀랜드 방문중 연설에서 걸프사태에 대처하는데 있어 구주제국의 미온적인 (SLOW AND PATEHY) 군사적 대응에 대하여 비판함. 동 수상은 필요한최소한을 넘는 의의가 있는 지원을 한 나라는 영국과 프랑스뿐이라고 말함으로써 독일이 헌법상 나토지역외에 군대를 파견할 수 없다해도 재정적 지원에 적극성을 보이도록 촉구함

2. 대처수상의 상기 발언은 부쉬 대통령의 서독,일본,한국등에 대한 재정지원 촉구와 관련 주목의 대상이 됨

3. 대처수상은 또한 8.30 핀랜드 방문에서 귀국하여 보수당 주요간부들과 협의한후, 현재 휴회중인 하원을 내 9.6(목)및 7(금) 양일간 긴급소집하기로 결정함. 휴회중 의회 긴급소집은 1982년 포크랜드 전쟁시 이래 최초임

4. 요르단의 후세인 국왕이 대처 수상과 걸프사태에 관해 협의하기 위해 8.30 밤당지 도착함

5. HURD 외상은 9.5까지 카타르, UAE, 오만,예멘,사우디및 요르단 6개국을 방문키위해 금 8.31 출국함

6. 부녀자 및 아동들의 이락으로부터의 대피문제에 관해서는 사용 항공기, 출국사증등 절차문제에 관하여 이락측과 협의가 계속되고 있음.끝

(대사 오재희-국장)

중아국 1차보 구주국 정문국 안기부 미주국 통상국 대책반 2차보

PAGE 1

90.09.01 08:09 FC

외신 1과 통제관

0017

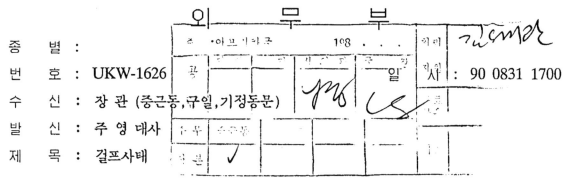

관리번호	90/1552

원 본

외 무 부

종 별 :

번 호 : AUW-0672　　　　　　일 시 : 90 0903 1300

수 신 : 장관(중근동,기협,아동)

발 신 : 주 호주 대사

제 목 : 주재국,요르단 원조

1. 주재국은 요르단에 대해 이라크. 쿠웨이트 난민처리를 돕기위해 25 만 호불을 원조키로 결정했다고 발표함.

2. 동원조 기금은 국제적십자사를 통해 전달될 예정이며, 에반스 외상은 금번지원이 중동사태가 요르단에 끼치는 영향에 대한 국제적 대응의 일환이라고 언급함. 끝

(대사 이창수-국장)

예고:90.12.31. 까지

19 . . . 에 예고문에 의거 일반문서로 재 분류됨.

중아국　1차보　2차보　아주국　경제국　청와대　안기부

PAGE 1

90.09.03　15:49

외신 2과　통제관 BT

0018

관리 번호 90-1906

원 본

외 무 부

종 별 : 지 급

번 호 : JAW-5331 일 시 : 90 0903 2100

수 신 : 장관(미북,아일)

발 신 : 주 일 대사(일정)

제 목 : 미국의 비용분담 요청

대:WJA-3707

연:JAW-5255, 5298

1. 대호, 미측 분담요청에 대한 일측 대응방안 관련, 금 9.3. 당관 강대현서기관이 일 외무성 북미과 이하라 차석과 접촉, 청취한 동인 설명내용을 하기 보고함.

가. 미국측 요구내용

0 미측이 비용분담 문제를 협의하기 위한 목적으로 브래디 재무장관 파견 방침을 전달하여 왔으나, 구체적인 요청액수에 대한 설명은 없었음.

0 8.30. 자 와싱턴 포스트지가 보도한바 있는 일본에 대한 협력요청액("주변국가에 대한 자금원조 13 억불, 미군파견 비용분담금 월 6 천만불")은 아직 미측으로 부터 설명을 들은바가 없는 내용이며, 일측은 브래디장관 방일시 미측으로 부터 구체적 설명이 있을 것으로 보고 있음.

나. 일측 입장

0 8.29. 카이후 수상이 발표한 "일본의 공헌책"은 일 정부로서는 최대로 협력한다는 자세로 미측입장도 크게 배려하여 작성한 것으로서, 다국적군에의 활동지원과 중동관계 주변제국에 대한 지원을 주요내용으로 하고 있음.

0 이와관련, 8.30. 일 정부는 상기 다국적군에의 활동지원 자금으로 10 억불(약 1,500 억엥)을 금년도 예비비(총액 3,500 억엥 정도)에서 지출하기로 결정하였는바, 일측의 국내 제반사정으로 보아 금번 미국의 분담요청을 상기 10 억불 지원과 분리, 금년도 예산에서 별도의 추가금액을 지원하기는 어려울 것으로 생각하고 있음.

0 다만, 상기 10 억불 지원외에 중동관계 주변제국에 대한 지원은 당초부터 다국적군에의 활동지원과는 별도로 검토할 예정이었음에 비추어 향후 정부내에서 협력규모 및 방법등을 검토할 것으로 생각하나, 현재 구체적 액수등을 검토한바는

미주국 장관 차관 1차보 2차보 아주국 경제국 정문국 청와대
안기부 대책반

PAGE 1

90.09.03 22:15

외신 2과 통제관 DO

0019

없으며 우선 금번 브래디장관 방일시 미측 생각을 들어보고 일측 검토에 참고할 생각임.

다. 다국적군에 대한 자금 제공방법

0 일본의 기본입장은, 미국에 한하지 않고 유엔안보리 결의에 따라 활동하고 있는 각국의 노력에 대하여 헌법상 허용된 범위내에서 최대의 공헌을 하고 싶다는 것임.(실제 사회당등의 야당에서는 다국적군에 대한 자금지원은 위헌이라는 주장도 제기하고 있음)

0 따라서 다국적군에 대한 자금지원은 일본으로서는 미국등 군대파견국에 대해 개별적으로 경비를 지원하기 보다는 유엔이나 IMF 등의 국제금융기관을 통해 다국적군에 대해 자금제공을 할 수 있는 방법을 모색하고 있으나, 이에 대해서는 미측의 생각도 중요하기 때문에 우선 미측과의 협의가 필요하다고 생각함.

라. 브래디장관 방일 일정

0 현재 9.7. 도착, 카이후 수상, 나까야마 외상, 하시모토 대장상(현재 유럽 4 개국 순방중이나 9.7. 도착 예정)을 면담한후, 동일 일본을 출발하는 일정으로 검토되고 있음.

2. 당관 관찰

가. 상기 외무성 설명 및 당지 언론보도등을 종합하면, 일본으로서는 금번 미국의 분담요청에 대해 기본적으로는 상기 다국적군에 대한 10 억불 지원 금액은 변경하지 않고, 일측이 발표한 "공헌책"중 아직 지원규모를 결정하지 않은 주변제국에 대한 원조문제를 중심으로 미국측과 협의, 미국측 요구에 대응해 나갈 것으로 보여지나 상기 다국적군 지원 10 억불 선 유지여부는 미측과의 협의에서 여전히 촛점이 될 것으로 보여짐

- 한편, 주변제국에 대한 원조금액 규모에 대해서는 아직 언급되지 않고 있으나(자금규모 관련, "공헌책"발표직전 8.29. 공동통신은 약 40 억불로 보도한바 있고, 일부 언론은 5-6 억불 미만일 것으로 보도한바도 있음), 일측은 미의회를 중심한 미측여론을 크게 의식하고 있는 것으로 보여짐.

나. 다국적군 활동에 대한 자금제공 방법은 국내의 위헌논쟁 야기 가능성 관련, 미국에 직접지출이 되는 형태를 피하고 유엔 또는 IMF, 세계은행등 국제기관을 가능한 많이 개입시킨다는 것이 일 정부의 복안으로 보여지나, 이에 대해서는 자금사용을 위한 소요시간등과 관련, 미측이 난색을 표시하고 있다고 전해짐.끝.

PAGE 2

0020

(대사 이원경-국장)

예고:90.12.31. 일반

예고문에의거일반문서로
재분류19 90.12.31 서명

PAGE 3

0021

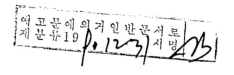

번호 : USW(F) - 3477
수신 : 장 관 (중근동, 미북, 아일)
발신 : 주미대사
제목 : 이라크 사태에 대한 일본 입장 (1 매)

보안
통제

The Free-Lunch Countries

Mark Shields

Japan imports all of its oil, some two-thirds of which comes from the Persian Gulf. From that same area, Europe gets close to one-third of its oil. The United States get from the Persian Gulf less than one-eighth of its oil.

But the brave peacekeepers whose lives are on the line in the hot and dangerous Gulf are young Americans, not Japanese and not Europeans. Certainly self-respect, gratitude and a minimum universal sense of fairness would compel the Japanese to pick up the considerable bill for keeping the oil flowing, right? Wrong. Even though the cost of deploying United States troops is expected soon to reach $1 billion a month, the Japanese are now vaguely talking in terms of making a total contribution of aid by the end of next March to all countries, including the hard-hit peoples of Turkey and Egypt, of barely $1 billion.

The peacekeepers whose lives are on the line are young Americans not Japanese or Europeans.

Even Japan's high-priced apologists and retainers in fancy Washington law firms and pricey public relations factories cannot defend such an abdication of leadership and responsibility by the world's second-largest economy, which is also the world's largest supplier of capital.

Americans are known to be straight-forward people. So why don't we simply demand the Japanese ante up their fair share?

The blunt truth: Toward the Japanese, we are in no position to impose a levy; we can only submit a plea. That is the relationship between a debtor, us, and our principal creditor, Japan.

Events in the Persian Gulf cannot be divorced from our continuing budget deficits at home and the sad reality that the United States government cannot meet its monthly payroll and obligations without borrowing from Japanese bankers. Debtors do not make loud demands on their creditors; instead they make quiet requests. When U.S. Treasury Secretary Nicholas Brady approaches the Japanese leadership about the cost of the bill in the Persian Gulf, we are not putting the arm on Tokyo—we're putting our hand out.

The Golden Rule of international finance continues to prevail: He who has the gold, rules. Further complicating and undermining the U.S. position has been the continuing drop in the value of the dollar to its lowest point in nearly 20 years. During previous times of world turmoil, the rest of the world in search of safety and stability would head for the dollar. But that is not the case in the fall of 1990 when the United States no longer looks like the planet's most dependable investment address.

Japan is not the only prosperous nation not putting up its fair share in the Persian Gulf. Neither Germany nor South Korea is knocking anybody over in obvious eagerness to pick up the tab. One can only wonder how in private these free-lunch countries' leaders rationalize their own selfish inaction. Maybe they think the United States doesn't mind sending our sons and brothers into danger because "Americans don't value human life the same way we do." During the Vietnam war, to which South Korea and the Philippines sent young men to fight in support of the U.S. cause, American critics of that war charged that the governments in Seoul and Manila were acting out of economic dependency, because they were not the United States's allies but the United States's clients. That was less than two decades ago.

In the Persian Gulf crisis, Tokyo has had a mostly free ride and free lunch, thanks to Washington. Japan can do precious little about its own oil dependency. But with stronger, smarter presidential leadership than the United States has had on energy from Ronald Reagan and George Bush up to now and with a genuine national commitment, a strong United States could be energy independent. And that would leave only the deficit dependency on foreign capital to be cured.

일본 : 2/3
유럽 : 1/3
미국 : 1/8

전비부담 : 1달 : 10억불
일본 : 10억불 (내년 3월까지 총액)

현실 : 미국이 impose할 입장이 못됨.
일본이 채권자 : 미국 채무자
—달러화 하락

0022

관리번호	90/1556

원 본

외 무 부

종 별 :

번 호 : OMW-0255 일 시 : 90 0903 1445

수 신 : 장관(중근동,정일)

발 신 : 주 오만 대사

제 목 : 일본의 대주재국 원조(자응 제43호)

본직이 작 9.2. 당지주재 OHARA 일본대사를 접촉한바, 동대사는 지난 8.19-20 간 KAIFU 수상대신 주재국을 방문한 NAKAYAMA 일본외상이 걸프사태관련 주재국에 대해 경제원조 제공을 약속하였는바, 그규모는 재정지원 5 억불및 기술 150 만불로서 현재 그 구체적 지원 사업계획을 협의중에 있다고 말함. 끝

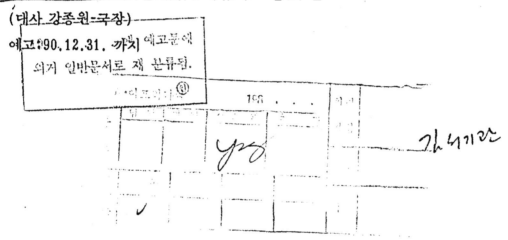

(대사 강종원-국장)

예고:90.12.31. 까지

예고문에 의거 일반문서로 재 분류됨.

중아국 차관 1차보 2차보 정문국 안기부

PAGE 1

90.09.03 22:36

외신 2과 통제관 DO

0023

미북 김

관리 번호	90-1898

원 본

외 무 부

종 별 :

번 호 : GEW-1493 일 시 : 90 0903 1700

수 신 : 장관(미북,구일)

발 신 : 주 독 대사

제 목 : 미국의 군사비용 분담요청

대:WGE-1271

금 9.3. 당관 이공사는 DASSEL 외무성 중동과장과 면담, 대호건을 알아본바, 그간 부쉬 미대통령이 콜수상에게 전화로 3 차에 걸쳐 독일의 지원을 요청했으며, 독일정부로서는 미측요청사항을 적극적으로 수용할 방침으로 금주내 상세 지원내용이 결정될것 인바, 독일은 이미 20 회 정도 항공기로 긴급물자를 요르단에 운송지원했으며, 앞으로 항공기및 선박을 이용토록 미측을 지원예정이라 함. 특히 덴막, 스칸디나비아 3 국등 소유 여객선을 독일비용으로 빌려 미국사용으로 지원하고, 금번 사태로 타격을 받고 있는 터키, 요르단, 유고등에 특별지원을 고려하고 있다고 함. 지원요청액은 미군지원 4 천만불 포함 6 억불 규모라고함. 상세 지원내용 입수하는대로 추보 하겠음

(대사 신동원-국장)

예고:90.12.31. 일반

예고문에 의거 일반문서로 재분류19 90 12 31 서명

미주국 장관 차관 1차보 2차보 구주국 청와대 안기부 대책반

PAGE 1

90.09.04 05:33

외신 2과 통제관 DO

0024

미북 길

관리 번호	90-1899

원 본

외 무 부

종 별 :

번 호 : UKW-1635 일 시 : 90 0903 1600

수 신 : 장관(미북,중근동,구일)

발 신 : 주 영 대사

제 목 : 걸프사태(미국의 비용분담 요청)

대: WUK-1461

당관 조상훈참사관은 금 9.3.(월) HUGH DAVIES 외무성 극동과장을 접촉, 표제 탐문한바, 동 과장의 발언요지를 아래와 같이 보고함

1. BRADY 재무장관, EAGLEBURGER 국무차관및 MULFORD 재무성 차관보는 아시아 방문에 앞서 금주말경 영국을 방문하여 걸프사태에 관한 서방측의 협력방안을 협의예정임

2. 영측으로서는 걸프사태에 관련한 일본, 독일, 한국등의 재정적 지원문제에 관해서 미측과 입장을 같이하고 있으며, 특히 군사력 이동을 위한 수송비 분담 또는 현물지원, 요르단, 터키, 이집트등 인근제국에 대한 원조등에 이들 국가들이 협력할 수 있다면 이를 환영할것임.끝

(대사 오재희-국장)

예고:90.12.31. 일반

예고문에 의거 일반문서로 재분류19 90. 12. 31 서명

미주국	장관	차관	1차보	2차보	구주국	중아국	통상국	청와대
안기부	대책반							

PAGE 1

90.09.04 06:17

외신 2과 통제관 DO

0025

긴

관리 번호	90-1815

원 본

외 무 부

종 별 :

번 호 : FRW-1602 일 시 : 90 0904 1030

수 신 : 장관(미북,중근동,구일)

발 신 : 주 불 대사

제 목 : 이락사태(비용분담)

대:WFR-1679

1. 외무성 KOETSCHET 중동 부국장에 의하면 불란서는 걸프사태 관련 9 척의전부선단을 자국 경비 부담으로 기 파견 미국을 지원급하여 줄것을 요청하였으며, 터키는 유엔안보리 제재결의 내용을 참작 동문제를 검토중인것으로 보임.

(대사 김내성-국장)

예고:90.12.31. 까지

예고문에의거일반문서로 재분류10 90 12 31 서명

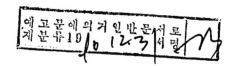

미주국 차관 1차보 구주국 중아국 정와대 안기부

PAGE 1

90.09.04 18:04

외신 2과 통제관 BT

0026

원 본

외 무 부

종 별 :

번 호 : DEW-0369 일 시 : 90 0904 1130

수 신 : 장 관(중근동,구이,정일)

발 신 : 주 덴마크 대사

제 목 : 걸프만 사태(자료응신 제20호)

연: DEW-0364

1. 주재국 의회 본회의는 8.31. 유엔안보리의 대이라크 봉쇄 실행조치 지원을 위하여 정부의코르벳함 OLFERT FISCHER 호 파견 건의를 의원절대다수의 찬성으로 최종승인하였음. 의회는그러나 걸프만에서 전쟁발발시 동 군함이 자위를위해 발사하는 경우를 제외하고는 전투행위에참여해서는 안된다고 제한하였음. 상기 의회결정에 따라코르벳함 OLFERT FISCHER 호는9.12.경 걸프만으로 파견될 예정임.

2. 한편 ELLEMANN-JENSEN 주재국 외무장관은 8.31.의회에서 덴마크 정부가 쿠웨이트 사태로 인해수십만 의 자국 노동자 귀환이 예상되는 이집트에2천만 크로너(약 3백만불)상당의 인도적 원조를추가 제공할 것이라고 말함. 주재국은 현재이집트에 매년1억 크로너 상당의 원 조를제공하고있음. 끝.

(대사 장선섭-국장)

중동·아프리카국	198 . . .	
공람		
사본		

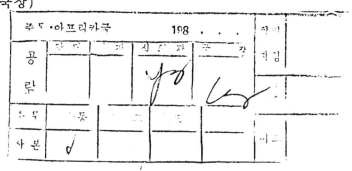

중아국 구주국 정문국 미주국 통상국 대책반 1차보 2차보

PAGE 1

90.09.05 01:28 CT

외신 1과 통제관

0027

원 본

외 무 부

종 별 :

번 호 : ECW-0580　　　　　　　　일 시 : 90 0904 1440

수 신 : 장관(중근동,구일,통이)

발 신 : 주 EC 대사

제 목 : 걸프 사태관련 EC 외무장관 회의(자료응신 68호)

1. EC 12 개국은 9.7 로마에서 외무장관 회의를갖고, 대이라크 경 제 제재조치로인해 심각한타격을 입고있는 중동 국가들에 대한 EC측의 경제적 지원 제공과 걸프 국가와의무역관계 강화를 위한 EC 집행위 제안을검토할 예정임.

2. EC 집행위측은 금번 사태로 이라크 및쿠웨이트 시장상실,근로자 송금 및 관광수입격감등 심각한 경제적 피해를 입고있는이집트(연 피해액 약 20억불추산), 요르단(10억불), 터키(25억불)에 대한 국제수지지원조치로서 단기 차관 제공 및 인도적 원조 추가공여, GCC 회원국과의 자유무역협정 체결추진등을 제의할 것으로 알려짐.

3. EC 현 의장국인 이태리 외무성측은 부쉬미대통령이 우방국에 요청한 GULF 지역 미국군사개입 비용 분담문제가 동회의에서직접적으로 거론될 가능성은 없음을언급하면서, EC 의 상기 경제 지원 조치가우방국들이 금번 사태 관련 충분한 역할을하지않는다는 미국의 불만을 해소하는데 도움이될것으로 보고있음.끝.

(대사 권동만-국장)

중동·아프리카국 198 . . .

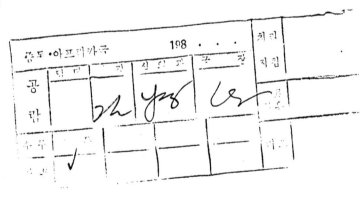

중아국 구주국 통상국 미주국 안기부 대책반 1차보 2차보

PAGE 1　　　　　　　　90.09.05 01:59 CT

외신 1과 통제관

0028

관리 번호 Po-1P21

원 본

외 무 부

종 별 :

번 호 : FRW-1602 일 시 : 90 0904 1030

수 신 : 장관(미북,중근동,구일)

발 신 : 주 불 대사

제 목 : 이락사태(비용분담)

대:WFR-1679

1. 외무성 KOETSCHET 주동 부국장에 의하면 불란서는 걸프사태관련 9 척의 전부 선단을 자국 경비 부담으로 기 파견 미국을 지원하고 있으므로 대호 성격의미측 요청을 별도로 접수한바 없다함.

2. 동 부국장은 이어 재정 지원 문제는 함대를 기 파견한 영국도 해당되지 않는것으로 알고 있으며, 주요국중 경제적 능력은 있으나 헌국가체제상 직접적인군사지원이 불가능한 국가(일본, 독일) 에 한해 미측이 재정 지원을 요청한것으로 파악하고 있다함. 끝

(대사노영찬-국장)

예고:91.6.30 일반

일 반 (1990.12.31)

예고문에 의거 일반문서로 재분류19 91.6.30. 서명

미주국 차관 1차보 2차보 구주국 중아국 통상국 안기부 대책반

PAGE 1

90.09.05 09:53

외신 2과 통제관 BN

0023

관리 번호 90-1729

원 본

외 무 부

종 별 :

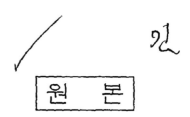

번 호 : GEW-1514 일 시 : 90 0906 1800

수 신 : 장관(미북,구일)

발 신 : 주 독 대사

제 목 : 미국의 군사비 분담 요청

연:GEW-1493

1. 당관 이종무 공사는 9.6. DASSEL 외무성 중동과장과 재차면담, 주재국 정부가 표제건과 관련 지원방침을 결정했는지 문의한바, 주재국은 미국으로부터 미군주둔비용 부담요청을 받은바 없으며 미국의 지원요청을 적극 수용한다는 방침하에 항공기 또는 선박등 운송수단 지원및 애급, 요르단, 유고, 터키등 관련국 원조등 방법으로 지원할 것이라고 함

2. 동과장은 대미 지원액이 6 억불 이상될것으로 보며, 구체적인 지원내역은 서독정부가 결정할 것인바, 동건 협의를 위해 베이커 미국무장관이 서독을 방문 예정이라고함

3. 서독 정부는 HERMES(수출보험공사)을 통해 금번 금수조치로 손해를 보게된 수출업자들에게 10 억 마르크 정도 손해를 보전할 예정이라고함

(대사 신동원-국장)

예고:90.12.31. 일반

예고문에 의거 일반문서로 재분류19 90.12.31.

미주국 구주국

PAGE 1

90.09.07 02:03

외신 2과 통제관 EZ

0030

원 본

외 무 부

종 별 :

번 호 : ECW-0588 일 시 : 90 0906 1715

수 신 : 장관(중근동,구일,통이)

발 신 : 주 EC 대사

제 목 : 걸프사태 관련 EC 측 지원조치(자료응신 제69호)

연: ECW-0580

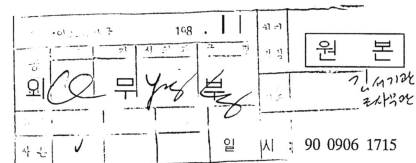

1. EC 집행위는 작 9.5 집행위원 정기회의에서 최근 걸프사태 관련 제3국 피난민의 본국송환을 위해 15백만 ECU 의 긴급 원조공여와 대 이라크 경제봉쇄조치로 심각한 영향을 받고 있는 이집트,요르단,터키에 대한 경제적지원계획을 채택하였는바, 삭세내용은 아래와 같음.

가. 제3국 난민에 대한 긴급 원조

0. EC 집행위는 이집트 근로자의 본국 송환을위해 기 공여한 560만 ECU 에 추가하여 파키스탄,방글라데시등 아시아 근로자의 본국 송환및 의약품,식량공급을 위해 15백만 ECU 긴급 원조 계획 채택

0. 앞으로 이락 및 쿠웨이트 출국 제3국 난민을위한 추가 지원을 위해 EC 각료이사회 및 구주의회에 30백만 ECU 예산 전용 건의

나. 이집트,요르단,터키에 대한 경제적 지원 계획

0. EC 집행위측은 대이락 경제 제재조치로 금년중 요르단의 피해액이 10억 ECU, 이집트는 20억 ECU 이상, 터키는 25억 ECU 에 이를 것으로 추산하고 미,일등이 참여하는 다국적 지원조치의 일환으로서 상기 3개국 피해액의 일부를 지원할 것을 EC 외무장관 회의에 건의

0. EC 집행위측은 구체적 지원액과 지원방안에 대해서는 아직 공개치 않고있으나, 당지 소식통에 의하면 이집트 및 요르단에대해서는 무상원조와 특별 차관 형식으로지원을 제공할 것으로 알려짐(MATUTES EC 집행위원은최근 TV 회견에서 연말까지의 EC 지원액이 약 6억불에 이를 것으로 전망)

0. 한편 터키정부는 EC 측에 금번 사태 관련, 지원방안으로서 EC 와의 경제,산업,금융협력(섬유등 관세양여,반덤핑등 EC 무역정책의 적용완화, EC-

중아국 1차보 2차보 구주국 통상국 정문국 안기부 미주국 대책반

PAGE 1 90.09.07 05:36 CG

외신 1과 통제관

0031

터키간금융의정서 채택등)을 희망하고 있으나, EC 집행위측은 단기적 국제수지 지원조치(특히 이락 송유관 폐쇄에 따른 사용료 상실분 보전)를 고려하고 있음

다. GCC 와의 관계강화 및 EC 의 지중해지역 정책협의 가속화

0. EC-GCC 간 무역협정 교섭 조기착수 및 산업분야 협력 강화(양측간 이미 협력협정체결)

0.지중해 지역 정세의 불안정을 감안, 동 지역에대한 EC 의 신규 정책 채택(이와 관련 현EC 의장국인 이태리측은 지중해 지역에 일종의 CSCE 발족 및 걸프사태로 타격을 입은 국가 지원을 위한 G-24 형태의 지원국 그룹창설 제의)

2. EC 12 개국은 명 9.7 로마 개최 EC 특별외무장관 회의에서 상기 EC 집행위측제안을 구체적으로 검토할 예정이며, 또한 9.8-9EC 경제 재무장관 회의에서 동 지원계획의 재정적 측면(특히 이집트,요르단,터키에대한 재정지원을 위해 국제금융시장활용방안등)과 금번 사태가 EC 경제에 미치는 영향등에 관하여 협의할 것으로 알려짐.끝

(대사 권동만-국장)

PAGE 2

0032

원 본

외 무 부

종 별 :

번 호 : DEW-0375 일 시 : 90 0906 1900

수 신 : 장 관(중근동,구이,기정)

발 신 : 주 덴마크 대사

제 목 : 걸프만 사태

1. 당지 BERLINGSKE TIDENDE 지는 9.6. 외무부 BENNYKIMBERG 정무차관의 말을 이용,미국정부는 덴마크측에 미군의 걸프만 수송에 필요한 민간선박을 파견 또는 그 비용을 부담해 주도록 공식 요청하여 왔다고 보도함.

2. 이와같은 미국의 걸프만 작전비용 분담요구에대해 집권여당인 보수당은 긍정적인 반응을 보이고 있으나 의회내 최대 정당이자 제1야당인 사민당 및 연정파트너 정당인 급진당등은 이에반대하고 있어 지난 8.31. 코르벳함 파견결정시와는 달리 의회내 많은 논란이 예상됨.

3. 한편 외무부는 9.5. 의회 재무위원회에 2천만크로너(약 3백만불)의 대 요르단긴급원조 제공승인을 요청하였음. 끝.

(대사 장선섭-국장)

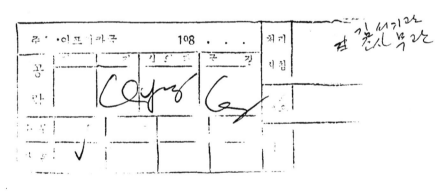

중아국 구주국 정문국 안기부 미주국 대책반 통상국 1차보 2차보

PAGE 1 90.09.07 05:53 CG

외신 1과 통제관

0033

외 무 부

종 별 : 긴 급

번 호 : ECW-0592 일 시 : 90 0909 2300

수 신 : 장관 (통일,중근동,구일,통이)

발 신 : 주 EC 대사

제 목 : 걸프사태 관련, EC 외무장관 회의 (자료응신 제 68호

연: ECW-0580, 0588

1. EC 12 개국은 연호 9.7. 로마 특별 외무장관 회의에서 최근 걸프사태 관련 하기와같은 결정을 채택함

0 미국의 걸프지역 군사주둔 비용에 대한 직접적인 기여는 하지 않는 대신 금번사태로 타격을 입은 요르단, 터키, 이집트등 3개국가에 대한 수십억불 상당 긴급원조제공

0 대이라크 경제제재조치 강화를 위해 공동봉쇄방안 검토

0 쏘련의 금번사태 관련 공동성명 발표제의를 환영, 내주말경 MICHELIS 이태리외무장관 방쏘시 동문제를 협의키로 함

0 유엔 사무총장에게 이라크및 쿠웨이트 억류 외국인의 신변안전을 위한 노력을 계속할것과 쿠웨이트 주재 외교공관과의 접촉을 위한 유엔사절단 파견요청

00 EC- 아랍국가간 DIALOGUE 를 위한 각료급 회담 조기개최

2. EC 의장국인 이태리 MISHELIS 외무장관은 동회의 종료후 가진 기자회견에서 EC 회원국들이 부쉬 미대통령의 군사비용 분담요청에 대해 전반적인 이해를 표시하였으나 NO TAXATION WITHOUT REPRESENTATION 원칙을 들면서 미국의 독자적 군사조치에 대한 비용은 우방국들이 분담할수는 없으며 EC 측으로서는 경제제재조치 비용에 상당한 기여를 함으로서 미국의 부담을 덜고자하는 입장임을 피력하였음

3. 이집트, 요르단, 터키에 대한 EC 측의 구체적 원조규모 결정은 9.17. 사우디및 여타 걸프 국가와의 협의시까지 연기 되었으나, EC 측 소식통에 의하면 1990-1991 년간 약 20억불에 달할것으로 예측되고 있음

4. 이와관련, 당지언론 보도에 의하면 EC 집행위측은 이집트, 터키및 요르단 3개 국가들이 대이라크및 쿠웨이트 교역상실및 고유가로 금년중 28억불, 내년중 65억불

통상국 1차보 2차보 구주국 중아국 통상국 정문국 안기부 대책반

미주국 차관

PAGE 1 90.09.10 06:42 DA

외신 1과 통제관

0034

상당의 피해를 입을것으로 추산하고, EC 측이 동 피해액의 15프로, 사우디및 UAE 등 걸프국가가 65 프로, 일본등 여타국가들이 나머지 20프로를 분담할것을 제의한 것으로 알려짐. 상세내용 파악되는대로 추보위계임. 끝

(대사 권동만-국장)

관리 번호	90-1964

분류번호	보존기간

발 신 전 보

번 호 : WSB-0390 900910 1535 DY 종별 : 지 급

수 신 : 주 수신처 참조 ~~대사, 총영사~~

발 신 : 장 관 (미북)

제 목 : 페르시아만 사태 관련 미국의 경비분담 요청

WAE -0202 WBB -0634
WIT -0831 WGE -1306
WJA -3828 WFR -1728
WUK -1512 WUS -2993

1. 부쉬 대통령의 특사로 9.6-9.7간 방한한 Brady 미 재무장관은 (Eagleburger 국무부 부장관, Wolfowitz 국방부 차관, Mulford 재무차관 등 수행) 9.7. 대통령 예방시 금번 페르시아만 사태와 관련 미측의 정치,외교적 목적과 군사 전략을 설명하고 폐만 군사작전에 소요되는 경비 일부와 이라크에 대한 경제 제재 조치 참여로 경제적 피해를 입고 있는 소위 전선국가(front-line states)(이집트, 터키 및 요르단 거명)에 대한 경제 원조를 아국이 제공해 줄 것을 요청하였음. (Brady 특사는 미국의 중동 파병으로 매월 30억불 정도의 경비가 소요되며, 또한 경제적으로 심한 피해를 입고 있는 상기 국가들의 원조를 위해 금년중 35억불이 소요되고 내년중에는 70-80억불이 소요될 것으로 예상된다고 설명)

2. 이에 대해 노 대통령은 우리의 경제와 안보 상황에 비추어 가능한 지원을 하도록 노력하겠으며 구체적인 지원 방안에 관해서는 외교 경로를 통해 협의하도록 하겠다고 말씀하였음.

검 토 필 (1990.12.31.)

3. 이와 관련 아국 정부 방침 검토에 참고코저 하니 부쉬 대통령의 특사가 귀 주재국 정부에 지원 요청한 내용 및 이에 대한 주재국 정부의 입장을 지급 파악, 보고 바람. 끝. (미주국장 반기문)

예고 : 91.6.30. 일반

수신처 : 주사우디, 주UAE, , 주벨지움, 주이태리, 주서독, 주일본, 주불란서, 주영대사 (사본:주미대사)

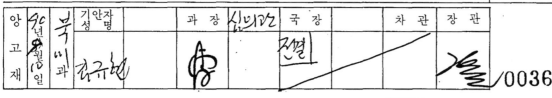

보안 통제	

앙고재	90년 9월 10일	북미과	기안자 성명	과 장	심의관	국 장		차 관	장 관	
			권규현			전결				/0036

외신과통제

예고문에 의거 일반문서로 재분류 1991.6.30.

원 본

외 무 부

종 별 :

번 호 : UKW-1698 일 시 : 90 0910 1850

수 신 : 장관 (중근동,구일)

발 신 : 주영대사

제 목 : 걸프사태(미.쏘 정상회담)

1. 9.9(일) 헬싱키 미.쏘 정상회담에서 양국 대통령은 이라크군의 무조건 철군을요구함으로써 냉전 종식후의 미.쏘간 협력을 과시함.

2. 고르바쵸프 대통령은 무력사용의 위험성을 경고하고 사태의 정치적 해결을 강조하긴하였지만 대 이라크 경제제재 조치가 실패할 경우 유엔헌장에 합치되는 추가조치를 취한다는데 동의함으로써 군사적 해결 가능성을 배제하지 않음. 동 결과는 부쉬 대통령의 외교적 성공을 의미하며 미.쏘간 이해 상충을 기대하였던 사담 후세인 대통령에게는 큰 타격이 됨.

3. 일본 방문중인 허드 외상은 9.10(월) 동 정상회담 결과를 환영하면서 미.쏘간 단합으로 사담 후세인 대통령이 결국 패배할 수 밖에 없다는 것이 확실해졌다고 말함. 한편, 허드외상은 일본의 걸프 다국적군을 위한 10억불 제공 약속이 '좋은 시작'(A GOOD START) 이라고 말하며 더 많은 비용부담을 요구한 것으로 보도됨.끝

(대사대리 최근배-국장)

중동·아프리카국 198 . . .					처리지침	김서기관
공람	담당	과장	심의관	국장		
			(서명)			
[illegible]	[illegible]	[illegible]	[illegible]			
사본	V					

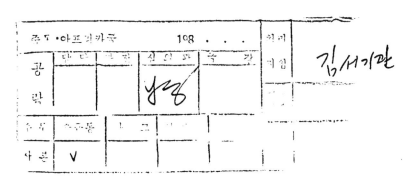

중아국 1차보 구주국 정문국 안기부 대책반

PAGE 1 90.09.11 03:30 CG

외신 1과 통제관

0037

미북 (오리엔트 중동에 김
원 본

외 무 부

종 별 :

번 호 : GEW-1539 일 시 : 90 0911 1800

수 신 : 장관(미북,구일)

발 신 : 주 독대사

제 목 : 페르시아만 사태 관련보도

대: WGE-1306

1. 9.11. 자 GENERAL ANZEIGER 지 보도에 의하면GENSCHER 외무장관은 베이커 미국무장관과 금주말(9.15) 본에서 페만 사태와 관련한 독일의 지원문제를 협의할 예정이라고 함

2. 또한 베이커 장관은 독일이 선박및 항공기등 수송수단 제공의 형태로 미국을 지원할 것이라 언급한바 있음

3. 독일정부 소식통에 의하면 독일정부는 페만사태 관련 5억 마르크를 지출할예정인바, 4억 마르크는 봉쇄조치로 피해를 받은 국가에 대한 지원이며 잔여 1억마르크는 미군을 위한 기술지원 비용으로 사용된 것이라 함.

(대사 신동원-국장)

미주국 1차보 구주국 중아국 정문국 안기부 대책반

PAGE 1

90.09.12 06:35 DA

외신 1과 통제관

0038

관리 번호	90-1806

외 무 부

원본

종 별 :

번 호 : ITW-1088 일 시 : 90 0911 1800

수 신 : 장관(미북,구일)

발 신 : 주 이태리 대사

제 목 : 페르시아만 사태 경비분담(자응 90-79)

대:WIT-0831

당관 문병록참사관은 금 9.11. 외무성 NELLI FEROCI EC 과장과 면담, 대호건 탐문한바, 동인의 언급 내용을 요지 아래 보고함.

1. 이태리는 EC 와 공동으로 이집트, 터키, 요르단등 걸프만 경제봉쇄로 인해 피해가 극심한 3 개국에 대하여 경제원조를 제공할 계획을 수립중임.

2. 지난주 (9.7) 로마에서 개최된 EC 외상회의에서는 이들 3 개국에 대한 경제원조제공에 원칙적인 합의를 보고 1 차적인 자료에 근거하여 내년말까지 90 억불 상당의 원조액이 소요될 것으로 추산한바 있음.

3. 동원조액은 상기 3 개국의 국제수지 적자를 보전하기 위한 조치로서 무상및 SOFT LOAN 의 형태로 지원될 것이며, 총액중 2/3 는 사우디를 비롯 유가 인상으로인한 수혜 걸프국이 부담하고 나머지 1/3(30 억불)은 EC 와 여타 공여국이분담하는 것으로 의견을 나누었음.

4. 동원조의 최종금액, 원조형태, 배분율등 구체적인 원조계획은 2-3 주내 브럿셀에서 재회동, 결정될 것이며 구체적인 집행계획은 여타 공여국가와 COORDINATE 하게 될것임.

5. 이태리는 아직 동건관련 미국 대통령 특사를 접수한바 없으며 명 9.12. 베이커 국무장관이 방문할 계획으로 있으나 이태리로서는 이미 군사적인 참여(함정 3 척 걸프만 파견중)에 따른 경비를 부담하고 있으므로 상기 전선국에 대한 EC 차원의 경제원조외에는 더이상의 개별적인 경비를 부담할 계획이 없음.

6. 우리는 한국등 여타국가의 유사한 경제지원 노력에 깊은 관심을 기울이고 있음. 끝

(대사 김석규-국장) 예고: 91. 6. 30. 일반.

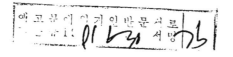

검 토 필 (1990.12.31)

미주국 차관 1차보 구주국 안기부

PAGE 1

90.09.12 07:18

외신 2과 통제관 FE

0039

예고문에 의거 일반문서로 재분류 (1991.12.31) 서명

관리번호 | 90-1780

원 본

외 무 부

종 별 : 지 급

번 호 : BBW-0695 일 시 : 90 0912 1030

수 신 : 장 관(미북,구일,중근동,기정)

발 신 : 주 벨기에 대사

제 목 : 걸프사태 관련 미국의 경비분담 요청(자료응신 제65)

대:WBB-0634

1. 대호, 주재국 외무부 중동국 및 안보국 관계자를 접촉, 확인한 바, 주재국 정부는 미국 정부로부터 BUSH 대통령의 MARTENS 수상앞 친서(NATO 회원국 국가원수 및 수상들에게 발송한 일반적인 협조요청 서한으로 알려짐)를 접수하고 이에 회신한 바는 있으나 이와 별도로 구체적 지원 요청을 받은 바는 없으며, 다만 9.10. NATO 본부에서 회원국 외무장관에게 헬싱키 미.소 정상회담 결과를 설명한 BAKER 미국무장관은 동맹국들이 걸프지역에 지상군을 증파해 줄것과 경제 및 군사적 지원조치를 요청했다 함.

2. 미국은 지난 9.3. NATO 이사회 상주대표회의에서도 NATO 회원국의 재정지원 및 병력수송 수단 지원을 통한 협력 강화를 요청한 바 있음.

3. 상기 미국무장관의 요청에 대해 주재국 정부는 벨기에 지상군 파견은 전혀 고려하지않고 미국에 대한 병참지원 협조는 검토할 수 있으며 전선국가들에 대한 경제원조등 경제지원 문제는 EC 차원에서 공동 보조를 취해 나간다는 입장으로 보임. 그리고 벨기에 정부는 자발적으로 국제 협력의 차원에서 응분의 책임을 충분히 다해온것으로 자평하고 현 상황에서 더 이상의 지원은 무리라고 생각하고 있는 것으로 보임.

4. 걸프사태 관련, 벨기에 정부의 기 지원 또는 조치 현황 및 검토중인 사항은 다음과 같음.

가. 군사 관련 지원

0 군함 3 척 (소해정 2 척 및 호위함 1 척, 해군병력 270 여명) 파견

0 미군병참 지원을 위해 벨기에 OSTENDE 항구 및 비행장 사용 허가 검토중

나. 인도주의적 조치

미주국 장관 차관 1차보 2차보 구주국 중아국 정문국 청와대
안기부 대책반

PAGE 1

90.09.12 19:16
외신 2과 통제관 DO
0040

0 난민 수송용 항공기 (C-130) 2 대 파견(필요시 2 대 증파 검토중)

- 요르단, 이집트간 이집트 난민 후송

0 대이집트 긴급 식품원조(분유 15 톤, 설탕 15 톤)

(연례 무상원조 계획에 의한 밀 20 톤 기 별도 지원)

0 국제 적십자사에 대요르단 난민구제 활동금(3 백 5 십만 BF) 지원 및 의료봉사단에 대한 장비 및 의약품 지원

다. EC 차원의 경제 지원 참여

0 9.7. 로마 EC 긴급 외무장관 회의에서 토의되고, 9.17. 브뤼셀 개최 예정인 일반각료 이사회에서 결정될 대요르단, 이집트, 터키 경제원조에 동참 예정

0 주재국 외무부에서는 상기 EC 경제원조 계획이 실행될 경우, 앞으로 벨기에 정부는 약 8-10 억 BF 을 부담할 것으로 추정하고 있음.

0 참고로 현재 일부 언론보도에 의하면, 3 개 전선국가에 대한 재정지원으로 총 93 억불(이중 28 억불은 금년말이내, 65 억불은 내년도)이 소요되고, 이를 사우디등 지역내 부유국이 65%, EC 가 20%, 기타 OECD 국가들이 15%를 분담할 것이라는 설이 나돌고 있으나 주재국 외무부 관계자들은 동 수치에 대한 신빙성에는 의문을 표시하고 있음. 끝

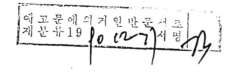

(대사 정우영-국장)

예고:90.12.31. 일반

예고문에의거인반문서로
재분류19 90 12 7 서명

PAGE 2

0041

긴

원 본

관리번호	Po-1886

외 무 부

종 별 :

번 호 : SBW-0830 일 시 : 90 0912 1620

수 신 : 장관(미북,국방부,기정)

발 신 : 주사우디대사

제 목 : 걸프만사태관련 미군경비 지원

대:WSB-390

1.9.6 베이커 미국무장관 주재국 방문시, 사우디정부는 사우디주둔 미군경비를 지원하기로 합의 하였음(동경비에는 연료, 식수 및 수송등 현물제공도 포함되어 있음.)

2. 사우디 지원액 총액은 밝혀지지 않고있으나 매월 약 4 억불 정도 인것으로 파악되고 있음.

(대사 주병국-국장)

예고:91.6.30 일반

검 토 필 (1990.12.31) 개

예고문에의거일반문서로 재분류1991.6.30 서명 개

미주국	장관	차관	1차보	2차보	중아국	청와대	안기부	국방부
대책반								

PAGE 1

90.09.13 01:52

외신 2과 통제관 CW

0042

미북(오재희)길

외 무 부

종 별 :

번 호 : UKW-1720 일 시 : 90 0912 1900

수 신 : 장관(중근동,구일,미북)

발 신 : 주영대사

제 목 : 걸프사태

연: UKW-1685

1. 영국정부는 사우디의 미군을 지원하기 위한탱크부대 기타 지상군의 파병과 해.공군의 추가파병을 검토하고 있는 것으로 9.11.(화) 보도됨

2.미측이 지난 월요일 나토 회원국의 가일층의협력을 촉구한데 이어 관계 각료들은 대처수상주재하에 9.11 회합을 갖고 대책을 협의했으며,미측과도 군사적 소요에관해 협의를 진행시키고있는 것으로 알려짐

3.당지 보도에 의하면 현재 걸프지역 주재 영국의해.공군 병력은 3,000 명에 달하는 바,영국정부는 약 4,000 명의 기갑여단과 100대이상의 탱크 및 약 4,000 명의 지원부대의 파병등제반 추가 파병 방안을 검토하고 있다 함.끝

(대사 오재희-국장)

중아국 미주국 구주국

PAGE 1

90.09.13 06:45 CT

외신 1과 통제관

0043

관리 번호 90-1884

원 본

외 무 부

종 별 :

번 호 : UKW-1721 일 시 : 90 0912 1900

수 신 : 장관(미북,중근동,구일)

발 신 : 주 영 대사

제 목 : 걸프사태관련 미국의 경비분담 요청

대: WUK-1512

당관 조상훈참사관은 9.11.(화) HUGH DAVIES 극동과장을 면담, 대호관련 사항을 탐문한 바, 동 과장의 발언요지 아래와 같음.(IAN DAVIES 한국담당관 배석)

1.BRADY 장관일행은 9.5.(수) 대처수상, WILLIAM WALDEGRAVE 외무성 국무상, NORMAN LAMONT 재무성 수석국무상(각료)등 인사를 면담하고, 미국의 걸프만 군사작전 준비와 이집트, 터키, 요르단, 필리핀등에 대한 경제원조를 위해 필요한 경비에 관해 설명했음

2. 미측은 이어 영국이 군사적 추가 협력과 더불어 피해당사국에 대한 1 억불 상당의 원조를 하여 주도록 요망한바 있음. 영측은 현재 이에대한 추가 파병을 검토하고 있고 원조문제에 관해서는 EC 차원에서도 협의하고 있음. 허드 외상도 방일중 9.10 미국과 사우디의 요청에 따라 해.공군 병력의 추가 파병과 가능하면 지상군의 파병을 검토하고 있다고 언급한 바 있음

3. 원조문제와 관련, 영측은 이미 파병으로 기여하고 있는만큼 EC 차원에서는 여타 회원국이 더 많이 분담해야 한다는 입장을 강조하고 있으며, 영국이 실제로 어느정도의 액수를 지원할수 있을지에 관해서는 현재 검토가 진행되고 있음.끝

(대사 오재희-국장)

예고:91.6.30 일반

검 토 필 (1990.12.31)

예고문에 의거 일반문서로 재분류19 91.6.30 서명

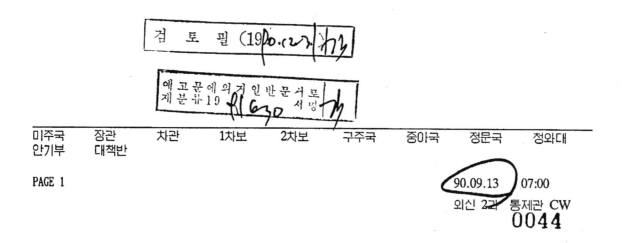

미주국 장관 차관 1차보 2차보 구주국 중아국 정문국 청와대
안기부 대책반

PAGE 1

90.09.13 07:00
외신 2과 통제관 CW

0044

기ㄴ

관리 번호	90-1998

원 본

외 무 부

종 별 : 지 급

번 호 : JAW-5510 일 시 : 90 0913 0830

수 신 : 장관(미북,중근동)

발 신 : 주 일 대사(일정)

제 목 : 페르시아만 사태관련 미국의 경비분담 요청

대 : WJA-3828, 3707

1. 대호관련, 이준일 참사관이 9.12(수) 중근동 아프리카국 우찌다 참사관과 접촉, 탐문한바에 의하면, BRADY 미 재무장관은 일본정부에 대하여 에집트, 요르단, 터키를 중심으로 주변국에 20 억불 및 다국적군에 대한 일본정부의 10 억불 지원방침에 구체적 숫자 제시없이 증액을 요구하였다함.

2. 동 참사관은 상기 요청에 대한 일본정부의 입장은 상금 검토중인바, 주변국에 대한 20 억불은 동 요청금액 정도에서 긍정적으로 검토중이며, 9 월말까지는 결정할 예정이나, 다국적군에 대한 지원증액을 지출 예산항목 문제 및 정부, 당내의견으로 금년내에는 재검토하기가 어려운 실정이라고 언급하였음을 보고함.

(공사 김병연-국장)

예고 : 90.12.31. 일반

예고문에 의거 인반문서로 재분류19 90.12.31 서명 76

미주국 차관 1차보 2차보 중아국 청와대 안기부

PAGE 1

90.09.13 09:13

외신 2과 통제관 BW

0045

MB(관련과) 김

관리번호	90-1996

외 무 부

종 별 : 지 급

번 호 : BBW-0695 정진불 일 시 : 90 0912 1030

수 신 : 장 관(미북,구일,중근동,기정)

발 신 : 주 벨기에 대사

제 목 : 걸프사태 관련 미국의 경비분담 요청(자료응신 제65)

대:WBB-0634

1. 대호, 주재국 외무부 중동국 및 안보국 관계자를 접촉, 확인한 바, 주재국 정부는 미국 정부로부터 BUSH 대통령의 MARTENS 수상앞 친서(NATO 회원국 국가원수 및 수상들에게 발송한 일반적인 협조요청 서한으로 알려짐)를 접수하고 이에 회신한 바는 있으나 이와 별도로 구체적 지원 요청을 받은 바는 없으며, 다만 9.10. NATO 본부에서 회원국 외무장관에게 헬싱키 미.소 정상회담 결과를 설명한 BAKER 및국무장관은 동맹국들이 걸프지역에 지상군을 증파해 줄것과 경제 및 군사적 지원조치를 요청했다 함.

2. 미국은 지난 9.3. NATO 이사회 상주대표회의에서도 NATO 회원국의 재정지원 및 병력수송 수단 지원을 통한 협력 강화를 요청한 바 있음.

3. 상기 미국무장관의 요청에 대해 주재국 정부는 벨기에 지상군 파견은 전혀 고려하지않고 미국에 대한 병참지원 협조는 검토할 수 있으며 전선국가들에 대한 경제원조등 경제지원 문제는 EC 차원에서 공동 보조를 취해 나간다는 입장으로 보임. 그리고 벨기에 정부는 자발적으로 국제 협력의 차원에서 응분의 책임을 충분히 다해온것으로 자평하고 현 상황에서 더 이상의 지원은 무리라고 생각하고 있는 것으로 보임.

4. 걸프사태 관련, 벨기에 정부의 기 지원 또는 조치 현황 및 검토중인 사항은 다음과 같음.

가. 군사 관련 지원

0 군함 3 척 (소해정 2 척 및 호위함 1 척, 해군병력 270 여명) 파견

0 미군병참 지원을 위해 벨기에 OSTENDE 항구 및 비행장 사용 허가 검토중

나. 인도주의적 조치

미주국 구주국 중아국 안기부

PAGE 1 90.09.13 13:56

외신 2과 통제관 DO

0046

0 난민 수송용 항공기 (C-130) 2 대 파견(필요시 2 대 증파 검토중)

- 요르단, 이집트간 이집트 난민 후송

0 대이집트 긴급 식품원조(분유 15 톤, 설탕 15 톤)

(연례 무상원조 계획에 의한 밀 2 만톤 기 별도 지원)

0 국제 적십자사에 대요르단 난민구제 활동금(3 백 5 십만 BF) 지원 및 의료 봉사단에 대한 장비 및 의약품 지원

다. EC 차원의 경제 지원 참여

0 9.7. 로마 EC 긴급 외무장관 회의에서 토의되고, 9.17. 브뤼셀 개최 예정인 일반 각료 이사회에서 결정될 대요르단, 이집트, 터키 경제원조에 동참 예정

0 주재국 외무부에서는 상기 EC 경제원조 계획이 실행될 경우, 앞으로 벨기에 정부는 약 8-10 억 BF 을 부담할 것으로 추정하고 있음.

0 참고로 현재 일부 언론보도에 의하면, 3 개 전선국가에 대한 재정지원으로 총 93 억불(이중 28 억불은 금년말이내, 65 억불은 내년도)이 소요되고, 이를 사우디등 지역내 부유국이 65%, EC 가 20%, 기타 OECD 국가들이 15%를 분담할 것이라는 설이 나돌고 있으나 주재국 외무부 관계자들은 동 수치에 대한 신빙성에는 의문을 표시하고 있음. 끝

(대사 정우영-국장)

예고:90.12.31. 일반 DO##########

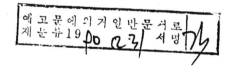

예고문에 의거 일반문서로 재분류19 90 12 31 서명

관리 번호 Po-1FPP

자료 포함.

원 본

외 무 부

종 별 :

번 호 : AEW-0270 일 시 : 90 0913 1200

수 신 : 장관(미북,중근동,기협,정일)

발 신 : 주 UAE 대사

제 목 : 이라크-쿠웨이트 사태(18)(자료응신 23호)

연:AEW-0264

대:WAE-0202

1. 대호, 당관 오참사관은 쿠웨이트 대사관 차석을 방문, 동사태에 관하여 정보를 교환하였는바, 동인 아래 언급함.

가.BAKER 미국무장관의 금번 GCC 순방시 다국적군 방위비 분담문제가 협의된 것으로 알고 있으며 GCC 국들은 총 300 억불을 분담(사우디 120 억, 쿠웨이트90 억, UAE 50-60 억 기타등)하기로 합의한 것으로 알고있음

나. 쿠웨이트는 동사태로 인하여 경제적 손실을 입고있는 터키, 리비아, 애급, 요르단(피난민 지원)에 대하여 50 억불을 이미 지원하기로 한바있음

다. 현재 UAE 쿠웨이트 난민은 약 3 만명 가량이 있으며 쿠웨이트 정부는 각 호구당 월 10 만드람(27,000 불)씩 지원하고 있음

2. 쿠웨이트 대사관은 한국정부가 이라크군의 주쿠웨이트 한국대사관을 폐쇄하라는 압력을 받아 들이지 않은데 대하여 감사함을 표하는 공한을 보내온바 있음을 첨언보고함. 끝.

(대사 박종기-국장)

예고문에 의거 일반문서로 재분류19 901231 서명

미주국 장관 차관 1차보 2차보 중아국 경제국 정문국 정문국
청와대 안기부 대책반

PAGE 1

90.09.13 18:47

외신 2과 통제관 CA

0048

길

관리 번호	90-2000

원 본

외 무 부

종 별 :

번 호 : FRW-1687 일 시 : 90 0913 1430

수 신 : 장관(미북,중근동,구일)

발 신 : 주 불 대사

제 목 : 이락사태 경비분담

대:WFR-1728

연:FRW-1602

1. 외무성 KOETSCHET 중동부국장에 의하면 BRADY 특사의 9.10. 당지 방문중 연호와 같이 주재국을 대상으로한 경비분담 요청은 없었다함.

2. 다만 동 특사 방문중 대호 전선국(애급, 요르단, 터키)외 금번사태로 인해 직, 간접으로 피해가 큰 파키스탄, 방글라데쉬, 필리핀, 스리랑카등 아주국가와 대다수 아프리카 국가에 대한 장기적인 재정지원 필요성에 대한 논의가 있었다함.

3. 경비분담및 피해국 지원에 관해 주재국은 이를 EC 테두리내에서 협의, 대처한다는 것이 기본입장이며, 현재 EC 각국 실무자들이 회합을 갖고 지원대상국 확대문제및 지원액수등을 조정, 조만간 개최될 EC 재무상 회의서 이를 확정시킬 예정이라 함. 끝.

(대사 노영찬-국장)

예고:90.12.31. 일반

예고문에 의거 일반문서로 재분류19 90.12.31 서명

미주국 차관 1차보 2차보 구주국 중아국 청와대 안기부 대책반

PAGE 1

90.09.14 01:23

외신 2과 통제관 DO

0043

길

관리번호	90-2026

원 본

외 무 부

종 별 : 지 급

번 호 : JAW-5541 일 시 : 90 0914 1157

수 신 : 장관(미북,아일,중근동,정일)

발 신 : 주 일 대사(일정)

제 목 : 중동사태 경비분담 요청

대 : WJA-3707, 3828

연 : JAW-5510

1. 일정부는 금 9.14 각의에서 8.30 다국적군 활동지원을 위한 10 억불 지출결정에 이어 제 2 차 중동공헌책으로서 1) 다국적군 활동에 10 억불 추가지원 2) 에집트, 터어키, 요르단등 분쟁주변국에 총 20 억불 경제협력자금 지원을 내용으로 하는 일정부의 중동사태 지원책을 정식 결정하고, 나까야마 외상과 하시모또 대장상이 금일 오전 기자회견을 갖고 이를 발표하였음.

0 한편, 카이후 일수상은 9.14 각의직후 부시 미국대통령에 전화를 걸어 상기 일정부 결정내용을 설명하여 주었다고 하는바, 이에 대해 부시대통령은 이러한 일측의 자세를 높이 평가하였다고 함.

2. 상기 일정부의 결정은 9.12. 미 하원이 주일 미군주둔 직접경비의 전액을 일본이 부담호도록 결의안을 채택하는등 금번 중동사태와 관련한 일본의 자세에 대한 최근 미측의 불만과 압력을 크게 배려한 조치로 보임.

0 그러나 상기관련, 일 정부 사까모또 관방장관은 9.13 기자회견에서 주일 미군경비 부담은 일정부가 자주적으로 결정할 문제로서 향후에도 충분히 노력하여 갈 예정이지만, 중동분쟁 해결을 위한 일본의 공헌책은 주일 미군경비 부담문제와는 별개의 문제라고 강조한바 있음. 끝

(대사 이원경-국장)

예고 : 90.12.31. 일반

예고문에 의거 일반문서로 재분류19 90 12 31 서명

미주국	장관	차관	1차보	2차보	아주국	중아국	정문국	청와대
안기부								

PAGE 1

90.09.14 15:13

외신 2과 통제관 FE

0050

중동·아프리카국 198

공람	담당	과장	심의관	국장
주무	주구동			
사본	✓			

종 별 :

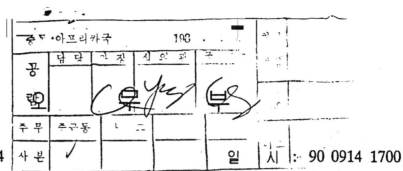

번 호 : ECW-0614 일 시 : 90 0914 1700

수 신 : 장 관 (통이,통일,구일,경일,중근동)

발 신 : 주 EC 대사

제 목 : EC 정기외무장관 회의(자료응신 제 70호)

1. EC 12 개국은 9.17. 브랏셀에서 정기 외무장관회의를 갖고 최근 걸프사태 관련,지난 9.7. 로마 특별 외무장관 회의에서 원칙합의된 이집트, 터키, 요르단 3개국에대한 EC측 경제지원 규모를 결정할 예정인바, 이와관련 EC 집행위측이 작성한 안은하기와 같음

가. 이집트, 터키, 요르단 3개국의 피해액 산정

0 상기 3개국이 대이라크 경제제재 조치 참여로 90.8-91.12. 까지 입을 예상피해액은 총 90억불로 추정(유가 배럴당 25불 기준)

- 터키: 40억불, 이집트: 30억불, 요르단: 20억불

나. 각국별 경제지원 분담

0 GCC 회원국들이 유가인상으로 91.12.까지 약400억불의 추가수입이 있는 것으로예상하고, 이들이 90억불중 2/3 규모인 60억불을 부담하고, OECD회원국들이 잔유 30억불을 지원할 것을 제의

다. EC 측 지원규모및 방안

0 EC 집행위는 상기 3개국에 대한 EC 측 지원규모를 약 20억불(15억 ECU)로 제의

0 EC 의 내년도 예산에서 10억불(750백만 ECU)충당

- 500백만 ECU: 보조금 형식

- 250백만 ECU: 특별차관

0 잔유 10억불은 EC 12 개회원국들이 분담(각 회원국들의 걸프지역 군사비용을고려, 비율산정)

2. EC 외무장관 회의에서 토의될 여타 주요의제는 아래와 같음

가. 독일 통일문제

0 10.3.부로 독일통일이 사실상 완료될 예정이나, 동독지역을 EC 에 편입키 위한EC

통상국 2차보 구주국 중아국 경제국 통상국 정문국 안기부

PAGE 1 90.09.15 05:43 FC

외신 1과 통제관

0051

의 제반조치가 아직 마련되지 않은데 따른 법적공백상태를 메꾸기 위해 금년말까지 한시적으로 EC 집행위에 동독지역에 대한 잠정적 조치시행권한 부여

0 동독은 지난 7.1.부터 EC 와 사실상의 관세동맹을 구성, EC 의 주요 대외통상정책(공동관세, 반덤핑 조치등)을 시행하여 왔는바, 현재 특히 문제가 되고 있는것은 COMECON(특히 쏘련)회원국과의 교역에 대한 EC 통상정책 적용의 한시적 예외인정, 동독제품의 EC 기술 표준조화에 대한 유예기간 부여, 동독지역의 EC 환경보전정책 시행유예기간 부여등임

나. 걸프사태 관련 아랍국과의 관계강화

0 EC- 시리아와의 관계 정상화 일환으로 시리아에 대한 146백만 ECU 상당의 경제지원 제공문제

0 EC-GCC 간 무역협정 교섭

0 EC 의 대지중해 지역 정책검토

0 이라크및 쿠웨이트내 제3국 근로자의 본국송환을 위한 추가 긴급원조(EC집행위30백만 ECU 건의)

다. 중동구 국가와의 관계

0 최근 EC 집행위가 제의한 ASSOCIATION AGREEMENT(안)에 대한 의견교환(상세는당관 공문 이씨경 20524-338 참조). 끝

(대사 권동만-국장)

주 도아프리카국 108

외 무 부

원 본

종 별 : 지 급

번 호 : CNW-1381 일 시 : 90 0914 2010

수 신 : 장 관(중근동,미북,정일)

발 신 : 주 카나다 대사

제 목 : 이락.쿠웨이트 사태 관련 카정부 추가조치

1. 멀루니 수상은 9.14. 오후 클라크 외무장관, 멕나이트 국방장관과 함께 특별 기자 회견을 갖고 걸프사태 관련 아래 요지의 카나다 정부의 추가적인 지원 조치를 발표 하였음.

가. 서독 LAHR 에 주둔중인 카 공군 CF18전부기 1 개 비행중대 및 이에 따른 지원 인력등 군 병력 450 명을 걸프지역 파견키로 결정.동 전부기들은 카 정부 통제하에 카나다 및 우방국 함정에 대한 공중 방어 임무수행.

나. 걸프사태에 따른 피해 관련국 (요르단, 이집트, 터키, 스리랑카, 방글라데시, 필리핀등) 경제적 지원을 위해 7,500 만 카불의 추가원조 제공. 카나다는 이미 유엔 기구등 을 통해 250 만 카불 제공한바 있음.

다. 기 파견 현지로 항해중인 카 해군 구축함 2 척 및 보급함 1 척은 9.15. 부터 실제 임무수행 예정.

2. 또한, 클라크 외무장관은 동 기자회견에서 금일 이락 군대의 주 쿠웨이트 카나다 대사관저난입 (외교관 1 명 일시 억류) 사실이 있었음을 확인하면서 이와 관련 이락 대사를 초치 강력항 의한바 있다고 밝혔음.

3. 한편, 금일 멀루니 수상의 추가지원 조치 발표와 관련 주재국 야당인 자유당, 신민당측은 별도 기자회견을 갖고 멀루니 수상이 카 의회를 통한 사전 심의없이 전쟁 가능지역에의 군병력 파견을 결정한 것은 헌법상의 절차를 무시한 것이라고 적극 비난하고 나섰음.

4. 상기 멀루니 수상 기자회견 발표문 및 요지 자료별첨 FAX 송부함.끝

(대사 박수길 - 국장)

첨부 : CNW(F)-102

중아국 1차보 미주국 정문국 안기부 통상국 대책반 2차보 국방부

PAGE 1 90.09.15 09:28 WG

외신 1과 통제관

0053

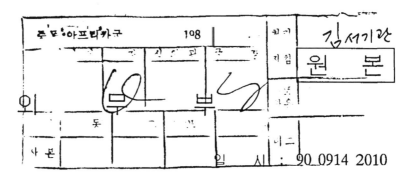

Office of the Prime Minister — Cabinet du Premier ministre

CNW(F)-102
수신 : 장 관 (중근동, 미북, 정일)
발신 : 주카나다 대사
제목 : 이락. 쿠웨이트 사태

"지급" 0914 1940 (6매)

Release

Date: September 14, 1990

For release: Immediate

PRIME MINISTER ANNOUNCES ADDITIONAL SUPPORT FOR THE PERSIAN GULF

Prime Minister Brian Mulroney today announced that the Government of Canada has decided to deploy a squadron of CF 18 fighter aircraft to the Persian Gulf to provide air cover for Canadian ships and sailors.

The Prime Minister also announced that an additional sum of up to $75 million will be allocated for humanitarian and economic assistance for people and countries seriously affected by the Gulf crisis. Canada has already provided $2.5 million.

The additional assistance will be allocated as follows :

- To charter Canadian civilian aircraft to help airlift the displaced people to their home countries - Sri Lanka, Bangladesh, the Philippines, Egypt and to others. This effort will be coordinated closely with the International Organization for Migration. Canadian aircraft may also be used for the military transport efforts of other countries if and when needed and when feasible.

- To provide additional support to international agencies and NGOs for emergency assistance to provide food, shelter and other basic needs of the displaced people awaiting evacuation in camps in the region, especially Jordan and Turkey.

- To help ressettle returning citizens in countries least able to cope with the impact of the tremendous influx of people. Assistance for food, housing, internal transportation and other immediate needs could be channelled through multilateral agencies, NGOs and bilateral avenues.

1/6

0054

- 2 -

To help countries of the region most directly affected by the crisis and the economic sanctions, especially Jordan, Egypt and Turkey. Inflows of displaced people, loss of trade and the increase in the price of oil have combined to place extraordinary burdens on these countries. The Government will explore with the countries concerned the most effective way to structure this assistance.

The Prime Minister has indicated that the impact of the Persian Gulf crisis is global. As members of the global community, Canada will share the responsibility to help those who need our help the most.

- 30 -

CN-102 - 2/6

0055

Office of the Prime Minister | CANADA | Cabinet du Premier ministre

SPEAKING NOTES

FOR

PRIME MINISTER BRIAN MULRONEY

PRESS CONFERENCE

NATIONAL PRESS THEATRE

SEPTEMBER 14, 1990

CHECK AGAINST DELIVERY

Ottawa, Canada K1A 0A2

CN(FI) 102 - 3/6

0056

I will make a brief statement about the situation in the Persian Gulf, and about the Canadian position and participation. Following the statement, Messrs Clark, McKnight and I will take questions.

On August 2, with neither provocation nor warning, one member of the United Nations -- Iraq -- invaded and occupied another, smaller member -- Kuwait. The government of Kuwait fled into exile.

In the face of Iraq's naked aggression, and with Iraq's armed forces in a position to strike into Saudi Arabia, the governments of Kuwait and Saudi Arabia sought the assistance of the world community.

Iraqi forces have cruelly driven tens of thousands of Third World guest workers out of Kuwait and Iraq -- with no consideration for their welfare and, indeed, for their survival. Iraq has detained innocent foreigners, including Canadians.

This is not a conflict between Arabs and the West nor between Iraq and the United States. It is Saddam Hussein against the World. And the World, including Canada, has stood up and been counted.

The U.N. Security Council, in a performance of historic importance, has adopted six resolutions condemning the Iraqi invasion and calling on members of the U.N. to take action, including imposing comprehensive economic sanctions. The U.N. is responding to this crisis in the way its architects - with the bitter experience of two world wars behind them - envisaged it would respond to such a challenge.

Today, twenty-five countries, including nine Arab nations, have stationed military forces in the Gulf region. Rarely has the world community been so united in the face of aggression. Never has the U.N. responded more effectively. And not in 40 years has the case for Canadian action been more compelling.

As a member of the U.N., and as a country with a fundamental interest in the preservation of the rule of international law, Canada has played a leading role on this issue -- diplomatically, at the Security Council of the United Nations, and in the protection of Canadians in Kuwait and Iraq; militarily, with our despatch of the Canadian forces; economically, in respecting the economic sanctions against Iraq; and, humanely, in assisting the effort to help the tens of thousands of people stranded in the desert.

This morning, my cabinet colleagues and I had a thorough discussion of the situation in the Gulf and of Canada's response to it. As a result of those discussions, we have come to a number of decisions.

First, we have decided to place the crews of the Athabaskan, the Terra Nova and the Protecteur on active service for this operation as of tomorrow, September 15. The Governor General will be advised to sign the requisite Order-in-Council tomorrow.

CN(가)102 - 4/6

0057

- 2 -

We will table the Order-in-Council when the House resumes September 24, thereby respecting Canadian Parliamentary tradition and legal requirements. And the issue will be debated by Parliament at the earliest opportunity.

You will recall that we had decided in August not to give the ships' crews their final mission tasking because we wanted to take into account the latest developments internationally before we fully defined their mission. Subsequent U.N. resolutions, particularly resolution 665, confirmed the appropriateness of this initial position and helped us define the ships' mission.

Today, I can announce that the task that our forces are being given is to cooperate with other, like-minded countries in deterring further Iraqi aggression and in ensuring strict implementation of the economic sanctions laid down in U.N. Security Council resolution 661 whose objective, among other things, is to end Iraq's occupation of Kuwait.

The Government has also accepted the advice of our military staff to have Canadian ships operate within the Persian Gulf. They will be under Canadian command and control and will have responsibility for a sector across the middle of the Gulf, north of the Strait of Hormuz and south of Bahrain.

Our ships will be operating in the same general area as the ships of the U.S., the U.K., and other European navies. This decision, taken after consultations with other countries contributing navies, is based on military considerations.

Canadian ships have recently been equipped with their own upgraded air defence capability. They will benefit, as well, from the combined air defence capabilities of allies in the region.

As a further initiative, the Government of Canada today decided to deploy a squadron of CF18 fighter aircraft from Lahr, West Germany, to the Gulf, to operate under Canadian control and provide air cover for our own ships and the ships of friendly nations. With supporting elements, this will engage up to 450 additional Canadian military personnel in the region.

The Iraqi invasion of Kuwait has spawned terrible human misery. Canada had made an initial contribution of $2.5 million to international relief agencies to assist displaced people principally in Jordan. We have decided this morning to substantially increase our contribution. This increase will enable us to lease transport aircraft to help convey third world refugees to their home countries.

CNG(F)102-5/6

We will, also, airlift third country ground forces to Saudi Arabia as the need and the opportunities arise. On return to their homelands, the displaced citizens of the poorer countries will still face an uncertain future, because their own governments cannot afford to handle such an influx. We have decided, therefore, to increase our development assistance funds earmarked for Sri Lanka, the Philippines and Bangladesh.

Three countries whose cooperation is vital to the effective functioning of the sanctions against Iraq -- Turkey, Jordan and Egypt -- are carrying a disproportionate burden in the Gulf crisis. At the same time they have, themselves, suffered severe economic setbacks as a side-effect of the sanctions and from assisting tens of thousands of displaced people.

We have, therefore, decided to contribute financially to help these countries. Canada's contribution, over and above the costs of committing our ships and aircraft, will total up to $75 million. Taken together with our military commitments, Canada's response to the crisis in the Persian Gulf is an effective contribution to the preservation of international law and the upholding of international order.

Mr. Clark and Mr. McKnight and I will take some questions, now, and then we will turn things over to General Huddleston and Commodore Johnston to brief you on the military aspects of this decision.

- 30 -

CN(A)-102 - 6/6

0059

원 본

외 무 부

종 별 :

번 호 : FRW-1702 일 시 : 90 0915 1030

수 신 : 장관(중근동,구일,정일,사본:국방부)

발 신 : 주 불 대사

제 목 : 이라크사태 관련 EC 동향 (자료응신 제102호)

1. 구주의회는 9.12(수) STRASBOURG 에서, 단호한 대이라크 봉쇄조치를 압도적인 다수로 (찬성 305, 반대 37, 기권 49) 지지하였는바, 반대표는 녹색당 및 KJVTW 극우파가 던졌다함. 또한, 동의회는 완전한 봉쇄만이 무력충돌을 예방하는 유일한 해결책임을 천명하고, EMBARGO 는 민간인의 생존에 필수적인 의약품및 식품에는 적용되지 않는 것이라는 의견을 밝힘.

2. 브랏셀 EC 집행위원회는 9.12 EC 12개국이 19억 5천만불을 이집트, 터키, 요르단에 지원키로 제의하였는바, 동 지원액의 반은 1991년 EC 예산으로, 나머지반은 회원국의 기부금으로 충당토록 할것이라 하며, 이러한 지원은 걸프위기에 영향을 받은 모로코, 방글데쉬등에도 확대될 것이라 함. 끝.

(대사 노영찬-국장)

중동·아프리카국	198 . . .				처리지침	김서기관
공람	담당	과장	심의관	국장	보고	
공무	중근동	구				
사본	✓					

중아국 1차보 구주국 정문국 안기부 국방부 대책반 미주국 통상국

PAGE 1 90.09.15 21:36 DA

외신 1과 통제관

0060

관리번호	90-2030

	분류번호	보존기간

발 신 전 보

번 호 : WJA-3910 900916 0847 DP 종별 :

수 신 : 주 일 대사 ~~총영사~~

발 신 : 장 관 (미북)

제 목 : 일본의 걸프만 사태 비용분담 증액

대 : JAW-5541

일본 정부가 9.14. 중동지역에 파견된 다국적군의 활동 지원을 위해 10억불을 추가로 제공하기로 하는 한편, 이집트, 요르단, 터키 등 전선국가에도 20억불을 지원키로 결정하고 이를 카이후 수상이 직접 부쉬 대통령에게 통보한 ~~있다는~~ 사실 ~~보도와~~ 관련, 다음 사항 파악 보고 바람.

1. 일본 정부의 재원 염출 방법

2. 구체적인 다국적군 활동 지원 방법 및 시기

3. 전선국가에 대한 경제원조 방법, 시기 및 조건 등. 끝.

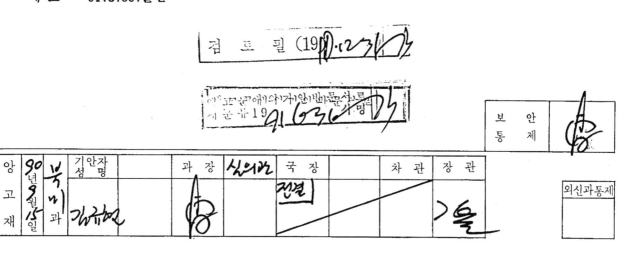

(미주국장 반기문)

예 고 : 91.6.30.일반

검 토 필 (1991.12.31.)

일반문서로 재분류 19 91.6.30 서명

보 안 통 제	

앙 고 재	90년 9월 15일	북미과	기안자 성 명		과 장	심의관	국 장		차 관	장 관
			김유현		(서명)		전결			(서명)

외신과통제

0061

[redacted]

원 본

외 무 부

종 별 :

번 호 : GEW-1567 일 시 : 90 0916 2000

수 신 : 장 관 (미북,구일,중근동,기정,국방)

발 신 : 주 독 대사

제 목 : 페르시아만 사태 관련 동정보고

1. 콜 총리는 미군의 페르시아만 주둔경비 분담문제및 걸프사태협의를 위해 이태리에이어 9.15.독일을 방문한 BAKER 미 국무장관과 회담하고 총 33억 마르크의 지원을 약속 하였음

2. 세부 지원내용

가. 동경비중 16억 마르크는 미국이 자유로이 사용할수 있는 금액으로(SELBST LEISTUNGEN), 4억2천만마르크는 EC 와의 협의하에 지원, 나머지 12억8천만 마르크는 금번사태로 큰 피해를 입고 있는 제3국에 대한 지원, 개발원조의 형태로 지원함

나. 콜 총리 발표내용(9.15)

0 사우디주둔 미군에 대해 독일 민간항공기, 선박을 통한 수송지원, 동경비 독일부담(독일교통부는 대미지원을 위해 총 74척의 선박리스트를 미측에 기제시)

0 차량, 무선장비, 공병시설, 포크레인등 중장비, 식수운방장비및 화생방장비(화학가스 탐지용 FUCHS 장갑차 60대) 지원

0 걸프사태에 깊이 관여된 터키에 군사장비지원, 이를 위해 OZAL 터키수상과 세부사항 협의예정

0 유엔의 대이락 경제제재조치로 큰 피해를 입고있는 요르단, 이집트, 터키등 3개국에 대한 직접적인 재정지원을 위해 동국가의 대독 채무경감(이집트 9억 7500만, 요르단 2억, 터키 1억100만 마르크)

3. 관찰및 평가

0 서독정부가 과도한 통독비용부담에 대한 야당및 일반국민의 우려, 당분간 통독문제에 전념하고자하는 겐셔 외무장관과의 걸프사태 지원관련 의견 불일치등에도 불구하고 미정부가 기대했던 이상의 재정지원을 약속하게된 배경은 통독과정에 있어 부시 대통령의 적극적인 지원에 대한 사의표명, 미의회및 NATO사령관의 독일의

미주국 1차보 구주국 중아국 정문국 안기부 국방부

PAGE 1 90.09.17 07:36 FC

외신 1과 통제관

0062

소극적인 걸프사태 지원에 대한 비난여론과 최근 사우디정부의 독일측의 소극적인 지원에대한 불만 표시등이 종합적으로 작용한 것으로 보임

0 한편 콜총리는 그간 수차 걸프사태 관련 국제적인 책임분담의 중요성을 강조해 왔던바, 현재 기본법 규정상 불가능한 서독연방군의 걸프만 파병을 가능하게 하기위해 12.2.통독선거후 기본법 개정가능성을 시사하였음

4. 관련사항 계속 추보 하겠음

(대사 신동원-국장)

관리번호	90/1262

외 무 부

종 별 : 긴 급

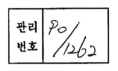

번 호 : JAW-5582 일 시 : 90 0917 1834

수 신 : 장관(미북,아일,중근동)

발 신 : 주 일 대사(일정)

제 목 : 중동사태 분담금 증액

대 : WJA-3910

연 : JAW-5541

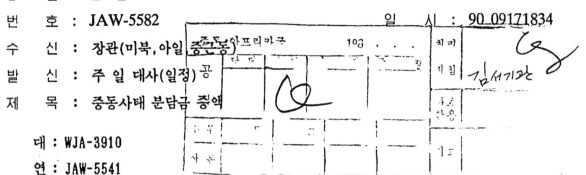

대호관련, 금 9.17 당관 강대현 서기관이 일 외무성 북미 1 과 이하라 수석및 경협국 사도시마 정책과 수석사무관을 접촉, 청취한 내용을 하기 보고함.

1. 일본정부의 재원 염출방법

0 8.30 발표한 다국적군 활동지원금 10 억불은 금년도 예비비(약 3,500 억엥)에서 염출 예정임.

0 9.14 발표한 다국적군 지원금 추가 10 억불 조달방법은 현재 구체적 방법을 결정하지 못하고 있음.

- 일 정부로서는 10 억불 추가지원 용의를 밝혔으나, 구체적 지원시기는 표명하지 않았는바, 따라서 향후 중동정세를 보아가면서 어느정도 시간을 두고 여려가지 방안을 검토할 예정임.

- 현재 정부의 재정이 비상상태에 있음을 감안, 관계성청의 불요불급 예산 지출을 동결하거나 감축하는 방안과 보정예산(추가 특별예산)을 편성하는 방법등을 고려중. 여야가 합의하면 보정예산 편성이 손쉬운 방법으로 보고 있으며, 만약 보정예산을 편성할 경우, 그 시기는 국회사정 및 중동정세를 보아 가면서 검토할 것임.

2. 다국적군 활동지원 방법 및 시기

0 일 정부가 기천명한 다국적군 지원 주요내용은 수송, 물자제공, 의료협력과 각국이 차용한 항공기, 선박등의 경비에 충당하기 위한 자금협력인바, 20 억불의 약 60-70%는 자금협력으로 지불될 것임.

0 일 정부로서는 국내법상의 논란 가능성을 가능한 줄이기 위해서는 다국적군 지원금이 직접 미군을 지원하게 되는 형태는 바람직 하지 않다는 판단하에, 제3 자를

미주국 장관 차관 1차보 2차보 아주국 중아국 청와대 안기부

PAGE 1

90.09.17 19:09

외신 2과 통제관 BW

0064

경유하는 방법으로 페르샤만 협력회의(GCC)를 이용하는 방법을 검토중인바, 동 협력회의 이사회에 '평화기금'을 설치하고 동 기금에 지원금을 기탁하는 방법을 현재 유력하게 검토하고 있음.

0 페만 협력회의 각국과의 협의가 순조로우면 10 월초 예정 카이후 수상의 중동방문시에 이러한 방법을 천명할 작정으로 있음.

3. 분쟁 주변국가에 대한 경제협력

0 20 억불중 일 정부가 우선 예외적 조치로서 에집트, 터키, 요르단에 제공키로 결정한 초저금리의 긴급상품차관 6 억불 (상환기간 30 년)은 양국간 협력형태로 금년중 시행할 예정으로 있는바, 재원은 정부의 ODA 자금에서 충당할 것임.

0 나머지 14 억불에 대해서는 아직 구체적 지원방법 및 시기를 검토하지 못한 바, 협력 상대국과의 협의 및 IMF, 세은등 일련의 국제회의에서도 국제기관의협조지원 체제문제가 중요 촛점이 될것이나, 일 정부로서는 이런 논의과정을 지켜본 후 일입장을 검토할 것임. 따라서 14 억불의 실제 지출에는 향후 상당기간의 시간이 필요한 것으로 보고있음. 끝

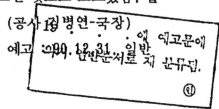

(공사 김병연-국장)

예고 : 90.12.31 일반

19 . . . 에 예고문에 일반문서로 재 분류됨.

(인)

PAGE 2

0065

관리 번호	90-1951

	분류번호	보존기간

발 신 전 보

번 호 : WFR-1769 외 별지참조 (십면) 종별 : 지급

수 신 : 주 수신처 참조 대사. 총영사

발 신 : 장 관 (미북)

제 목 : 대이라크 제재조치 참여국 원조

EC 12개국이 이라크에 대한 제재조치 참여로 경제적 타격을 입고 있는 이집트, 요르단 및 터키 등 전선국가에 대해 90-91년간 총 19억 5천만불의 경제원조를 제공할 것을 제안키로 한 9.12.자 집행위원회의 결정과 관련, 귀주재국의 분담 규모 및 지원 방법 등 구체적인 사항을 지급 파악 보고 바람. 끝.

(미주국장 반기문)

수신처 : 주불, 영, 독, 이태리, 스페인, 벨기에, EC, 덴마크, 그리스, 에이레, 룩셈부르크, 네덜란드, 포르투갈 대사.

아일랜드 (더블린)

예 고 : 문에 의거 일반문서로 재분류19 90.12.31. 서명

앙 고 재	90년 9월 18일	북미과	기안자		과 장	심의관	국 장		차 관	장 관
							전결			

보안통제	외신과통제

0066

WFR-1769 900918 1716 DY

WUK -1568 WGE -1356 WIT -0851 WSP -0461 WBB -0651

WEC -0510 WDE -0315 WGR -0326 WID -0299 WHO -0263

WPO -0278

0067

관리번호	90-1958

	분류번호	보존기간

발 신 전 보

번 호 : WEC-0511 900918 1718 DY 종별 : 긴 급

수 신 : 주 EC 대사, 총영사

발 신 : 장 관 (미북)

제 목 : 걸프만 사태 관련 EC의 원조 계획

대 : ECW-0603

이집트, 요르단 및 터키 등에 대한 EC의 원조 규모를 결정하기 위해 9.17 개최된 EC 외무장관 회의와 관련, 다음사항 지급 파악 보고 바람.

1. 이집트, 요르단 및 터어키 등 전선국가에 대한 EC의 원조 규모 및 방법

2. EC의 대 전선국가 원조에 필요한 재원 조달 방법(91년도 EC 예산 충당액, EC 회원국 각국의 분담 금액 등)

(미주국장 반기문)

예고문에 의거 일반문서로 재분류1990.12.31 서명

앙고재	90년 9월 18일	북미과	기안자		과 장	심의관	국 장		차 관	장 관
			(서명)		(서명)	(서명)	전결			(서명)

보안통제	외신과통제
(서명)	(서명)

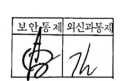

0068

원 본

외 무 부

종 별 :

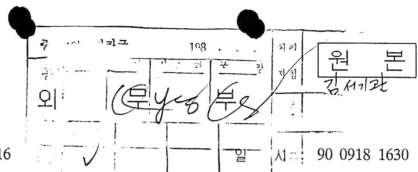

번 호 : ECW-0616 일 시 : 90 0918 1630

수 신 : 장관 (중근동,구일,통일,미북)

발 신 : 주 EC 대사

제 목 : 걸프사태 (자료응신 제 71호)

연: ECW-0614

1. 작 9.17. 브랏셀에서 개최된 EC 외무장관 회의는 지난 9.14. 쿠웨이트 주둔이라크군의 불란서, 벨기에, 화란대사관및 관저난입 사건을 강력 규탄하고 이에대한 보복조치로서 EC 회원국 주재 이라크대사관 무관등 군사요원의 추방과 이라크대사관 직원의 행동자유를 제한키로 결정하였음

2. 또한 EC 외무장관들은 공중봉쇄를 구체적으로 언급치는 않았으나 대이라크 금수조치의 효율성 제고를 위해 모든 필요한 조치를 취할 용의를 재천명하고, 대이라크 제재조치를 준수치않는 국가에대한 적절한 대응조치 강구 필요성에 합의함

3. 한편, 대이라크 제재조치로 경제적 타격을 입은 국가에대한 지원문제와 관련, EC 외무장관들은 EC 집행위가 제의한 이집트, 요르단, 터키등 3개국에 대한 경제적 지원 원칙에는 합의 하였으나, 영국및 화란의 반대로 금번 회의에서는 구체적 지원규모는 결정치 못하였으며, 9월말까지 최종 결정을 내리기로 하였음. HURD영국 외무장관은 최근 일본이 걸프지역 원조공약을 배증 하였으며, 오지리 및 스위스등 여타국가들도 기여 의사를 표시 하였음에 비추어, EC 집행위 측의 15억 ECU 원조계획은 과다한 수준이며, ECH 측 지원규모 산정에 있어 군사비 지출 (영국의 경우 매일 200만 파운드) 이 고려되어야 할것이라고 주장한 것으로 보도됨

4. 동회의 종료후 기자회견에서 DELORS EC 집행위원장은 걸프지역의 분쟁방지를위해EC 긴급개입군을 창설해야 할것이라는 의견을 개진하고 이는 정치동맹을 지향하는 EC로서는 필연적인 것이라고 언급함. EC 각료이사회 의장인 MICHELIS 이태리 외무장관도 동회의에서 EC 의 SECURITY 역활 확대를 제의한 것으로 알려짐. EC 회원국중 NATO 가입국들은 금 9.18. 파리에서 서구연합 (WEU) 각료회의를 별도로 갖고 금번사태 관련, 군사적 조치에 관하여 협의 예정임. 끝

중아국 1차보 미주국 구주국 통상국 정문국 안기부 대책반

PAGE 1

90.09.19 04:26 DA

외신 1과 통제관

0069

(대사 권동만-국장)

PAGE 2

0070

관리 번호	90/1662

외 무 부

종 별 : 긴 급

번 호 : ECW-0617 일 시 : 90 0918 1630

수 신 : 장관 (미북)

발 신 : 주 EC 대사

제 목 : 걸프사태 관련 EC 원조계획

대: WEC-0510,0511

연: ECW-0614, 0616

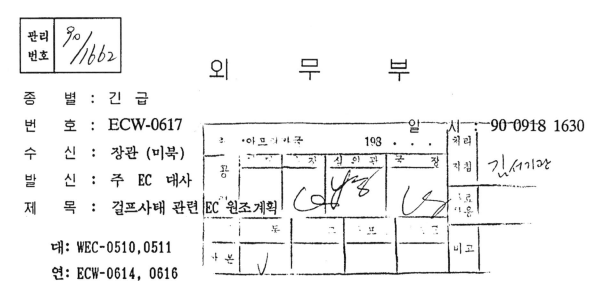

1. 대호관련, EC 12 개국은 9.17. 외무장관 회의에서 EC 집행위측이 작성한15 억 ECU (19 억 5 천만불 상당) 원조계획안을 검토하였으나, 영. 불.화란 등이 EC 측의 구체적 원조규모 결정에 있어 걸프지역에 군사력을 파견한 EC 회원국의 군사비지출과 여타 제 3 국의 원조공약등을 감안하여야 할것이라고 주장함으로써 금번 회의에서는 원조규모에 대하여 합의를 보지 못하고 9 월말 이전까지 최종결정을 내리기로 하였음. 또한 EC 회원국들은 EC 집행위에 이집트, 요르단, 터어키에 대한 지원소요액 산정을 UPDATE 할것과 제 3 국및 국제기구가 발표한 원조공약등에 관한 자료를 조속 제출할것을 요청하였음

2. EC 집행위의 전선국가에 대한 원조계획안 상세는 연호 ECW-0614(9.14) 로 보고한바 있으며, EC 측 지원규모가 결정되는대로 추보위계임. 끝

(대사 권동만-국장)

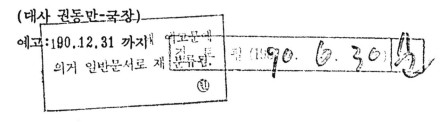

예고:190.12.31 까지 의거 일반문서로 재분류됨. (1990. 6. 30)

미주국 대책반	장관	차관	1차보	2차보	중아국	정문국	청와대	안기부

PAGE 1 90.09.19 02:36

외신 2과 통제관 CW

0071

긴

관리 번호	90-1864

원 본

외 무 부

종 별 :

번 호 : ITW-1133 일 시 : 90 0918 1830

수 신 : 장관(미북,구일)

발 신 : 주 이태리 대사

제 목 : 대이라크 제재조치 참여국 원조

대:WIT-0851

연:ITW-1088

1. 대호, 주재국 외무성 관계관에 문의한바 EC 집행위원회는 아직까지 구체적 원조총액을 결정한바 없으며, 따라서 각국분담규모, 지원방법도 구체화 되지 않았다함.(1 차 산정액은 연호 참조)

2. 동 구체적인 사항은 이달내에 결정될 예정이라하는바, 파악되는대로 추보위계임.끝

(대사 김석규-국장)

예고:90.12.31. 까지

일반문서로 재분류1990.12.31 서명

미주국 차관 1차보 2차보 구주국 중아국 정문국 청와대 안기부 대책반

PAGE 1

90.09.19 03:08

외신 2과 통제관 CW

0072

관리 번호	90/1664

외 무 부

종 별 : 지 급

번 호 : UKW-1768

수 신 : 장관(미북,중근동,구일)

발 신 : 주 영 대사

제 목 : 대이락 제재조치 참여국원조

90 0918 1220

대: WUK-1568

연: UKW-1721

1. 대호관련, 9.17(월) 브럿셀에서 개최된 EC 외상회의는 20 억불 규모원조의 구체적 내역에 관해서 합의에 달하지 못한 것으로 보도됨. 특히 영국과 화란은 EC 의 원조액에 관한 발표를 연기하도록 요구하였으며, 각국 외상들은 피해국들의 소요에 관한 보다 정확한 평가를 촉구함.

2. HURD 영국외상은 일본이 원조액을 배증시켰으며, 오지리, 스위스 같은 부국이 다소나마 기여할 것이므로 당초 EC 예산에서 7 억 5 천만 ECU(5 억 22 백만 파우드, 약 10 억불)를 기여하고, 동일한 액수를 회원국으로 부터 갹출하려던계획은 재검토되어야 한다고 주장함과 더불어 영국이 군대 파병으로 1 일 2 백만 파운드의 부담을 안고 있음을 강조함.

3. DELORS EC 집행위원장은 9.17(월) 회의에서 EC 가 원조액을 확정하지 못한데 유감을 표명했으나, HURD 외상은 원조내역에 관한 EC 내 합의가 2 주일내 가능할 것이라고 전망했으며, DE MICHELIS 이태리 외상(의장국)도 금월말까지 원조안건을 마무리 지을 예정이라고 밝힘.

4. 영국정부는 자국이 부담할 수있는 원조내역에 관해서 현재 밝히지 않고있으며, 다른 나라들의 동향과 EC 내 협의결과에 따라 결정될 것이라는 입장을 취하고 있음. 끝

(대사 오재희-국장)

예고: 90.12.31 일반

19 . . . 에 예고문에 의거 일반문서로 재 분류됨.

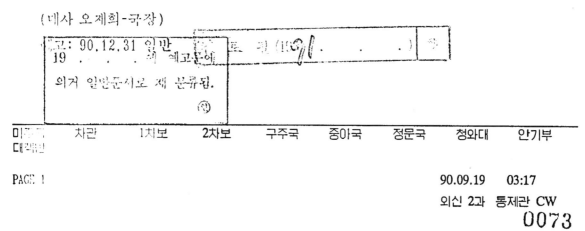

미주국	차관	1차보	2차보	구주국	중아국	정문국	청와대	안기부
대책반								

PAGE 1

90.09.19 03:17

외신 2과 통제관 CW

0073

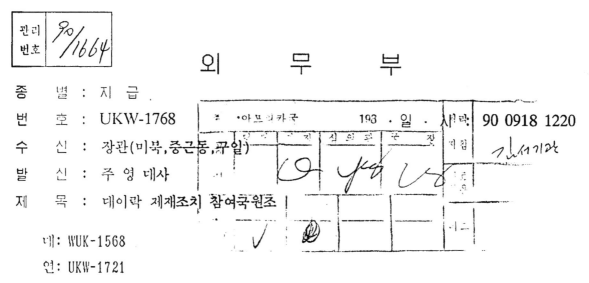

외 무 부

종 별 :

번 호 : NRW-0573 일 시 : 90 0918 1500

수 신 : 장관(구이,경이,중근동,기정동문)

발 신 : 주 노르웨이대사

제 목 : 주재국의 이라크.쿠웨이트 사태관련 구호기금

주재국은 9.14. 이라크 쿠웨이트 사태관련 이집트.요르단.터키내 구호활동및 이라크.쿠웨이트에 있는 아시아 노동자 본국 송환을 위하여 50백만 크로나를 사용하고 동사태로 경제적 고통을 당하고있는 아시아 4개국 (방글라데시.인도.파키스탄.스리랑카)에 60백만 크로나를 지원하는 방안을 협의 하였다고 발표함. 동협의방안이 실시될 경우 주재국은 이라크.쿠웨이트 사태 발생 초기의 16백만 크로나지원금을 포함하여 총 126백만 크로다 (21백만 미불상당)를 지원하게 되는것임.

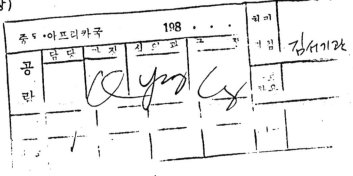

끝

(대사 김정훈-국장)

중동아프리카국				198 . . .	
공람	담당	과장	심의관	국장	

구주국 중아국 경제국 안기부 대책반 1차보 2차보 통상국 미주국

PAGE 1 90.09.19 03:56 DA

외신 1과 통제관

0074

관리번호	90/1675

원 본

외 무 부

종 별 :

번 호 : FRW-1725 일 시 : 90-0918-1900

수 신 : 장관(중근동,구일,미북,정일)

발 신 : 주 불 대사

제 목 : 이라크사태,EC 대응(PI105)

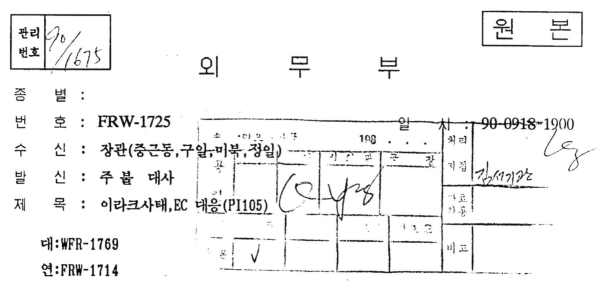

대:WFR-1769

연:FRW-1714

1. 연호 EC 12 개국은 9.17 개최된 외상 회담을 통해 이라크의 쿠웨이트 주재 외국 공관 침입을 강력 비난하고 하기 요지의 외교적 공동 대응조치를 취하기로 결정함.

-EC 제국 주재 이라크 무관 추방

(이라크 무관 주재국은 불, 영, 이, 서독 및그리스 5 개국)

0 영국:이라크인 31 명(무관실직원 8 명 포함)추방

0 이태리:이라크인 11 명(무관포함)추방

0 서독:48 시간내 이라크 무관 출국 명령

-EC 12 개국 주재 이라크 외교관에 대한 여행 자유 제한

-유엔이 결의한 대이라크 EMBARGO 강화

0 EMBARGO 감시 방안 모색

0 EMBARGO 를 준수치 않고 있는 국가에 대한 경제적, 외교적 제재 방안 강구

-걸프 위기로 큰 피해를 당하고 있는 이집트, 요르단 및 터키 3 국에 대한 원조 필요성 재강조

0 EC 차원에서 15 억 ECU(약 19 억 5 천말불)경제원조 제안

2. 연이나 상기 EC 회담시 주재국이 주창한 대이라크 항로 봉쇄 문제는 유엔 차원에서 결정할문제로 간주하고 동 관련 언급을 피하였으며, 인근 3 개 피해국에대한 15 억 ECU 규모의 경제 원조 상세 내역은 영. 화란, 스페인등의 이견에따라 9 월말 재협의, 결정키로함.

-상기 15 억 ECU 규모 원조액중 1/2 인 750 억 ECU 는 EC 공동 재정으로 충당하고 나머지는 각국별로 동 3 개국에 제공키로 원칙 합의가 되었으나, 영. 불등은 각각 기

중아국	차관	1차보	2차보	미주국	구주국	정문국	청와대	안기부

90.09.19 16:22

외신 2과 통제관 BA

0075

제공한 군사적 지원도 상기 총 원조 규모에 포함될것을 주장

3. 주재국은 대이라크 밀교역 혐의가 있는 12 개 불 중소기업체에 대한감시(특히 세관 검색등)를 강화하고 있는것으로 알려지고 있는바, 동 대이라크 밀교역은 터키, 뛰니지등으로부터의 주문에 의해 비밀리 이루어지고 있는것으로 추측하고 있음.

4. 서구 연맹(UNION DE L'EUROPE OCCIDENTALE)은 걸프 지역에서의 회원국간군사적 협력 강화 방안을 협의하기 위하여 외상 및 국방상 회담을 9.18 오후 파리에서 개최중임.끝

(대사 노영찬-국장)

예고:90.12.31.까지

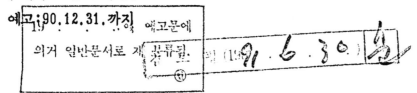

예고문에 의거 일반문서로 재분류됨 (1991.6.30.)

관리번호	90/(679)

외 무 부

종 별 : 긴 급

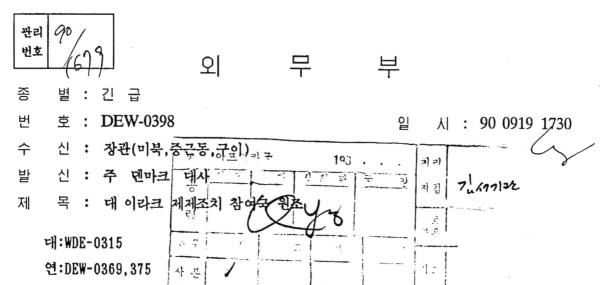

번 호 : DEW-0398 일 시 : 90 0919 1730

수 신 : 장관(미북,중근동,구일)

발 신 : 주 덴마크 대사

제 목 : 대 이라크 제재조치 참여국 원조

대:WDE-0315

연:DEW-0369,375

1. 당관 추서기관은 9.19. 주재국 외무부 JENS FAERKEL 아주.중동 과장을 접촉, 이집트등 걸프만 사태 전선국가에 대한 EC 집행위원회의 대호 경제원조 제안과 관련한 주재국 입장을 문한바, 동 과장은 동 EC 집행위원회 제안에 대해 EC회원국간 최종적인 합의가 이루어지지 않았으며 이는 주로 걸프만에 직접 군대를 파견하고 있는 영국과 불란서가 각국 분담금 결정에 군대파견 비용이 고려되어야 한다고 주장하고 있기 때문이라고 말함.

2. ELLEMANN-JENSEN 주재국 외무장관은 최근 주재국이 EC 공동 경제원조에 2억 5 천만 크로너(약 4 천만불)를 분담할것이라고 언급한바, FAERKEL 과장은 외무장관의 이러한 발언은 주재국 정부가 EC 의 공동 경제원조에 참여하는 명목금액을 제시한 것일뿐이며 EC 회원국안 원조총액, 국별 분담액및 지원 방법이 합의가 되어야 주재국의 분담방안도 구체화될것이라고 말함.

3.FAERKEL 과장은 또한 주재국이 이미 요르단및 이집트에 지원 결정한 연호총 4 천만 크로너는 상기 공동원조와는 별개로 난민구호를 위하여 주재국 정부가 독자적으로 지원하는 것이라고 말함.

4. 한편 ELLEMANN-JENSENN 외무장관은 상기 2 항 2 억 5 천만 크로너를 기책정된 대개도국 개발원조 예산중에서 전용, 충당할 것이라고 시사한바, 이에대해 연정 구성 정당의 하나인 진보당이 반대하는등 주재국 정부내에서도 아직 논란의 여지가 있는 것으로 보임. 끝.

(대사 장선섭-국장)

예고:90.12.31. 일반고문에 의거 일반문서로 재 분류됨.

검 토 필 (1991.6.30.)

미주국 차관 1차보 구주국 중아국 청와대 안기부 대책반

PAGE 1

90.09.20 01:14

외신 2과 통제관 CF

0077

원 본

외 무 부

종 별 :

번 호 : AVW-1333 일 시 : 90 0919 1800

수 신 : 장관(중근동,구이,기정)

발 신 : 주오스트리아대사

제 목 : 쿠웨이트 사태 관련 주재국 동정

1.이라크군의 쿠웨이트 주재 서방 대사관 침입에대한 보복으로 EC 12 개국이 무관추방 및 여타 외교관 여행지역의 제한을 결정한 것과 관련, 주재국 외무성은 비에나에 이라크군 요원이 없음과 이라크 외교관이 다자간 활동을 겸하고있음을 이유로 EC결정에 따르지 않을 것이라고 발표하였음.

2.외무성은 또한 이라크가 비에나 주재 대사관을통해 무기를 구매하고 있다는 소문이 ''증명되지 않은 것''이라고 부인하였음.

3.한편, MOCK 외상은 중립국이 요르단 또는 터키에 대한 재정지원을 통해 서방 걸프연합군의 재정적 부담을 덜어 주기를 기대하고있는 EC 입장에 대해서는 긍정적 반응을 표명하였는 바, 주재국은 요르단 및 이집트에 대해 인도적 지원금으로 12백만실링(미화 110만불)을 책정해 놓고 있으나, 최종액수는 상금 결정되지 않고 있음.

4. DEMEL 쿠웨이트 주재대사는 현재 바그다드에 주재하고 있는 것으로 알려짐.

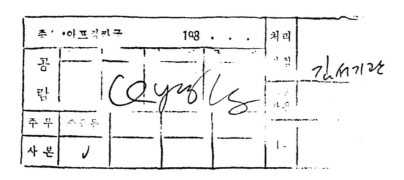

(끝)

총 아프리카국		198 . . .			처리
공람					
주무					
사본	✓				

중아국 구주국 안기부

PAGE 1

90.09.20 05:17 CG

외신 1과 통제관

0078

관리번호	90/1681

외 무 부

종 별 :

번 호 : HOW-0384 일 시 : 90 0919 1700

수 신 : 장관(미북)

발 신 : 주 화란 대사

제 목 : 대 이락 제재 조치 원조

대:WHO-0263

1. 대호 관련 주재국 외무성측에 의하면 이집트등 전선국가들에 대한 주재국의 경제원조내용은 아직 결정된 바 없으며, 9 월말경 확정될 예정이라 함.

2. 동 관련 사항 결정되는 대로 파악 보고 예정임. 끝.

(대사 최상섭-국장)

예고:90.12.31. 까지 예고문에 의거 일반문서로 재 분류됨.

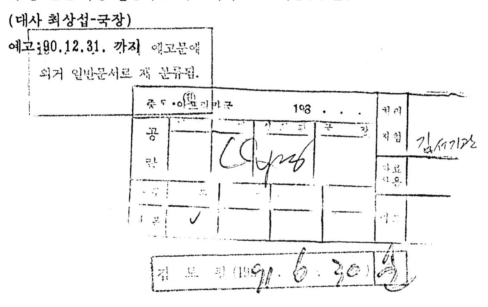

검 토 필(1991. 6. 30)

미주국 중아국 대책반

PAGE 1

90.09.20 06:18

외신 2과 통제관 CF

0079

관리번호	90/1687

외 무 부

종 별 : 지 급

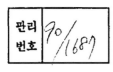

번 호 : POW-0496 일 시 : 90 0919 1900

수 신 : 장관(미북,구이,중근동)

발 신 : 주 폴부갈 대사

제 목 : 대이라크 제재조치 참여국 원조

대:WPO-0278

1. 대호 당관 주참사관이 9.19 주재국 외무성 JOSE MANUEL BULHAO MARTINS 중동 마그레브 국장을 방문 문의한바, 주재국측은 EC 집행위가 대호 이집트, 요르단 및 터키 3 개국에 대한 EC 의 지원문제를 논의한것은 사실이나, 동 논의에서는 이들 국가에 대해 경제원조를 한다는 기본원칙만 결정되었을뿐 총체적 원조규모나 국별 분담규모, 지원방법등은 결정된바 없다고 말함(EC 본부측의 주재국앞 9.18 자 전문을 참조하며 언급). 동인은 앞으로 본건 관련 진전사항이 있을시 주재국 관련사항을 알려 주겠다고 하였음

2. 본건 추후 지넌사항을 추가 확인 보고 예정이나 EC 본부 및 여타국으로 부터 입수된 구체적 사항이 있으면 지급회시 바람. 끝

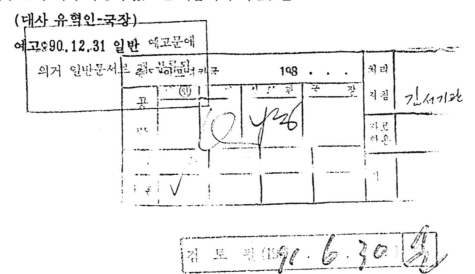

(대사 유혁인-국장)

예고:90.12.31 일반

예고문에 의거 일반문서로 재분류됨

검토필(1990.6.30)

미주국 구주국 중아국 대책반

PAGE 1

90.09.20 06:34

외신 2과 통제관 CF

0080

관리번호	90/1680

외 무 부

종 별 : 지 급

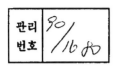

번 호 : GEW-1592 일 시 : 90 0920 1130

수 신 : 장관(미북,중근동,구일)

발 신 : 주 독 대사

제 목 : 페루시아만 사태관련보고

대:ZWGE-1356,1286

연:GEW-1567

당관 이공사는 금 9.20. 외무성 DASSEL 중독과장과 면담, 표제건에 관하여 의견교환을 가진바 하기보고함(권세영 서기관 동석)

1. EC 회원국이 지원키로한 19 억 5 천만불중 독일의 분담규모는 21 프로이며, 지원방법은 상품또는 식량원조의 형태가 될것이라함

2. 독일의 페르시아만사태와 관련한 지원액은 총 33 억 마르크로서 14 억 마르크는 이집트, 요르단, 터키에 상품지원의 형태로, 약 10 억 마르크는 식수운방장비, 교량가설장비, 특수차량등 군수지원에 사용되며, 2 억불은 60 대의 화생방 탐지용 FUCHS 장갑차(대당 300 만 마르크)및 동차량운행 훈련경비로 지원된다함

3. 쿠웨이트에는 현재 독일대사관 직원 5 인(대사부부및 통신사, 경호원)및 약 100 명의 독일인이 머물고 있는바 금일 35 명을 각자 의향에 따라 선발, 바그다드로 수송 철수예정이라고 함. 쿠웨이트에는 이락군이 외국인 거주지역에 가택수색을 통하여 외국인이 발견될 경우 이들을 이락내 주요시설로 보내어 민간방패막으로 사용하고 있다고함. 대사관과 외무성간은 특수무선라디오로 교신하고 있고 대사관과 쿠웨이트내 독일인 사이에는 워키토키로 상호 연락을 취하고 있다고함

4. 걸프만사태 해결전망에 관한 질문에 대하여 동과장은 현재 사태가 극히 악화되어 해결의 실마리를 찾기 어려운 실정임을 강조하고, 동인의 견해로는 1-2 주내 전쟁이 일어날 것으로 전망한다고 하면서 전쟁만이 동사태 해결을 위한 방법이라고 언급하면서, 금일 아침 뉴욕대표부로부터 입수된 전문에 의하면 유엔안보리는 세계각국 항구에 정박중인 모든 이락선박 육류, 공중봉쇄(AIR EMBARGO)실시 및 이락인의 자산동결등 초강경조치를 내용으로하는 결의안을 채택할 것이라고

미주국 장관 차관 1차보 2차보 구주국 중아국 청와대 안기부

PAGE 1 90.09.20 20:43

외신 2과 통제관 EZ

0081

첨언하였음

5. 동과장으로부터 아국의 지원에 관한 문의 있었는바, 지원내용 참고로 통보바람

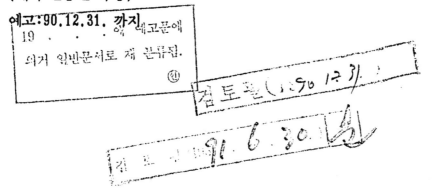

(대사 신동원-국장)

예고:90.12.31. 까지

19 . . . 에 예고문에 의거 일반문서로 재 분류됨.

검토필(1990.12.31.)

검토필(91.6.30.)

PAGE 2

0082

관리 번호	90/1683

외 무 부

종 별 :

번 호 : ECW-0626 일 시 : 90 0920 1730

수 신 : 장관 (미북,구일,중근동,통이)

발 신 : 주 EC 대사

제 목 : 걸프사태 관련 EC 원조계획

검 토 필(1991. 6. 30.)

대: WEC-0510, 0511

연: ECW-0614, 0617

1. 대호관련, 당관 윤종곤서기관은 금 9.20. EC 집행위 사무총장실 CUNHA 정무협력 담당관과 접촉, EC 측의 이집트, 터키, 요르단등 전선국가 원조계획 추진방안을 타진한바, 동담당관은 지난 9.17. EC 외무장관 회의에서 EC 전체의 원조규모 합의 미도달로 각 회원국별 분담금액은 아직 결정되지 않았으나 EC 집행위로서는 내년도 EC 예산에서 7 억 5 천만 ECU (약 10 억불) 지원 목표를 계속 고수할 계획임을 언급함

2. 동담당관에 의하면 EC 집행위측은 상기 3 개 전선국가에 대한 원조방법에 있어 기보고한바와 같이 총 지원금액은 2/3 (5 억 ECU) 는 GRANT 로, 1/3 (2 억 5 천만 ECU) 는 차관형태로 할것을 제의한바 있으나, 지원대상국의 경제사정을 감안할때 GRANT 분을 더욱 증가해야 한다는 의견이 제시되고 있다함. 또한 EC각 회원국의 지원방법은 최종적으로 회원국들 자신이 결정하겠지만 EC 집행위측으로서는 가급적 무상원조분이 많이 포함되는 방향으로 건의 예정이라 함

3. 동 담당관은 또한 EC 측의 전선국가 원조계획에 대한 최종결정은 9.17. 외무장관 회의시 9 월말까지 내리기로 합의한바 있으나 이의 공식적 발표는 10.6-7 베니스 개최 EC 외무장관 회의에서 행해질 것으로 전망함. 끝

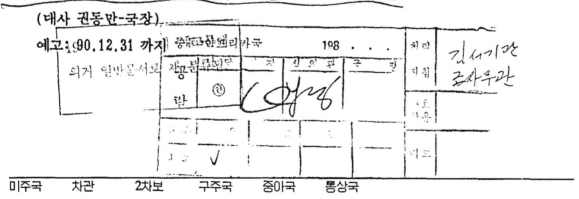

(대사 권동만-국장)

예고: 90.12.31 까지

의거 일반문서로 재분류 (198 . . .)

김서기관

공사우관

미주국 차관 2차보 구주국 중아국 통상국

PAGE 1

90.09.21 01:34

외신 2과 통제관 EZ

0083

관리 번호	90/1682

외 무 부

종 별 :

번 호 : SPW-0551 일 시 : 90 0920 1600

수 신 : 장관(미북)

발 신 : 주 스페인 대사

제 목 : 대이라크 제재조치 참여국 원조

대: WSP-0461

1. 당관 홍공사가 9.19. 주재국 외무성 EC 총국 BAUZA 담당관에게 확인한바, 대호 원조액 19 억 5 천만불(15 억 ECUS)이 상금 확정된 액수는 아니며, 9 월중 확정될 예정이라고함.

2. 동인은 또한 스페인의 분담규모는 EC 12 개국 분담총액의 약 7 프로가 될것으로 전망한다고하고 구체사항은 9.27. 이후 결정될것이라고 말하였기 우선 보고하며, 관련사항 추보하겠음.

(대사-국장)

예고:1990.12.31 일반

예고문에 의거 일반문서로 재분류됨.

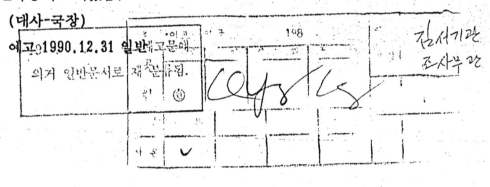

검서기관 조사무관

검토필(1991.6.30.)

미주국 중아국 대책반

PAGE 1

90.09.21 01:36

외신 2과 통제관 EZ

0084

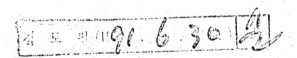

종 별 :

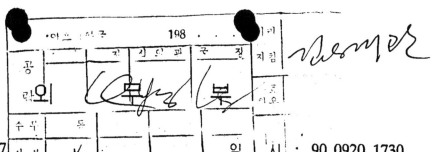

번 호 : ECW-0627 일 시 : 90 0920 1730

수 신 : 장관 (통이,구일,미북,중근동)

발 신 : 주 EC 대사

제 목 : 독일통일및 걸프사태 관련, EC 중기예산계획 수정

(자료응신 제 72호)

1. EC 집행위는 최근 독일통일에 따른동독의 EC 편입및 걸프사태 관련 전선국에대한 경제원조등 추가 세출요인이 발생됨에따라, 1992년말 까지 EC 의 세출예산 한도를설정한 중기 예산전망에 대한 수정안을 EC각료이사회및 구주의회에 제출키로 결정함

2. EC 집행위의 수정안 내용은 아래와 같음

0 독일통일 관련, 추가세출: 1991년 10억 ECU,1992 년 11억 ECU

0 걸프사태 관련 추가세출: 91년 9억 ECU (1차적 조치)

- 7억 5천만 ECU: 이집트, 터키, 요르단 경제원조
- 1억 5천만 ECU: 여타 국가 원조를위한 예비분

3. 동독의 EC 편입에 따른 EC 의추가세출은 주로 구조기금 증액 (91년중 9억 ECU,92 년중 10억 ECU) 에 기인하며, 나머지는환경보호, 훈련, 에너지, 수송및 수산업 분야 EC정책 추진경비임

동독의 EC 편입으로 사실상 가장 큰 추가세출발생부문은 농업분야 (연 10억 ECU정도) 인바,EC 집행위측은 현재 공동 농업정책을위해 설정된 예산액중 약 24억 ECU정도의불용액이 남아있어 추가세출 없이도 현행예산범위내에서 동독에 대한 농업지원정책을 추진할수 있을것으로 판단하고 있음

4. SHMIDHUBER EC 예산담당 집행위원은 최근일각에서 독일통일에 따른 동독의 EC편입이EC 회원국들에게 과다한 재정부담을 초래할것이라는 주장을 부인하면서, 동독의 EC 편입은과거 비슷한 규모의 신규회원국 가입시보다 비용이덜 소요될 것이며 장기적으로 EC 가 입을혜택은 세출증가로 인한 부담보다 훨씬클것이라고 언급함. 끝

(대사 권동만-국장)

통상국 미주국 구주국 중아국

PAGE 1 90.09.21 01:58 CT

외신 1과 통제관

0085

관리 번호	90/1287

외 무 부

종 별 :

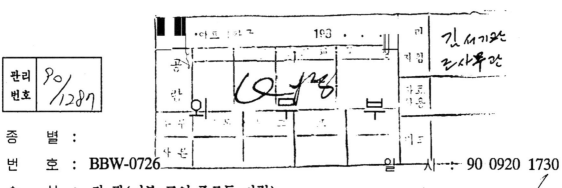

번 호 : BBW-0726 일 시 : 90 0920 1730

수 신 : 장 관(미북,구일,중근동,기정)

발 신 : 주 벨기에 대사

제 목 : 대이라크 제재조치 참여국 원조(자료응신 71호)

대:WBB-0651, 연:BBW-0695

1. 대호, 그간 주재국 외무부 관계자들을 접촉, 탐문한 바에 의하면 주재국 정부는 아직까지 전선국가들에 대한 경제원조의 규모 및 방법에 대해 구체적 결정을 내린 바는 없으나, 기본입장은 경제원조에 관해서는 EC 의 결정에 부응, 적정한 책임 분담을 하겠다는 것으로 보임.

2. 주재국 외무부 관계자에 의하면, EC 는 지난 9.7 및 17 일 외무장관 회의를 통하여 사실상 전선국가들에 대한 91 년말까지 경제원조 규모를 15 억 ECU(19 억 5 천만불 상당), 이중 절반은 EC 예산(각국의 EC 예산 분담율에 의해 비용부담, 벨기에의 경우 약 3%), 나머지 절반은 EC 각국이 직접 양자관계 차원에서 지원하는 것으로 콘센서스가 이루어졌다 함. 다만, 개별국가의 직접 지원분에 대한 분담 비율결정과 관련, 영국 및 불란서등 군사비 지출 감안을 주장하는 국가와 아일랜드, 덴마크등 이에 반대하는 국가들의 의견대립과 지금까지 각국이 독자적으로 양자관계 차원에서 시행해온 각종 원조를 상기 EC 차원 원조에 어떻게 산입하느냐 하는 문제에 대한 이견으로 공식 결정은 9 월말까지로 연기되었으나 대체적으로 군사비 지출을 감안, 군사 지원을 하지 않은 국가들은 예산 분담율보다 다소 높은 수준으로 개별 경제지원규모를 정하는 방향으로 합의가 도출될 것으로 보고있음.

3. 따라서 주재국의 경우, 91 년까지 EC 분담금으로 약 3 천만불 정도를 부담하고 전선국가들에 대해서도 그와 비슷한 규모의 원조(구체적 방법 미정)을 시행할 것으로 분석됨. 끝

(대사 정우영-국장)

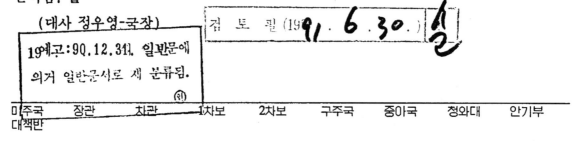

19예고:90.12.31. 일반문에 의거 일반문서로 재 분류됨.

검 토 필 (1991. 6. 30.)

미주국 장관 차관 1차보 2차보 구주국 중아국 청와대 안기부
대책반

PAGE 1

90.09.21 02:05
외신 2과 통제관 EZ

0086

관리번호 90/1294

원 본

외 무 부

종 별 :

번 호 : AEW-0285 일 시 : 90 0922 1300

수 신 : 장관(중근동,정일)

발 신 : 주 UAE 대사

제 목 : 이.쿠사태(19)(자료응신 27호)

연:AEW-0270

대:WAE-0202

1. 연호, 주재국 외교단(일본대사 포함)에서는 주재국이 금번사태관련 20 억불을 분담(10 억불 다국적군 지원, 10 억불 시리아. 이집트. 터키등 지원)하였다 함.

2. 동건 주재국에서는 공식적으로 발표를 안하고 있으나 일본대사에 의하면외무성 고위인사 접촉시 동사실(20 억불 분담)을 확인하였다 함을 보고함. 끝.

(대사 박종기-국장)

예고:90.12.31 일반 예고문에 의거 인반문서로 재 분류됨.

검토필(1990.12.31.)

검 토 필 (1991.6.30.)

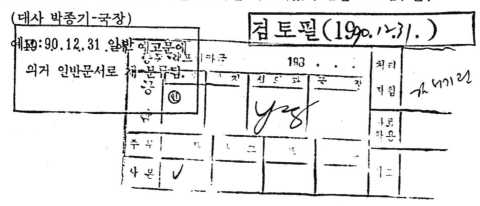

중아국 차관 1차보 2차보 정문국 청와대 안기부 대책반

PAGE 1

90.09.22 22:04

외신 2과 통제관 CW

0087

관리번호	90/1702

외 무 부

종 별 : 지 급

번 호 : GRW-0474 일 시 : 90 0921 1600

수 신 : 장관(미북)

발 신 : 주 희랍 대사

제 목 : 대이라크 제재조치 참여국 원조

대: WGR-0326

1. 대호 재정원조에 대하여 주재국은 아래와 같은 입장을 주장하여 수락되었다고 보도되었음.

가. 대 이라크 재재조치로 인한 경제적 손실에 대하여 이집트, 요르단, 터키 뿐만 아니라 희랍등 다른나라도 보상을 요청할수 있다.

나. 터키에 대한 재정원조는 군사적 목적을 위해 사용할수 없다.

다. 희랍이 동원조에 참여할 경우에 희랍의 공여분은 요르단 및 이집트에 주어질것임.(터키는 제외)

2. 희랍의 재정지원 공여 여부는 수상이 일본방문에서 귀임한후 결정될것이나 희랍 자신이 EC 로부터 매년 상당액의 재정지원을 받고 있으며, 희랍 자신도 피해 당사자로서 보상을 받아야 한다고 주장하고 있는 점등으로 보아 희랍이 동 재정지원 계획에 실질적인 공여를 할것으로는 보이지 않으나 본건 계속 조사 보고하겠음.

3. 9.21 당지 ANA 통신은 EC 가 상기 3 개국에 750 백만 ECU 는 COMMUNITY AID 로, 750 백만 ECU 는 BILATERAL AID 로 공여 할것을 고려하고 있다고 보도함. 끝.

(대사-국장)

예고:90.12.31. 까지

검토필(1990.12.31.)

의거 일반문서로 재 분류됨

재분류(1991.6.30.)

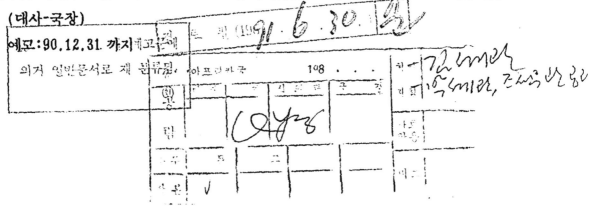

미주국	차관	1차보	2차보	구주국	중아국	청와대	안기부	대책반

PAGE 1

90.09.21 22:35

외신 2과 통제관 DO

0088

관리번호	90/1290

외 무 부

종 별 :

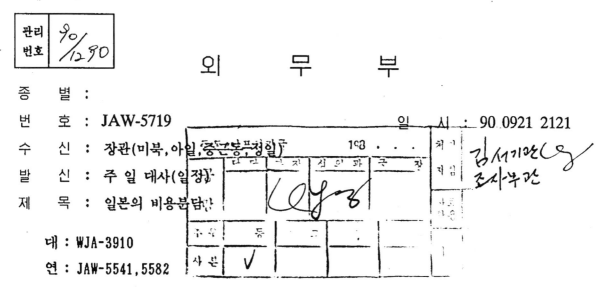

번 호 : JAW-5719 일 시 : 90 0921 2121

수 신 : 장관(미북,아일,중근동,정일)

발 신 : 주 일 대사(일정)

제 목 : 일본의 비용분담

대 : WJA-3910

연 : JAW-5541,5582

1. 일정부는 9.21 각의에서 8.30 발표한 다국적군 지원 10 억불(제 1 차분)중 9 억불(1,228 억 8 천만엥)을 페르샤만 협력회의(GCC)에 설치될 '페르샤만 평화기금'에 갹출하기로 정식 결정하였음. 동 각의에서는 또한 이를 위해 9.21. 중으로 리야드에서 GCC 측과 교환공문에 서명하기로 하는 한편, 나머지 1 억불에 대해서는 일본이 직접 운용하여 의료단의 파견 및 일정부가 차용한 항공기, 선박의 비용에 충당하기로 결정하였음.

0 상기 교환공문에 의하면, '페르샤만 평화기금'은 리야드의 GCC 본부에 설치되고, 운용, 관리는 주사우디 일본대사와 GCC 사무국장등 쌍방의 대표로 구성되는 '운용위원회'가 담당하기로 되어 있다고함.

0 한편, 일정부는 동 위원회로부터 기금의 사용보고를 받게 되지만, 현재 동 위원회의 상세한 멤버, 구성 및 기금사용 절차등은 미결정으로 가능한 조속히 결말을 지을것이라고 함.

2. 상기 1 항, 일정부 각의결정의 상세내역은 다음과 같음.

0 수송협력(민간항공기, 선박 차용경비) : 118 억 2 천 8 백만엔

0 의료협력(100 명을 목표로 한 의료단을 파견할 체제정비 경비) : 8 억 5 천 3 백만엥

0 물자, 자금협력 (GCC 평화기금에의 갹출금) : 1,228 억 8 천만엥

0 기타 의료단의 인건비등 : 14 억 3 천 9 백만엥

3. 한편, 추가지원금 10 억불(제 2 차분)의 내역은 금번에 결정되지 않았지만, 10 억불의 반이상 대부분이 '평화기금'에 갹출될 것으로 전망된다고 함을 첨언함. 끝

미주국 장관 차관 1차보 2차보 아주국 중아국 정문국 청와대
안기부 대책반

PAGE 1 90.09.21 23:20

외신 2과 통제관 DO

0089

(공사 김병연-국장)

예고 19 90.12.31. 일반 예고문에
의거 일반문서로 재 분류됨.

검토필(1990.12.31.)

검 토 필(1991.6.30.)

PAGE 2

0090

관리 번호 90/1709

외 무 부

중 · 아프리카국 198 . . .

종 별 :

번 호 : JAW-5765 일 시 : 90 0925 1811

수 신 : 장관(아일,미북,중근동,정일)

발 신 : 주 일 대사(일정)

제 목 : 일본의 중동사태 비용분담

연:JAW-5680

1. 일 정부는 금 9.25. 각의에서 연호 카이후 수상의 방미 및 중동순방 계획을 정식을 결정 하였는바, 동 일정 하기 보고함.

- 9.28 일본 출발
- 9.29. 부시대통령과 회담(미확정)
- 9.30. 아동을 위한 세계정상회의 참석
- 10.1. 뉴욕 출발
- 10.2. 에집트 방문
- 10.3. 요르단 방문
- 10.4-5. 터키 방문
- 10.6. 사우디 방문
- 10.7-8 오만 방문
- 10.9. 귀국

검토필(1990.12.31.)

2. 한편, 일 정부는 분쟁주변국에 대한 경제협력 20 억불중 긴급상품차관(금리 1 프로, 상환기간 30 년)으로 지원키로 한 6 억불을 에집트에 3 억, 터키에2 억, 요르단에 1 억불씩 나누어 지원키로 방침을 결정하였다고 하는바, 참고 바람. 끝.

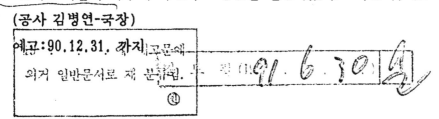

(공사 김병연-국장)

예고:90.12.31. 까지

일반문서로 재분류(1991.6.30.)

이주국 미주국 중아국 정문국

PAGE 1 90.09.25 20:09

외신 2과 통제관 EZ

0091

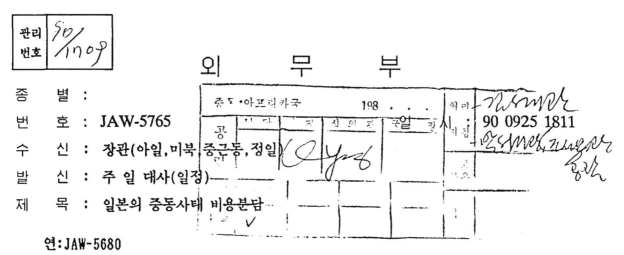

관리 번호	90/1329

외 무 부

종 별 :

번 호 : UKW-1838 일 시 : 90 0926 1840

수 신 : 장관(미북,중근동,구일,봉일,사본:주EC대사)(중계필)

발 신 : 주 영 대사

제 목 : 걸프사태관련 지원

본직은 9.25(화) 주재국 보수당소속 구주의회 JAMES MOORHOUSE(대외경제위원회) 의원을 초청 오찬을 가진바, 동 의원은 걸프사태와 관련 하기요지 언급하였으니 참고바람.

검토필(1990.12.31.)

1. 구주의회 시찰단의 일원으로서 지난주 중동제국을 방문했는 바, 구주의회에서는 현재 걸프사태 관련 대책을 협의중이며 특히 피해전선국에 대한 원조방안에 관해 많은 논의가 진행되고 있음.

2. 피해전선국에 대한 지원이 효과적으로 실시되기 위해서는 원조제공국간 긴밀한 협의하에 수원국의 소요, 원조내역 등에 대한 조정이 긴요할 것으로 사료되고 있으며, 구주의회 내에서는 G-24 보다는 별도의 원조국간 협의체(CONSORTIUM)를 구성하는 방안이 거론되고 있는바, 한국도 그러한 협의체에 참여함이 바람직할 것으로 봄.

3. 전선국중 요르단은 유엔의 경제제재 조치에 불응, 이락에 대한 대규모 물자수송을 용인하고 있으므로 난민구제 목적의 긴급원조를 제외하고는 요르단에 대한 경제적 지원은 하지 않는것이 옳다고봄.끝

(대사 오재희-국장)

예고: 90.12.31 일반고문에 의거 일반문서로 재분류

검토필(1990.6.30.)

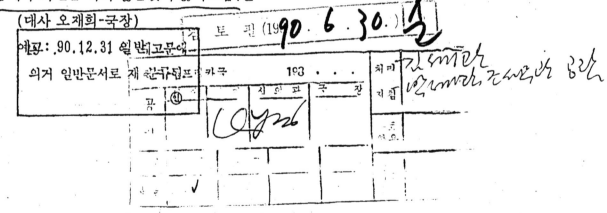

미주국 차관 1차보 2차보 구주국 중아국 통상국 청와대 안기부

PAGE 1

90.09.27 06:15

외신 2과 통제관 DO

0092

관리 번호	90/1332

외 무 부

종 별 :

번 호 : UKW-1847 일 시 : 90 0927 1730

수 신 : 장관(구일,미북,중근동)

발 신 : 주 영 대사

제 목 : LORD CAITHNESS 국무상 면담

본직은 9.26(수) 외무성 신임 아. 태 담당 국무상 LORD CAITHNESS 를 예방한 기회에 양국관계 일반에 관해서 협의한 바, 요지 아래 보고함.(조상훈참사관,DAVIES 한국담당관 배석)

1. 동 국무상은 먼저 최근 아국의 수해에 관해서 위로의 인사를 하였으며, 본직은 이에대해 사의를 표하고 수해 복구작업이 순조롭게 진행되고 있음을 설명함

2. 동 국무상은 이어 자신이 가급적 이면 금년내로 방한 할 것을 계획하고 있음을 밝히면서 구체적인 사항은 결정 되는대로 추후 아측에 통보해 주겠다고 말함

3. 동 국무상은 한편 최근 남북한 관계에 관해 관심을 표명하여 본직은 남북한 총리회담의 경과등 진전사항과 아국의 대소,중국관계, 일 북한관계등 한반도 정세에 관해 설명하였음

검토필(1990.12.31.)

4. 본직은 이어 여왕 방한에 관한 아측의 희망을 피력한 바, 동 국무상은 영측이 아측의 관심을 잘 알고 있으며 조속 입장을 알려주도록 하겠다고 말함

5. 본직은 끝으로 걸프사태 관련, 아국정부의 지원계획을 설명한바, 동 국무성은 한국정부의 조치를 평가한다고 말하고 모든 나라가 세계정세의 안정을 위해 기여해야 할것임을 강조함. 끝

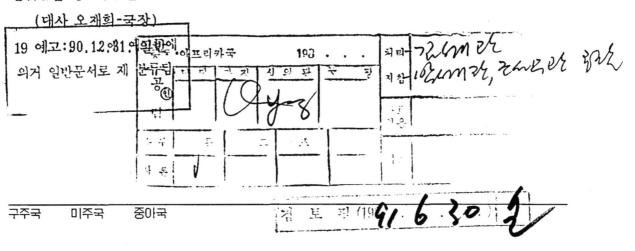

(대사 오재희-국장)

19 예고:90.12.31. 일반에 의거 일반문서로 재분류됨

구주국 미주국 중아국

검 토 필 (1991.6.30.)

PAGE 1

90.09.28 06:56

외신 2과 통제관 FE

0093

관리 번호	91/976

외 무 부

종 별 : 지 급

번 호 : USW-0363 일 시 : 91 0122 1905

수 신 : 장관(미북,기정)

발 신 : 주 미 대사

제 목 : 걸프 사태 재정 지원

1. 당관 유명환 참사관이 일본 대사관및 백악관 국무성 관계관과 접촉 탐문한바에 의하면 일본 정부는 조만간 걸프 사태 추가 재정 지원을 결정, 발표할 예정이라함.

2. 이와 관련 하시모또 일본 대장상은 지난 주말 뉴욕에서 G-7 선진국 재무장관 회의 기회에 BRADY 재무장관과 별도 회담을 갖고 추가 지원 규모에 대해 협의 하였으나 상세한 내역은 알려지지 않고 있는바, 이미 지원키로한 40 억불 보다 훨씬 많은 액수가 될것으로 보임.

3. 추가 지원 발표 시기와 관련 일본 대사관측에 의하면 하시모또 대장상이금일 귀국 하는대로 각의에서 협의를 거쳐 야당과도 의견 조정, 가급적 미 의회가 우방국의 재정 지원 문제를 다시 거론하기전에 조속 발표할것으로 본다고 말함.

4. 한편 국무부 정무차관 보좌관(KARTMAN)에 의하면 일본과의 교섭이 당초 예상보다 순조로이 진척되어 그간 긴장 되었던 미.일 관계가 많이 진정될것으로 본다고 말함. 또한 동인에 의하면, 한국에 대해서는 아직 어느정도를, 언제 요청할것인지에 대해서는 고위 레벨에서 검토할 시간적 여유가 없었다고 하면서, 이는 아직 한국이 독일이나 일본과는 달리 의회등에서 비난의 표적이 되지 않았기 때문인바, 조만간 검토가 될것은 틀림없는 사실이라고 함.

5. 동 보좌관은 사견이라고 전제하고, 걸프 전쟁이 새간이 지나갈수록 재정소요가 엄청나게 증대될것일므로 한국의 경우는 미측이 구체적으로 숫자를 제시하기 이전에 능동적으로 추가 지원을 먼저 제의하는 경우 적은 금액으로 보다큰 정치적 효과를 거둘수 있을것이라고 말함.

6. 또한 백악관 PAAL 보좌관은 아측의 의료단 지원은 한. 미 동맹 관계에서볼때 무척 다행한 일로서 아국 정부의 신속한 조치에 감사한다고 하면서, 의회등 미국내 여론이 우방국의 지원문제에 대해 점차 예민하여 지고 있으므로 한국도 추가 재정

미주국 장관 차관 1차보 2차보 중아국 청와대 안기부

PAGE 1 91.01.23 10:08

외신 2과 통제관 BW

0094

지원뿐만 아니라 인적 지원도 추가로 검토 하여 시기를 놓치지 않고 발표하는것이 중요할것이라고 말함.

(대사 박동진-국장)

91.12.31 일반

검토필(1991.6.30)

PAGE 2

0095

길

아주의 주재지원
본세관련 참고

관리번호	91-147

외 무 부

종 별 : 지 급

번 호 : JAW-0353 일 시 : 91 0124 1524

수 신 : 장관(아일,미북,중근동)

발 신 : 주 일 대사(일정)

제 목 : 걸프전쟁에 대한 일본 지원책

연:JAW-0332, 0284

1. 연호 관련, 일 정부와 자민당은 금 1.24(목) 오전 수상관저에서 당. 정수뇌회의를 개최, 걸프전쟁에 따른 주재국 지원책을 확정하고 관방장관이 이를 발표하였는바, 동 주요 내용은 아래와 같음.

0 다국적군에의 추가 협력자금으로서 90 억달라(약 1 조 2 천억엥)을 조기에 지원

0 난민 수송을 위해 자위대기를 파견하며, 동 파견의 법적근거로 자위대법 제100 조 5 항을 적용(연호 JAW-0-332 보고와 같이 수송 대상에 피난민을 추가키로 함)

0 정부 챠타 민항기(총 4 기)를 1.25. 부터 카이로에 파견, 베트남 난민을 베트남 본국에 수송

- 주변제국에 대한 10 억불 추가지원에 대해서는 의견불일치로 추후 토의키로 함.

2. 일 정부는 1.24. 저녁 "페만위기 대책본부"회의를 개최, 상기 지원책을 정식으로 결정할 예정이며, 자위대기 파견과 관련해서는 금일밤 안전보장회의 심의를 거쳐 명 1.25(금) 각의에서 자위대법 시행령 제 126 조 16 항을 개정할 예정임.

0 자위대법 제 100 조 5 항 규정(국빈등의 수송): 1) (방위청)장관은 국가의 기관으로 부터 의뢰가 있는 경우에는, 자위대의 임무수행에 지장을 주지 않는한도에서 항공기에 의한 국빈, 내각총리 대신 및 기타 정령으로 정하는 사람을수송할 수 있음. 2) 자위대는 국빈등의 수송용으로 제공하기 위한 항공기를 보유할 수 있음.

0 따라서 일 정부는 상기 1)의 "정령으로 정하는 사람"의 범위로서 동법 시행령 126 조 16 항이 천황 및 황족, 내각총리 대신등을 열거하고 있음을 감안, 동 범위에 난민등도 대상으로 추가하여 국회동의 필요치 않게 정령의 동 조항을 개정할 방침이라고 함.

3. 한편, 추가 자금지원에 대한 재원문제에 대해서는, 앞으로 자민당과 대장성간에

아주국 장관 차관 1차보 2차보 미주국 중아국 청와대

PAGE 1 91.01.24 16:20

외신 2과 통제관 CA

0096

증세(석유 관련세, 담배세, 법인세)등을 축으로 재원확보 방안을 강구할 예정이나, 금년도 예산에서 긴급 제공할수 있도록 2-3 년 단기상환 적자 국채의 발행을 검토중에 있는 것으로 보이며, 이를 위해 2 월중에 금년도 예산 제 2 차 추가경정 예산안으로서 관련법안과 함께 국회에 제출, 조기 성립시킬 방침인 것으로 관측되고 있음.

4. 상기 일본정부의 지원책 확정과 관련, 카이후 수상은 명일 1.25(금) 재개되는 통상국회에서 국민에 대해 국제공헌을 위해서는 "응분의 부담"이 필요하다는 것과 이를 위한 증세등에의 이해와 협력을 요구할 예정이나, 민사당을 제외한 야당에서 자위대기의 파견에 크게 반발하고 있고, 또한 추가지원 금액의 사용처에 대해서도 정부가 제한없는 문제한 사용을 용인할 입장에 있는 것으로 보여지고 있어, 금후 국회에서 필연적으로 여. 야간 주요 정치 쟁점으로 부각될 것으로 전망됨. 끝.

(대사 이원경-차관)

예고:1991.12.31. 까지

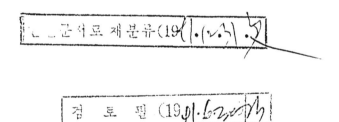

일반문서로 재분류(1991.12.31.)

검 토 필(1991.6.30.)

관리 번호	91/974

외 무 부

종 별 : 지 급

번 호 : USW-0407 일 시 : 91 0124 1833

수 신 : 장관(미북,미안,대책반,아일)

발 신 : 주 미 대사

제 목 : 걸프 사태 관련 우방국 분담금

1. 당관 유명환 참사관이 주미 일본 대사관 오시마 공사와 접촉, 금일 가이후 수상이 발표한 90 억불 지원 관련 미.일간의 교섭 내용을 문의한바, 동 금액은 양측이 협상을 하여 확정한 것이 아니며, 거의 미측이 일방적으로 통고한것과마찬가지 였다고 말함.

2. 또한 90 억불 지원 내역은 전부 전쟁 비용 충당을 위한 현금 지원이며 물자 지원은 포함되지 않은것이라고 함. 이와는 별도로 FRONT LINE STATE 에 대한 추가 지원문제도 논의중으로서 10 억불 정도가 될것으로 보이는바, 아직 결정된것은 아니라고함.

3. 한편 상기 현금 지원과 관련하여 어떠한 조건을 부여하느냐 하는 문제는앞으로 별도 협의할 예정이라 함.

4. 자위대 수송기 지원은 암만에서 카이로간 운항될 예정이나 이락 국경의 봉쇄는 어느 정도의 난민이 있을지 의문시 되기 때문에 실제로 투입 여부는 아직불확실 하다고함.

5. 동인에 의하면 독일의 경우도 추가 재정 지원 문제가 논의중인 것으로 안다고 하면서 독일 통일에 따른 재정 부담이 크지만 수십억불 정도가 될것으로 본다고 함.

6. 부쉬 대통령은 금일 오전 일본 가이후 수상과의 전화를 통해 일본의 추가 지원에 사의를 표명한바 있음.

(대사 박동진-국장)

91.12.31 일반

91. 6. 30

미주국	장관	차관	1차보	아주국	미주국	청와대	안기부	대책반

PAGE 1 91.01.25 09:55

외신 2과 통제관 BT

0098

김

원 본

외 무 부

종 별 :

번 호 : USW-0408　　　　일 시 : 91 0124 1833

수 신 : 장 관(미북, 아일, 중근동)

발 신 : 주 미 대사

제 목 : 부쉬-가이후 통화

1. 금 1.24. MARLIN FITZWATER 백악관 대변인 발표에 따르면, 부쉬 대통령은 가이후 일본수상과 금일 오전 약 10분간 통화 (가이후 수상이 전화를 걸어옴), 걸프사태관련 일본정부의 90억불 지원결정과 전쟁 구역내 피난민 소개를 위한 자위대항공기 파견 결정등에 대해 사의를 표했다 함 (대변인 발표 내용등은 USW(F)-0300로 FAX 편 송부)

2. 한편 금일 통화시 부쉬 대통령 방일 문제가 논의되기는 하였으나, 구체적 방일 시기등에 대해해서는 아직 결정된바 없다함.

(대사 박동진-국장)

미주국 1차보 아주국 중아국② 정문국 안기부 2차보

0099

PAGE 1　　　　91.01.25 10:36 WG

외신 1과 통제관

길

관리번호	91-158

외 무 부

종 별 : 지 급

번 호 : JAW-0376 일 시 : 91 0125 1516

수 신 : 장관(아일,미북,중근동)

발 신 : 주 일 대사(일정)

제 목 : 걸프전쟁에 대한 일본 지원책

연:JAW-305

1. 연호 자위대기 파견 법적근거와 관련, 일 정부는 1.24. 오후 개최된 안전보장회의에서 당초 검토되었던 자위대법 시행령 개정 보다는 금회에 한하는 잠정적 특례 정령을 제정, 대처키로 방침을 결정하고, 1.25. 오전에 개최된 각의에서 이를 통과 시켰는바, 동 정령의 주요내용은 아래와 같음.

0 명칭: 폐만위기에 따른 피난민의 수송에 관한 잠정조치 정령

0 내용: 당분간 폐만위기에 따라 발생한 이라크, 쿠웨이트 및 주변국가의 피난민으로서, 피난민에 대해서의 소송, 그외의 지원을 담당하는 국제기관으로 부터 요청이 있는 자를 수송대상으로 함.

0 유효기간: 공표일로 부터 시행(폐만위기가 끝나 국제기관으로 부터의 요청이 없으면 자연히 소멸 또는 폐지되는 한시적 정령)

2. 상기와 같이 일 정부가 자위대기 파견 법적근거로 금회에 한하는 특별정령을 제정 대처키로 한 것은 피난민을 자위대법 시행령에 의한 수송대상으로 하기에는 무리라고 판단되기 때문에 자위대기 파견자체를 반대하고 있는 야당과 국민여론을 고려한 것으로 보임.끝.

(대사 이원경-국장)

예고:91.6.30. 까지

예고문에 의거 일반문서로 재분류19 91.6.30.

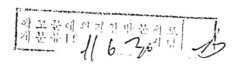

아주국	장관	차관	1차보	2차보	미주국	중아국

PAGE 1 91.01.25 16:12

외신 2과 통제관 BA

0100

관리 번호	91-119

	분류번호	보존기간

발 신 전 보

번 호 : WJA-0382 910126 1748 AQ 종별 : 긴 급

수 신 : 주 일 대사, 총영사

발 신 : 장 관 (미북, 아일)

제 목 : 걸프전쟁에 대한 일본의 지원책

대 : JAW-0353

1. 대호, 일본 정부가 다국적군에 대하여 추가 협력 자금으로 제공키로 한 90억불의 구체적 지원내역(현금, 수송지원 등) 및 지원 대상국가 등을 긴급 파악 보고바람.

2. 아울러 주변국 추가 지원 문제에 관한 일본 정부의 계획도 파악 보고 바람. 끝.

(미주국장 반기문)

예 고 : 91.12.31.일반

일반문서로 재분류(1991.12.31.)

검 토 필 (1991.6.30.)

아주국장: 대책본부장)

보안 통제	

앙 고 재	91년 1월 26일	북미과	기안자 성명		과 장	심의관	국 장		차 관	장 관
			김유환		(서명)	(서명)	전결			(서명)

외신과통제

0101

770
-8059

원 본

이번재
미나안

외 무 부

종 별 :

번 호 : GEW-0209 일 시 : 91 0125 1800

수 신 : 장 관(구일,경일,중근동,기정동문,국방)

발 신 : 주 독 대사

제 목 : 독일, 걸프전쟁 분담금 현황

1. 외무부 SCHMACHER 공보관은 금 1.25. 11:30주재국 공보처, 국방부, 재무부 공보관 과의 합동기자회견을 통하여, 주재국이 걸프사태관련 지난9.15. 방독한 베이커미 재무장관에게 약속한 33억마르크(대미 군사지원및 전선국가 지원금 포함)는 터키, 이스라엘에 대한 지원을 추가함으로서 50억마르크를 상회하였다고 발표하였음

2. 당관이 입수한 외무부 자료에 의하면 동 지원액세부내역은 다음과 같음

- 전선국가 지원 19억 DM, 다국적군 지원 34억DM, 총 53억 DM(약 35억 미불 상당)

가.전선국가 지원내용

. 이집트 1,005 백만 DM(665 배만불)

. 요르단 221.3백만 DM(146 백만 불)

. 터키 110백만 DM(73 백만불

.이스라엘 250백만 DM

. EC 지원금 분담액 313백만 DM(207 백만불)

총 1,900백만 DM(1,258 백만불)

나.다국적군 지원

. 대미지원 1,765백만 DM(1,170 배만불). 대영지원 약 170백만 DM(112 백만불)

. 터키군지원 약 15억 DM(10 억불)

이상 총계: 3,435 백만 DM(2,275 백만 미불)

(대사-국장)

중아국	차관	1차보	2차보	구주국	경제국	정문국	청와대	총리실
안기부	국방부	장관						

PAGE 1

91.01.26 07:51 ER

외신 1과 통제관

0102

외 무 부

종 별 : 지 급

번 호 : USW-0447 일 시 : 91 0126 1436

수 신 : 장 관(미북,중근동,미안,대책반)

발 신 : 주 미 대사

제 목 : 걸프전 관계기사 (우방국 역할 분담)

금 1.26 W.P 1 면에 ALLIES PLEDGE MORE MONEY TO SHARE COSTS OF BATTLE 제하의 기사가 게재된바 동주요 내용 하기 보고함.(기사 원본은 USW(F)-327기송부)

0 최근 우방국들이 페만전쟁 비용에 대한 기여금증액을 발표한데 따라, 우방국 기여금 총액은 총 300억불에 달하게됨.

0 최근 일본은 90억불,쿠웨이트는 135억불,독일은10억불을 추가 분담하겠다고 발표한바, 이는 원유의 안정적 공급으로부터 가장큰 혜택을 받는우방국이 걸프전의 비용 분담에 있어서는 형평에 어긋나게 분담을 적게하고 있다는 미국내 여론 및 미의회의 분위기를 완화하기 위한 조치임.

0 미하원 예산위 LEON PANETTA 위원장(민주-캘리포니아)은 금번 전쟁에 있어서미국이 95푸로의 군사적 부담과 희생을 지게되면, 향후 신국제 질서라는 개념은 환상에 불과한것이될것이라고 지적하면서 걸프전쟁의 비용은 우방국간에 공평히 분배되어야 하고, 우방국의 분담규모는 해당국의 경제력과 이락의 원유공급통제를 방지함으로써 얻는 반사적 이익을 감안해야한다고 언급함.

0 최근 이와관련, 우방국의 분담 규모를산출하는 방안으로 총전비를 450억불로 상정하고 이중 20 푸로는 미국, 20 푸로는 일본,나머지 60 푸로는 사우디, 쿠웨이트및 기타 걸프지역 국가가 부담한다는 원칙을 부쉬 행정부가 검토하고 있다는 소문이 있었음.

0 부시 행정부측은 작 1.25. 우방국 분담 총액목표를 밝히기를 거부하였지만, TUTWILER 국무부 대변인은 행정부가 우방국에 대한 분담규모를 주먹구구식으로 산정하고 있지 않으며, 구체적액수를 제시할것이라 밝혔음.

0 누가 전비를 부담하느냐는 문제는 이미 연 3000억불 이상의 재정.무역적자로 허덕이고 있는 미국으로서는 국가 재정에 심각한 영향을 미치는문제로 인식되고 있음.

미주국 차관 1차보 2차보 미주국 중아국 정문국 청와대 총리실
안기부 대책반 장관

PAGE 1 91.01.27 09:20 ER

외신 1과 통제관

0103

0 쿠웨이트는 현재까지 최대의 재정지원을 공약하였으며, 가장 신속히 공약을 이행하고 있음.

사우디 아라비아는 1.17 760백만불의 현금을 미국에 지원한바 있고, 주로 (전쟁물자, 항공유, 탱크트럭 및 사우디 주둔군 지원)의 지원에 주력하고있음. 일본은 추가로 공약한 90억불은 의회의승인을 얻는 대로 모두 현금으로 지원할 예정이고, 독일은 최근 추가공약 10억불을 합쳐 총 36억불을 공약하였으며, 콜 수상은 이와는 별도로 수십 억불에 달하는 대미국 직접 지원을 언급한바 있음.

0 의회내 일각에서는 1.2일 현재 우방국들이 이행한 현금 분담금액이 45.6억불에 불과한것을 예로들며 우방국들의 분담약속 이행 태도를비난하고 있음.

0 TIMOTHY WIRTH (민주-콜로라도) 상원의원은금번 사태로 인해 예기치 않은 이익을 보고 있는산유국들의 역할 분담이 미흡함을 지적하고, 일본의 90억불 추가지원도 9일간의 전비에 불과한대수롭지 않은 것으로 평가하고 있으나, 부시 대통령은 일본의 90억불 추가지원조치에 대해 대단히만족한다고 발언한바 있음.

(대사 박동진-국 장)

PAGE 2

0104

ZCZC HKA031 INS679 [redacted]
UU LAE LGC HAE

R I
GULF-FUNDS 1-27
SAUDIS COME UP WITH DLRS 13.5 BILLION IN DESERT STORM SUPPORT COSTS
BY JIM ANDERSON
WASHINGTON (UPI) -- SECRETARY OF STATE JAMES BAKER SAID SATURDAY THAT SAUDI ARABIA HAS COME UP WITH DLRS 13.5 BILLION IN SUPPORT COSTS FOR THE MILITARY OPERATIONS AGAINST IRAQ DURING THE FIRST THREE MONTHS OF THIS YEAR.
THE SAUDI COMMITMENT WOULD MEAN, ON TOP OF EARLIER CONTRIBUTIONS, THAT THE U.S. DEFENSE COSTS ARE ESSENTIALLY COVERED FOR THE NEXT THREE MONTHS.
THE DIPLOMATIC SOURCES ESTIMATE THE U.S. COSTS FOR 1991 TO BE AROUND DLRS 45 BILLION.
THE COMMITMENT BY KUWAIT AND SAUDI ARABIA, BOTH OF WHICH ALSO CONTRIBUTE TROOPS AND AIRCRAFT TO THE COALITION, WOULD APPEAR TO REMOVE THE ISSUE OF FINANCIAL COSTS FROM THE DOMESTIC POLITICAL DEBATE.
THE EXACT FORM OF THE SAUDI CONTRIBUTION REMAINS IN DOUBT.
SOME OF THE SAUDI CONTRIBUTION SO FAR HAS BEEN IN THE FORM OF FUEL FOR THE AIR WAR AGAINST IRAQ. ONE SAUDI SOURCE SAID THAT THE AMOUNT OF THAT CONTRIBUTION COULD BE AS MUCH AS 2 MILLION BARRELS OF OIL PER DAY, MORE THAN SAUDI ARABIA HAS BEEN PRODUCING, AND THUS REQUIRING SAUDI ARABIA, FOR THE FIRST TIME IN ITS HISTORY, TO IMPORT FUEL.
ONE SAUDI SOURCE SAID THAT THE SAUDI CONTRIBUTION IS EXPECTED TO RISE PROPORTIONALLY WITH THE NUMBER OF U.S. FORCES IN THE PERSIAN GULF WAR. THOSE FORCES ARE EXPECTED TO REACH 500,000 IN THE NEXT WEEK.
MORE
ASP-EKMIX
UPI 01:24 GMT

=01270141
NNNN

ZCZC HKA032 INS680
UU LAE LGC HAE

R I
GULF-FUNDS 1STADD 1-27
WASHINGTON X X X NEXT WEEK.
THE GOVERNMENT OF KUWAIT ANNOUNCED FRIDAY THAT IT ALSO WAS CONTRIBUTING DLRS 13.5 BILLION TO U.S. COSTS FOR THE FIRST THREE MONTHS OF 1991. JAPAN ANNOUNCED ITS COMMITMENT OF ANOTHER DLRS 9 BILLION. GERMANY HAS SAID THAT IT WOULD CONTRIBUTE ABOUT DLRS 1 BILLION AND THE UNITED ARAB EMIRATES IS EXPECTED TO MAKE A FURTHER CONTRIBUTION.
TOGETHER, THAT WOULD MORE THAN MEET THE U.S. ESTIMATE FOR COSTS FOR THE FIRST THREE MONTHS OF THE YEAR.
OFFICIALS SAID THAT ESTIMATES ARE ONLY THAT, ROUGH APPRAISALS OF WHAT DEFENSE PLANNERS THINK THE WAR IN THE GULF WILL COST AND THOSE DEPEND ON A LOT OF VARIABLES, INCLUDING DECISIONS MADE BY IRAQI PRESIDENT SADDAM HUSSEIN.
BAKER SAID THAT BOTH KUWAIT AND SAUDI ARABIA HAVE CONTRIBUTED WHAT THE UNITED STATES HAS REQUESTED.
ASP-EKMIX
UPI 01:28 GMT

=01270143
NNNN

기여금내역
- 사우디 : $135억
- 쿠웨이트 : $135억
- 독일 : $10억
- 일본 : $90억
- UAE : 추가지원예정

0105

관리 번호	91-180

분류번호	보존기간

발 신 전 보

번 호 : WGE-0140 910126 1747 AO 종별 : 긴 급

수 신 : 주 독 대사. ~~총영사~~

발 신 : 장 관 (미북), 구일)

제 목 : 걸프사태 관련 독일의 추가지원

대: GEW-0209

1. 귀 주재국 정부는 걸프사태 관련 미국에 대하여 80억불 상당의 추가지원을 검토하고 있으며, 콜 수상이 조만간 구체적인 추가지원 계획을 확정, 발표할 예정이라고 1.24.자 Washington Post지는 보도하고 있음.

2. 이와관련 상기 기사내용을 참고 ~~및~~ 귀 주재국 정부의 미국에 대한 추가지원 규모와 내역 등을 가능한 구체적으로 긴급 파악, 보고바람. 끝.

(미주국장 반기문)

예 고 : 91.12.31.일반

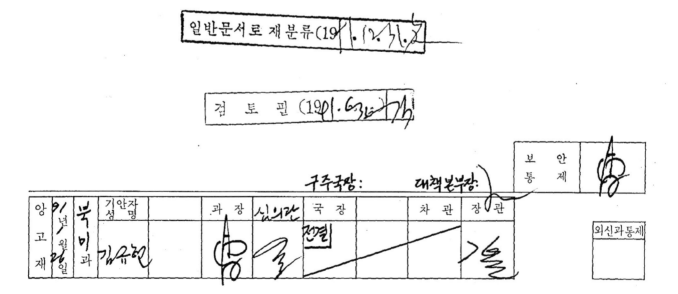

일반문서로 재분류(1991.12.31.)

검 토 필 (1991.6.30.)

구주국장: 대책본부장:

앙고재	91년 1월 26일	북미과	기안자 성명		과 장	심의관	국 장		차 관	장 관
			김유헌				전결			

보안 통제	

외신과통제

0106

외 무 부

종 별 : 지 급

번 호 : USW-0447 일 시 : 91 0126 1436

수 신 : 장 관(미북,중근동,미안,대책반)

발 신 : 주 미 대사

제 목 : 걸프전 관계기사 (우방국 역할 분담)

금 1.26 W.P 1 면에 ALLIES PLEDGE MORE MONEY TO SHARE COSTS OF BATTLE 제하의 기사가 게재된바 동주요 내용 하기 보고함.(기사 원본은 USW(F)-327기송부)

0 최근 우방국들이 페만전쟁 비용에 대한 기여금증액을 발표한데 따라, 우방국 기여금 총액은 총 300억불에 달하게됨.

0 최근 일본은 90억불,쿠웨이트는 135억불,독일은10억불을 추가 분담하겠다고 발표한바, 이는 원유의 안정적 공급으로부터 가장큰 혜택을 받는우방국이 걸프전의 비용 분담에 있어서는 형평에 어긋나게 분담을 적게하고 있다는 미국내 여론 및 미의회의 분위기를 완화하기 위한 조치임.

0 미하원 예산위 LEON PANETTA 위원장(민주-캘리포니아)은 금번 전쟁에 있어서미국이 95푸로의 군사적 부담과 희생을 지게되면, 향후 신국제 질서라는 개념은 환상에 블과한것이될것이라고 지적하면서 걸프전쟁의 비용은 우방국간에 공평히 분배되어야 하고, 우방국의 분담규모는 해당국의 경제력과 이락의 원유공급통제를 방지함으로써 얻는 반사적 이익을 감안해야한다고 언급함.

0 최근 이와관련, 우방국의 분담 규모를산출하는 방안으로 총전비를 450억불로 상정하고 이중 20 푸로는 미국, 20 푸로는 일본,나머지 60 푸로는 사우디, 쿠웨이트및 기타 걸프지역 국가가 부담한다는 원칙을 부쉬 행정부가 검토하고 있다는 소문이 있었음.

0 부시 행정부측은 작 1.25. 우방국 분담 총액목표를 밝히기를 거부하였지만, TUTWILER 국무부 대변인은 행정부가 우방국에 대한 분담규모를 주먹구구식으로 산정하고 있지 않으며, 구체적액수를 제시할것이라 밝혔음.

0 누가 전비를 부담하느냐는 문제는 이미 연 3000억불 이상의 재정.무역적자로 허덕이고 있는 미국으로서는 국가 재정에 심각한 영향을 미치는문제로 인식되고 있음.

미주국	차관	1차보	2차보	미주국	중아국	정문국	청와대	총리실
안기부	대책반	장관						

PAGE 1

91.01.27 09:20 ER

외신 1과 통제관

0107

0 쿠웨이트는 현재까지 최대의 재정지원을 공약하였으며, 가장 신속히 공약을 이행하고 있음.

사우디 아라비아는 1.17 760백만불의 현금을 미국에 지원한바 있고, 주로 (전쟁물자, 항공유, 탱크트럭 및 사우디 주둔군 지원)의 지원에 주력하고있음. 일본은 추가로 공약한 90억불은 의회의승인을 얻는 대로 모두 현금으로 지원할 예정이고, 독일은 최근 추가공약 10억불을 합쳐 총 36억불을 공약하였으며, 콜 수상은 이와는 별도로 수십 억불에 달하는 대미국 직접 지원을 언급한바 있음.

0 의회내 일각에서는 1.2일 현재 우방국들이 이행한 현금 분담금액이 45.6억불에 불과한것을 예로들며 우방국들의 분담약속 이행 태도를비난하고 있음.

0 TIMOTHY WIRTH (민주-콜로라도) 상원의원은금번 사태로 인해 예기치 않은 이익을 보고 있는산유국들의 역할 분담이 미흡함을 지적하고, 일본의 90억불 추가지원도 9일간의 전비에 불과한대수롭지 않은 것으로 평가하고 있으나, 부시 대통령은 일본의 90억불 추가지원조치에 대해 대단히만족한다고 발언한바 있음.

(대사 박동진-국 장)

7u

관리 번호	91-183

원 본

외 무 부

종 별 : 긴 급

번 호 : JAW-0402 일 시 : 91 0127 1648

수 신 : 장관(미북,중근동,아일)

발 신 : 주 일 대사(일정)

제 목 : 걸프전쟁에 대한 일본의 지원책

대 : WJA-0382

연 : JAW-0353

1. 대호관련, 일정부는 다국적군에 대한 추가협력자금 90 억불을 GCC 에 설치된 걸프평화기금에 제공, 다국적군이 사용토록 할 방침이며 또한 현재 다국적군이 이라크와 전쟁중에 있음을 고려, 동 사용용도에 대해서는 국내야당의 반발에도 불구하고 제한을 두지 않을 방침인 것으로 보임.

2. 당관에서 금 1.27 외무성 중동비상대책반과 접촉한 바에 의하면, 상기 추가협력자금 90 억불의 구체적 지원내역은 상금 결정되지 않았다함.

3. 한편 주변제국에 대한 추가지원문제에 관하여는 기책정 20 억불중에서 10억불만이 소전되고, 나머지 10 억불이 상금 미사용상태이므로 추가지원문제를 거론하는것은 시기상조로서 현재로서는 구체적 계획이 없다는 것이 외무성 견해임. 단 최근 주재국 언론에 보도된 10 억불 추가지원 검토예정은 추측보도에 불과하다함.

4. 본건 계속 추보예정임.끝

(대사 이원경-국장)

예고:91.12.31. 일반

일반문서로 재분류(1991.12.31.)

검 토 필 (1991.6.30.)

미주국 장관 차관 1차보 2차보 아주국 중아국 청와대 총리실
안기부

PAGE 1 91.01.27 17:13

외신 2과 통제관 CW

0109

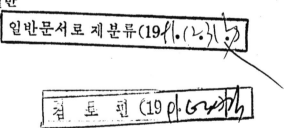

관리번호 91-186

원 본

외 무 부

종 별 : 긴 급

번 호 : JAW-0408　　　　일 시 : 91 0128 1517

수 신 : 장관(미북,아일,중근동)

발 신 : 주 일 대사(일정)

제 목 : 걸프전쟁에 대한 일본의 지원책

대:WJA-0382

연:JAW-0402, 0353

1. 대호 관련, 이준일 참사관이 1.28(월) 외무성 다나까 북미 1 과장과 추가 접촉한 바에 의하면 다국적군에 대한 90 억불 추가지원의 내역은 연호 보고에서와 같이 미정상태로서 추후 GULF PEACE FUND 운영위원회에서 결정될 사항이나,그전에 우선 91.3. 월말(보정예산 통과기한) 까지 국회에서 제 2 차 보정예산 및 재원조달을 위한 증세 관련법안이 통과된 후에야 실질적으로 자금이 G.P.F 에전달되고 내역도 결정될 수 있을 것이라 함.

2. 동 과장에 의하면 90 억불은 전액이 다국적군에 대한 지원(현금)이며, (수송 지원비는 별도 예산) 형식은 다국적군에 대한 지원이지만 실질적으로는 90 억불의 대부분이 미국에 대한 지원이 될 것이며, 나머지 소액이 다국적군에 참가한 주변국가(구체적 대상국은 G.P.F 운영위에서 결정)에 대하여 지원될 것은 틀림없다함. 끝.

(대사 이원경-국장)

예고:91.12.31. 일반

일반문서로 재분류(1991.12.31.)

검 토 필 (1991.6.30.)

미주국 장관 차관 1차보 2차보 아주국 중아국

PAGE 1

91.01.28 16:02

외신 2과 통제관 BA

0110

관리번호 91-203

원 본

외 무 부

종 별 : 지 급

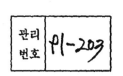

번 호 : GEW-0218 일 시 : 91 0128 1600

수 신 : 장관(미북,구일,중근동)

발 신 : 주 독 대사

제 목 : 독일의 걸프전쟁 분담금지원

대:WGE-0140

연:GEW-0209

1. 연호 보고한바와 같이 주재국 정부는 1.25. 걸프전쟁과 관련한 주재국의지원총액은 다국적군 지원 34 억 마르크, 전선국가지원 19 억 마르크, 도합 53 억 마르크(약 35 억불 상당)라고 기 발표한바 있음

2. 대호 WP 지 보도관련, 1.28. 당관 전부관 참사관은 주재국 외무부에서 본 건에 관해 실무책임을 맡고있는 EC 및 제 3 세계 경제협력담당 EICHINGER 부국장(주시에라온 대사 역임)을 접촉문의한바, 동 부국장은 주재국정부로서도 참전및 전선국가에 대한 추가지원의 필요성을 인정하는 분위기이며, 실무자인 자신으로서는 그규모에 관하여는 알지 못하는 입장이나, 수상, 외무및 재무장관등 고위선에서 이문제를 협의중에 있는 것으로 안다고 말하였음. 지원규모와 관련 미국측과의 요청과 일본정부의 추가지원 내용등을 고려할 것으로 본다고 말함.

3. 주재국 정부의 추가지원 금액등은 알려지는대로 추보하겠음

(대사-국장)

일반: 91.12.31.

일반문서로 재분류(1991.12.31.)

검 토 필 (1991.6.30.)

미주국 1차보 2차보 구주국 중아국 안기부

PAGE 1 91.01.29 05:43

외신 2과 통제관 FE

0111

외 무 부

종 별 :

번 호 : GEW-0233 일 시 : 91 0129 1630

수 신 : 장 관 (미북,중근동,구일,기정동문,국방)

발 신 : 주 독 대사

제 목 : 걸프사태 관련 주재국 추가지원

연: GEW-0179

1. 금 1.29.주재국 정부 대변인 DIETER VOGEL공보처장은 정부성명을 통하여, 걸프전쟁 관련 독일의 추가지원금으로 금년 1월부터 3월까지 총 55억 미불을 미국에게 추가지원하는 내용의 콜수상의 대미지원안이 금일 각료회의에서 가결되었다고 밝히고, 동금액은 쿠웨이트를 해방하기 위한 유엔 결의안을 실행하고 있는 미국에 대한 독일의 유대감의 표시라고 언급하였음.

2.금번 추가지원이 결정됨으로써 주재국은 걸프사태 관련 총90억 미불을 지원하게 되며, 그중미국에는 약 67억 3,600만불을 지원하게 되는것임

3.상기 대미지원의 상세내용, 지출방법등을 외무부 관계관에 문의한바, 추가지원 총액만 결정되었을뿐 상세사항은 관련 부처간 협의를 거쳐 추후 발표할 예정이라함을 참고바람.

(대사-국장)

미주국	장관	차관	1차보	2차보	구주국	중아국	중아국	정문국
청와대	총리실	안기부	국방부					

PAGE 1 91.01.30 09:21 WG

외신 1과 통제관

0112

외 무 부

종 별 : 지 급

번 호 : UKW-0288 일 시 : 91 0131 2000

수 신 : 장 관(중근동,미북,구일)

발 신 : 주 영 대사

제 목 : 걸프전쟁

1. 독일의 대영국 전비원조

가. 작 1.30(수) 허드외상의 독일 콜수상 및 겐셔외상과의 회담후, 독일은 영국의 걸프참전을 지원하기 위해 금년 1/4분기동안 2억7,500만파운드를 제공하고, 이외에 군장비 (구체적 규모미상)도 영측에 원조키로 했다고 발표함.

나. 이에대해 허드외상은 만족스럽다고 말하고, 독일은 영국의 매우 중요한 동맹국으로서 현실적인 방법으로 파병연합국과의 일체감을 보여주었다고 평가함.

2. 독일의 군사적 역할변화 가능성에 대한 영국입장

1.30. 허드외상은 독일 헌법상 걸프전 관련 행동에 한계가 있음을 이해한다고 말하고, 현재 독일내에 기본법을 개정하여 UN 평화유지 목적의 집단안보상 필요시에는 독일군을 해외 파병할 수 있도록 하는 움직임이 있는바, 독일인들이 그렇게 결정할 경우, 환영한다고 밝힘.

3. 걸프전쟁과 EC 정치통합

가. 메이저 수상은 THE TIMES 지와의 회견 (1.31.게재)에서 EC의 공동 외교.방위정책 추진과 관련, 유럽은 NATO에 보다 큰기여를 해야한다고 말해 EC가 방위면에서NATO를 대체하는 기구로 발전하는 것에 반대한다는 기존입장을 재확인함.

나. 허드외상은 1.30 독일 본에서 가진 BBC-TV회견에서, 걸프사태 대응과정에서보여준 EC각국간의 불협화가 EC 정치통합 논리를 후퇴시켰느냐는 질문에 대해, 후퇴 시킨 것은 아니지만 EC의 실체를 있는 그대로 보여준 기회였다고 말하고, EC 12개국간에 정치적의사 결정 체제 및 방법에 관하여 논의하기 전에 우선 공동의 정책 내용에 관하여 많은 협의가 필요하다고 지적함.

다. 금 1.31. THE TIMES지 사설은 걸프사태 진전과정에서 프랑스와 독일이 소극적으로 끌려왔다고 비판하고, 영국은 EC의 장래를 염두에 두고 불.독의 태도를

중아국 장관 차관 1차보 2차보 미주국 구주국 중아국 청와대
총리실 안기부

PAGE 1 91.02.01 09:40 WG
외신 1과 통제관

0113

주시하고 있다고함.

4. 국방장관 하원발언

가. TOM KING 국방장관은 금 1.31. 하원에서 걸프참전 영국군은 4만명이며, 일간 4백만파운드의 전비가 들고있다고 말함.

나. 또한 미국의 B-52 폭격기중 일부가 영국을 기지로 사용하게 될 것이라고 밝히면서 지상전이 개시되기 전에 당분간 공중폭격이 계속될것이라고 말함.

5. 퀘일 미부통령 방영

가. 미국의 퀘일 부통령은 금 1.31. 당지 방문 메이저 수상과 회담함. 회담후 양은 걸프전관련 양국간의 협력정도에 대하여 만족을 표함.

나. 동 부통령은 다이 TV회견에서 걸프전쟁이 결코 쉬운 전쟁이 아니라고 말하고 이락의 화학무기사용 가능성에 대해서 우려를 표명함. 또한 미군의 걸프지역 주둔기간과 관련 필요할때 까지 미군이남아있을 것이라고 밝힘.끝

(대사 오재희-국장)

PAGE 2

0114

관리 번호	91-217

	분류번호	보존기간

발 신 전 보

번 호 : WCH-0099 910201 2240 BW 종별 : 지급

수 신 : 주 중 대사. 총영사 (사본 : 주미대사-0492)

발 신 : 장 관 (미북, 아이)

제 목 : 걸프 사태 관련 지원 계획

대 : CHW-1494(90.9.25)

1. 전북 주재국 외교부장이 90.9.24. 귀 주재국 정부가 중동 위기로 피해를 겪고 있는 요르단, 이집트, 터키등 3개 전선국에 총 3,000만불의 현금내지 물자를 원조할 것입을 발표한 것과 관련 지금까지의 원조 집행내역등을 지급 파악 보고 바람.

2. 귀 주재국 정부가 걸프 사태와 관련 미국에 대하여 재정 지원등을 제공하였는지 여부도 아울러 파악 보고 바람. 끝.

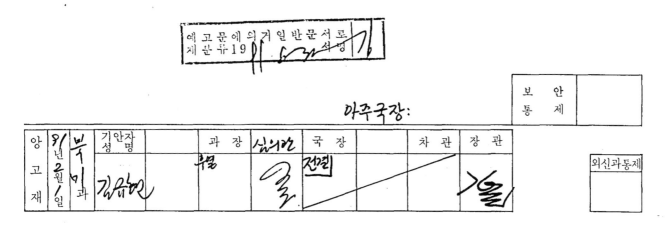

(미주국장 반 기 문)

예고문에 의거 일반문서로 재분류 1991. 6. 30 서명

아주국장:

보 안 통 제	

앙 고 재	91년 2월 1일	북미과	기안자 성 명		과 장	심의관	국 장		차 관	장 관
			김유연		유명	(서명)	전결			(서명)

외신과통제

0115

관리 번호	91/131

원 본

외 무 부

종 별 :

번 호 : DEW-0056　　　일 시 : 91 0201 1400

수 신 : 장관(중근동,구이,기정)

발 신 : 주 덴마크 대사

제 목 : 걸프사태

중근동

1. 1.29. SCHLUTER 주재국 수상은 덴마크는 걸프사태 다국적군 참여국들이 유엔결의안 이행에 대한 경제적 부담이 공평하게 이루어지지 않고 있다고 판단하는 경우, 이를 경청할 준비가 되어있으며 주재국은 2 억 7 천만 크로너까지 부담할 수 있을 것으로 예상한다고 말함.

2. 한편 1.30. 주재국 의회는 대 이락 경제봉쇄를 위해 걸프만에 파견되어 있는 코르벳함. OLFERT FISCHER 호가 전투에 참여할수 있도록 허용하자는 야당 진보당의 제안을 부결시킴. SCHLUTER 수상의 소수연립 정부는 다국적군에 대한 보다 적극적인 참여를 내심 바라고 있으나 최대 야당인 사민당이 이에 반대하는 한 의회 승인이 난망시 되고 있어 아직은 별다른 추가조치를 취하지 못하고 있음. 끝.

(대사 장선섭-국장)

예고:91.6.30 까지

1991.6.30.에 예고문에 의거 일반문서로 재분류됨

중아국	장관	차관	1차보	2차보	구주국	안기부

PAGE 1　　　91.02.01 23:38

외신 2과 통제관 BW

0116

외 무 부

종 별 :

번 호 : GEW-0275　　　　일 시 : 91 0201 1800

수 신 : 장 관 (미북, 중근동,구일)

발 신 : 주 독 대사

제 목 : 걸프전 독일의 대미 추가지원

연: GEW-0245

연호 주재국의 걸프전 관련 대미 추가지원 결정에 대해 1.31.부시 미 대통령은콜수상에게 서한을 보내어, 독일의 걸프전 참전국에 대한 지원을 높이 평가하고 대미 추가지원액 55억불은 반이락 연합을 위한 상당한 지원이 될 것이라고 표명하였음.

(대사-국장).

미주국 장관 차관 1차보 2차보 구주국 중아국 정문국 청와대
총리실 안기부 대책반

PAGE 1　　　　91.02.02 08:27 FC

외신 1과 통제관

0117

길

관리번호	90-220

외 무 부

원본

√종 별 : 지 급

번 호 : CHW-0228 일 시 : 91 0203 1030

수 신 : 장관(미북,아이),사본:주미대사-중계요

발 신 : 주 중 대사

제 목 : 걸프사태관련 주재국 지원현황

대:WCH-0099

1. 대호 주재국 정부의 3 개 전선국에 대한 3,000 만불 원조 집행내역 아래보고함.

-요르단: 2,000 만불(현금으로 기제공)

-터어키: 500 만불(현금및 의약품으로 기제공)

-이집트: 500 만불(현재까지 제공치 않았으며, 이집트정부측과 제공방법에 관해 협의중)

2. 주재국정부는 상기 전선국에 대한 지원외에 걸프사태 관련 미국에 대한 재정지원 제공은 현재 검토중이나 결정한바 없음. 끝

(대사 한철수-국장)

예고:91.6.30. 까지

예고문에 의거 일반문서로 재분류19 91 12 . 31 . 서명

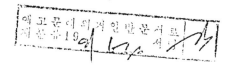

미주국 장관 차관 1차보 아주국

PAGE 1

91.02.03 12:03

외신 2과 통제관 BT

0118

관리번호	91-328

원 본

외 무 부

종 별 :

번 호 : JAW-0579　　　　일 시 : 91 0206 1144

수 신 : 장관(미북,아일,중근동,국방부)

발 신 : 주 일 대사(일정)

제 목 : 다국적군지원 90억불 사용용도

대: WJA-0382

연: JAW-0408, 0402

1. 연호 일정부가 발표한 당국적군 90 억불 사용용도 관련, 카이후 일수상은 2.5. 공명당 이찌가와 서기장의 질문에 대한 국회답변에서 "수송, 식량등에 충당한다는(정부)방침은 그 이외의 용도에 사용하지 않는다는것과 동일하다" 는 입장을 밝히는 한편, "이런 뜻이 GULF 평화기금 운영위원회에 전달되도록 하겠다" 고 언급하였음.

2. 지금까지 일정부는 90 억불 지원금의 사용용도에 대해 "수송관련, 의료,식량, 사무관련 재경비등에 충당한다" 고만 언급해 왔던 점에 비추어 카이후 수상의 상기 견해표명은 동 지원금이 무기, 탄약 구입비용에 사용되어서는 안된다는 야당일부(공명당등)의 주장을 크게 배려한 발언으로 보여지는바, 이는 90 억불 재원마련을 위한 증세법안등의 국회통과를 위해서는 국회의석 분포상 야당중 공명당의 협조가 불가피함을 감안한 결과로 보여짐.

3. 한편, 미국정부는 일측의 지원금 사용용도 제한 움직임에 대해 종래 부정적인 입장을 표시해 왔던것으로 관찰되나, 2.4. 미국무성 테트화일러 대변인은일본의 90 억불 지원금의 사용용도를 "후방지원에 한정한다" 고 미측 입장을 발힌바 있다함을 참고로 보고함. 끝

(대사이원경-국장)

예고:91.12.31. 일반

검 토 필 (1991.6.30.)

미주국 국방부	장관	차관	1차보	2차보	아주국	중아국	청와대	안기부

PAGE 1　　　　91.02.06　12:35

외신 2과　통제관 FE.

0119

30-7h 원 본

외 무 부

종 별 :

번 호 : GEW-0704 일 시 : 91 0322 1630

수 신 : 장 관(미북,중동일,구일)

발 신 : 주 독 대사

제 목 : 독일의 걸프전쟁관련 지원액문제

1. 주재국 WAIGEL 재무장관이 3.25-26.간 예정으로 미국을 방문, 중근동정세및 동지역 평화질서에 관한 미국측 구상, 동지역 복구계획등을 협의하고 아울러 소련정세 및 중. 동.남구 국가의 개혁정책에 대해서도 협의할 예정이라고 3.21.정부 대변인 DIETER VOGEL 공보처장이 발표함.

2.이와관련 VOGEL 대변인은 독일은 걸프전관련 미국에 약속한 재정지원금중 잔여 3차 최종회분을 걸프전쟁의 예상외 조기종전에도 불구, 지불할 것이라고 하고, 그러나 독일정부는 미국정부가 잠정집계한 걸프전쟁 비용에 관해서 협의할 예정이라 밝힘.

3.당초 주재국은 1.29. 55억불 (82억 5천만 DM상당)의 대미 추가지원을 약속했던바, 2월, 3월 2차례에 걸쳐 57억 5천만 마르크를 기지불하고, 3.28. 마지막 3차분 25억 DM 을 지불할 예정임.한편 백악관 FITZWATER 대변인은 독일의 대미지불 이행 발표를 환영하고, 현재 정확한 전비는 산정되지 않았다고 말함.

4.주재국 일각에서는 걸프전쟁이 예상외로 조기에 종식대어 전비가 당초예사보다줄었으므로 3차분의 지불을 재고되어야 한다는 입장을 보이고 있음. 특히 SPD 측은연방정부가 동 지원금액을 줄임으로써 이에 상응한 세금인상도 불필요하게 될것이라고 말하고있음. 이에 대해 미국정부는 연합국측의 총 545억불 지원 약속은 이행되어야 한다고 말함. 한편 미상원은 3.20. 약속한 지원금 지불을 이행하지않은 국가에 대하여는 무기공급을 중단할것이라는 결의를 함.끝

(대사-국장)

미주국 2차보 중아국 통상국 안기부

PAGE 1 91.03.23 11:28 WG

외신 1과 통제관

0120

관리 번호	91-754

	분류번호	보존기간

발 신 전 보

WJA-1265 910321 1404 DU

번 호 : 종별 :

수 신 : 주 일 대사, 총영사

발 신 : 장 관 (미북)

제 목 : 걸프전 지원비 집행

1. 걸프전의 조기 종전이후 미측의 우방국에 대한 지원 약속액의 조기 집행 요청과 관련, 정부는 3.20. 2차지원 발표액의 집행계획을 아래와 같이 발표하였음.

가. 2차 지원 발표액중 1억1천만불은 현금 6천만불, 수송지원 5천만불로 지원하고 3월말이전 우선 현금 6천만불을 미국 정부에 송금함.

나. 당초 군수물자로 지원키로 했던 1억7천만불을 하기와 같이 배분.지원 토록함.

(다만, 구체적 집행시기는 4월중 개회 예정인 임시국회중 필요 예산 조치를 필한후 ~~집행하며, 늦어도 상반기중 지원 약속액 전액을~~ 집행 예정임.)

- 대미 현금 지원 : 4천만불(대미 현금지원 총액 1억5천만불)
- 대미 수송 지원 : 5천만불(대미 수송지원 총액 1억5천5백만불)
- 군수 물자 지원 : 5천만불(걸프전 사용 주한미군 물자 보전)
- 대영 전비 현금지원 : 3천만불

2. 3.19. 미 상원의 걸프전 관련 추가 세출 법안 심의시 배포된 자료에 따르면, 일본 정부는 기여 약속액 107억4천만불중 73억2천3백만불을 집행, 68%의 집행률을 보이고 있다함.

/계 속/

아주국장 :

보안 통제	

앙 고 재	91년 3월 21일	북미과	기안자 성명		과 장	심의관	국 장		차 관	장 관
							전결			

외신과통제

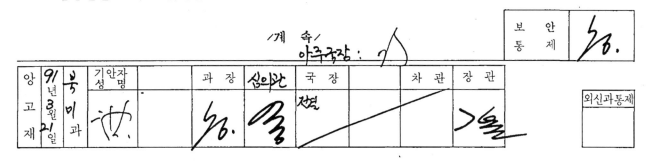

0121

3. 상기관련, 일본 정부의 기여 약속액 집행현황, 재원확보 방안, 중참의원 상의 절차 및 과정, 지원형태별 규모등 관련사항을 파악 보고바람. 끝.

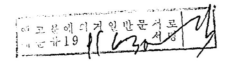

(미주국장 반 기 문)

예고문에 의거 일반문서로
재분류19 서명

0122

관리번호	91-814

원 본

외 무 부

총-기 한국이 지원해야 할 2.8억불 중 주요 문제는 남은 어느?

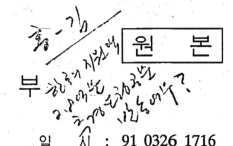

종 별 :
번 호 : JAW-1770 일 시 : 91 0326 1716
수 신 : 장관(미북,중동일) 사본:주미대사
발 신 : 주 일 대사(일정)
제 목 : 걸프전 지원비집행

대 : WJA-1265

일정부의 걸프전 관련 재정지원 집행현황 아래 보고함.

1. 1 차 지원(40 억불)

- 90.9 월과 12 월 2 차에 걸쳐 다국적군 지원비로서 19 억불(2,529 억엔)을 GCC 내에 설립된 페만 평화기금에 송금, 동기금 운영위원회(주사우디 일본대사와 GCC 사무국장으로 구성)가 각국의 요청을 검토, 지출을 결정함에 따라 집행됨.(용도는 물자협력, 항공기.선박등의 임차등 수송관련 경비)

- 일정부의 수송협력 및 의료협력 비용으로 1 억불이 집행됨.

- 페만 사태로 심각한 경제적 손실을 받은 이집트, 터키, 요르단에 대해 20 억불의 경제협력이 결정, 현재 실시중임.

(최종적인 국가별 배분은 이집트 약 6 억불, 터키 약 7 억불, 요르단 약 7 억불)

2. 2 차지원(90 억불)

- 90 억불의 추가지원을 위한 90 년도 제 2 차 추경예산과 재원관련 법안이2.28. 중원, 3.6. 참원을 통과, 성립됨에 따라 일정부는 3.13. 90 억불 상당분인 1 조 1,700 억엥(1 불:약 130 엔적용)을 페만 협력기금에 송금함.

- 이금액중 페만 평화기금 운영위원회의 결정에 따라 1 차적으로 미국에 대해 7939.1 억엥(61 억불 상당)이 3.22 지출되었으며 다국적군에 참가한 각국의 요청에 따라 동 잔액이 추가 집행될 예정임.

3. 사용처

- 일정부는 상기금액이 6 개 분야(수송, 의료, 식료, 생활, 사무, 통신, 건설)의 경비에 국한하여 사용되도록 지출대상국에 희망하고 있으며, 상기 기금운영위원회는 동 분야와 관련된 각국의 요청을 받아 지출여부를 결정하고 있음.

미주국	장관	차관	1차보	2차보	아주국	중아국	경제국	청와대
총리실								

PAGE 1

91.03.26 19:46
외신 2과 통제관 FI

0123

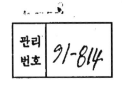

4. 재원

가. 1 차지원분

- 10 억불 : 90 년도 예비비로 충당

- 10 억불 : 90.12.17 성립된 90 년도 제 1 차 추경예산에 계상

나. 2 차 지원분

- 90 억불 : 91.3.6. 성립된 90 년도 제 2 차 추경예산에 계상(구체적인 재원은 세출삭감, 법인세, 석유세의 증세로 충당)

5. 환차보전분

- 카이후 수상은 3.25 참원예산위원회에서, 환차에 따른 90 억불 추가지원액의 실질 감소분에 대한 미국의 보전요청 움직임에 관해, '최초의 20 억불 지원도 엔화로 지불하였고 그 당시와 환차가 있으나, 1 조 1,700 억엔을 페만 평화기금에 불입한 이상 보존할 의사가 없음'을 밝힘

6. 동건 상세 파악되는대로 추보예정임.끝

(대사 오재희-국장)

예고:원본접수처:91.6.30. 일반

사본접수처:91.6.30. 파기 일반

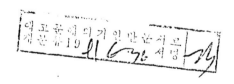

예고문에 의거 일반문서로 재분류19 91 6 30 서명

PAGE 2

0124

원 본

암 호 수 신

외 무 부

종 별 :

번 호 : JAW-3048 일 시 : 91 0517 1822

수 신 : 장관(미북,아일,중동일)

발 신 : 주 일 대사(일정)

제 목 : 다국적군 추가지원 환차 보전

1. 일 정부는 5.17. 걸프전 관련 다국적군에 대한 90 억불의 추가지원액중 환차 변동으로 초래된 약 5 억불의 실질 감소분을 쿠르드 난민지원등의 목적으로실질보전한다는 방침을 결정, 관방장관, 대장상, 외상등 관계각료의 기자회견(5.17)을 통해 이를 표명함.

2. 그간 미국은 다국적군 지원액 실질감소 보전을 일 정부에 요청하여 왔으나, 일 정부는 당초 엔화로서 지원하기로 했던 것이므로 보전에는 응할수 없다는입장을 취해, 미일간의 정치문제가 되어 왔음. 끝.

(대사 오재희-국장)

미주국 장관 차관 1차보 2차보 아주국 중아국 청와대 안기부

PAGE 1

91.05.17 20:54

외신 2과 통제관 CE

0125

외교문서 비밀해제: 걸프 사태 3

걸프 사태 한미 협조 3

초판인쇄 2024년 03월 15일
초판발행 2024년 03월 15일

지은이 한국학술정보(주)
펴낸이 채종준
펴낸곳 한국학술정보(주)
주 소 경기도 파주시 회동길 230(문발동)
전 화 031-908-3181(대표)
팩 스 031-908-3189
홈페이지 http://ebook.kstudy.com
E-mail 출판사업부 publish@kstudy.com
등 록 제일산-115호(2000. 6. 19)

ISBN 979-11-6983-963-1 94340
979-11-6983-960-0 94340 (set)